SCIENCE FICTION

Herausgegeben
von Dr. Herbert W. Franke
und Wolfgang Jeschke

FLETCHER PRATT

DER BLAUE STERN

Ein klassischer Fantasy-Roman

Deutsche Erstveröffentlichung

WILHELM HEYNE VERLAG
MÜNCHEN

HEYNE-BUCH Nr. 3570
im Wilhelm Heyne Verlag, München

Titel der amerikanischen Originalausgabe
THE BLUE STAR
Ins Deutsche übertragen von Horst Pukallus

Redaktion: F. Stanya

Printed in Germany 1977
Umschlagbild: Enrich Torres, Barcelona
Umschlaggestaltung: Atelier Heinrichs, München
Gesamtherstellung: Mohndruck Reinhard Mohn OHG, Gütersloh

ISBN 3-453-30465-9

INHALT

Prolog

Penfield drehte den Stiel seines Portweinglases zwischen Daumen und Zeigefinger.

»Ich bin anderer Meinung«, sagte er. »Es ist nichts als egozentrische Eitelkeit, unsere Lebensform als einzig unter jenen Millionen von Welten zu betrachten, die es geben muß.«

»Woher weißt du«, fragte Hodge, »daß es sie geben muß?«

»Beobachtung«, sagte McCall. »Die Astronomen haben nachgewiesen, daß außer unserer Sonne auch andere Sterne Planeten besitzen.«

»Du spielst ihm in die Hände«, bemerkte Penfiel, dessen dicke Brauen zuckten, als er eine Nuß knackte. »Das Herangehen von der statistischen Seite ist besser. Warum schäumt der Portwein in diesem Glas nicht plötzlich empor und spritzt an die Decke? So etwas hat man noch nie an einem Glas Portwein beobachtet, und doch sind die Moleküle, aus denen es sich zusammensetzt, in ständiger Bewegung, und jeder Physiker wird euch erklären, daß es keinen Grund gibt, warum sie sich nicht plötzlich alle in eine Richtung bewegen sollten. Nur besteht die überwältigend hohe Wahrscheinlichkeit, daß es nicht geschieht. Zu glauben, wir auf dieser Erde, einem Planeten eines unbedeutenden Sterns, seien die einzige intelligente Lebensform, ist das gleiche wie zu erwarten, dieser Portwein könne in jedem Moment überkochen.«

»Aber es gibt ohnehin recht viele Möglichkeiten für intelligentes Leben«, sagte McCall. »Ein Schwede, der in deutscher Sprache schrieb – ich glaube, er hieß Lundmark –, hat sich die Auswahl einmal angeschaut. Er sagt zum Beispiel, daß ein Chlor-Silikon-Kreislauf ebenso Leben gewährleisten könnte wie das Sauerstoff-Kohlenstoff-System dieses Planeten, und es gibt keinen besonderen Grund, aus dem die Natur das eine dem anderen vorziehen sollte. Sauerstoff ist ein sehr aktives Element, darum strömt es in solchen Mengen frei umher, wie es bei uns der Fall ist.«

»Schön«, sagte Hodge, »kann es also nicht sein, daß der Kreislauf, den du vorhin erwähnt hast, der normale ist und unserer ein außergewöhnlicher?«

»Überlege einmal«, sagte Penfield. »Was hättest du denn damit erreicht, um alles in der Welt? Lassen wir den Portwein und beginnen wir von neuem.« Er lehnte sich zurück und blickte hinauf zur Decke des Raums, wo an der dunklen Täfelung geschnitzte Wappenschilder matt glänzten. »Ich meine nicht, daß alles hiesige irgendwo im Universum ganz genau nochmals vorhanden ist und drei Männer namens Hodge, McCall und Penfield beisammen sitzen und nach einem bekömmlichen Essen wie Studenten Philosophie diskutieren. Die Tatsache, daß wir hier sind und es unter diesen Umständen sind, ist die Summe aller vergangenen Geschichte der ...«

Hodge lachte. »Die Vorstellung, wir drei wären die Krone der menschlichen Entwicklung«, sagte er, »finde ich faszinierend.«

»Du bringst zwei verschiedenartige Dinge durcheinander. Ich habe nicht gesagt, daß wir erstklassige oder auch bloß angenehme Geschöpfe seien. Aber uns sind bestimmte Umstände vorausgegangen, von denen jeder so unwahrscheinlich ist wie das Emporschießen des Portweins. Zum Beispiel das Auftreten solcher Personen wie Beethoven oder George Washington oder des Menschen, der das Rad entdeckte. Sie sind unverzichtbare Bestandteile unserer Geschichte. Auf einer anderen Welt, die ungefähr so begonnen hat wie die unsere, denke man sie sich fort – und jene Welt wäre dadurch erheblich verändert.«

»Ich habe den Eindruck«, sagte McCall, »daß man, sobald man den Gedanken an Welten, die ungefähr den gleichen Ursprung haben – also in diesem Fall an einen Planeten, der die gleiche Größe und chemische Beschaffenheit wie die Erde besitzt und sich in ungefähr gleicher Entfernung von seiner Sonne befindet –, einmal anerkannt hat . . .«

»Den finde ich eben schwer anerkennbar«, sagte Hodge.

»Laß uns für einen Moment unseren Spaß«, sagte McCall. »Er führt uns zu etwas, das interessanter ist als das Gerede im Kreis.« Er ließ sein Feuerzeug aufschnappen. »Ich wollte sagen, daß man bei einem ungefähr gleichen Anfang zu einem ungefähr gleichen Ende gelangen muß, entgegen von Penfields Annahme. Dafür verfügen wir über Beweise hier auf der Erde. Ich meine die sogenannte Konvergenz der Evolution. Als die Reptilien herrschten, brachten sie sowohl Pflanzenfresser wie auch Fleischfresser hervor, wobei die letzteren sich von ersteren ernährten. Und unter den frühen Säugetieren waren solche, die so sehr Katzen und Wölfen ähnelten, daß eine Unterscheidung nur anhand der Skelette möglich ist. Warum sollte das nicht auch für die menschliche Evolution gelten?«

»Du meinst«, fragte Penfield, »daß Beethoven und George Washington zwangsläufig auftreten müßten?«

»Nun ja – das meine ich eigentlich nicht«, antwortete McCall. »Aber jedenfalls irgendein musikalisches Genie und irgendein wackerer Soldat und militärischer Führer . . . Es gäbe mancherlei Unterschiede.«

»Einen Moment«, sagte Hodge. »Wenn wir das Produkt der Menschheitsgeschichte sind, dann waren es auch Beethoven und Washington. Dann hätten wir eine Determiniertheit ohne jede wirkliche Alternative, seit die Sonne ihre Planeten hervorbrachte.«

»Das Prinzip des Freien Willens . . .«, begann McCall und seufzte.

»Das kenne ich auch«, sagte Penfield. »Falls man aber die Willensfreiheit völlig leugnet, kommt man zu einem Universum, in dem jede Welt haargenau so ist wie unsere – was so absurd ist wie Hodges Einfall von unserer Einzigartigkeit, nur viel abscheulicher.«

»Na schön«, sagte Hodge. »Was für eine Art von Kosmologie schlägst du vor? Wenn du dich mit keiner unserer Vorstellungen einverstanden erklären kannst, dann laß uns deine hören.«

Penfield trank einen Schluck vom Portwein. »Ich kann lediglich ein Beispiel nennen«, sagte er. »Nehmen wir einmal diese Welt – oder eine, die ihr sehr ähnelt – ohne einen dieser unwahrscheinlichen Fälle davonschießenden Portweins an; unterstellen wir, daß irgendwo in der langen Reihe einer dieser Fälle ausgeblieben ist. Eben habe ich vom Rad gesprochen. Wie wäre das Leben heute, hätte man es nicht entwikkelt?«

»Da mußt du McCall fragen«, empfahl Hodge. »Er ist der Techniker.«

»Nein, vom Rad kann ich das nicht glauben«, sagte McCall. »Vom Rad nicht. Es ist ein zu logisches Produkt der Umwelt. Es muß auftreten, sobald ein Urmensch erkennt, daß die Scheibe eines Baumstamms rollt. Nein, nein. Wenn du eine Voraussetzung festlegen willst, mußt du eine wählen, die eindeutig ist, etwas nennen, das es wirklich vielleicht nicht gegeben haben könnte. Zum Beispiel Musik. Hier unter uns leben Menschen, die niemals das gesamte Farbspektrum kennengelernt haben, gar nicht zu reden von den klassischen Zivilstationen des Altertums. Aber ich vermute, solche Dinge sind euch nicht grundsätzlich genug.« Für ein paar Augenblicke tranken und rauchten die drei Männer in wortloser Verständigung der Freundschaft. Im Kamin brach ein Scheit nieder und versprühte Funken. »Wenn man's sich genau überlegt«, ergänzte McCall schließlich, »ist die Dampfmaschine eine ziemlich unwahrscheinliche Erfindung. Und die meisten modernen Maschinen und deren Produkte sind in dieser oder jener Weise ihre Abkömmlinge. Aber ich weiß etwas von hervorstechenderem und grundsätzlicherem Charakter als die Dampfmaschine. Nämlich das Schießpulver.«

»Ach, komm«, sagte Hodge, »das ist ein spezielles . . .«

»Nein, ist es nicht«, sagte Penfield. »Er hat völlig recht. Das Schießpulver hat die Feudalgesellschaft zerstört und jene Atmosphäre geschaffen, die unsere Dampfmaschine erst ermöglichte. Und denkt daran, daß alle alten Zivilisationen, auch die im Osten, in regelmäßigen Abständen Rückschlägen durch Barbarenheerzüge unterworfen waren. Das Schießpulver versah die zivilisierte Menschheit mit einer Technik, die kein Barbar nachzuahmen vermochte, und somit half es ihr durch die kritischen Zeitabschnitte.«

»Alle metallverarbeitenden Techniken und ein Großteil der Chemie hängen grundlegend vom Gebrauch von Explosivstoffen ab«, sagte McCall. »Man stelle sich vor, wir müßten alle die Erze, die wir benötigen, mit den Händen ausgraben.«

»Also gut, ihr sollt euren Spaß haben«, sagte Hodge. »Malen wir uns diese Welt aus, wo man das Schießpulver nie erfunden hat. Wie möchtet ihr sie denn gerne haben?«

»Ich weiß es nicht«, sagte McCall. »Allerdings glaube ich, daß Penfield sich in einer Beziehung irrt. Was das Feudalsystem angeht, meine ich. Zuletzt stand es auf sehr unsicheren Füßen, und die Kanonen, welche die Burgen in Trümmer legten, beschleunigten nur den Zerfallsprozeß. Ohne das Schießpulver träfe man noch mehr Reste des Feudalismus an, aber sein Niedergang wäre so oder so eine abgeschlossene Sache.«

»So, nun hört einmal her«, sagte Hodge. »Ihr überseht etwas ganz anderes. Wenn ihr das Schießpulver streicht und dazu alles, das sich aus seiner Erfindung ergeben hat, dann müßt ihr es durch etwas ersetzen. Immerhin sind ja viel Zeit und Aufmerksamkeit unserer sogenannten Zivilisation darauf verwendet worden, die Resultate der Erfindungen von Schießpulver und Dampfmaschine zu erarbeiten. Läßt man sie fortfallen, entsteht ein Vakuum, was der Natur, wie ich vernommen habe, jedoch mißfällt. Es müßte auf einem anderen Gebiet eine korrespondierende Entwicklung geben, die unseren diesbezüglichen Entwicklungsstand übertrifft.«

Penfield trank Wein und nickte. »Das finde ich annehmbar. Eine Entwicklung auf irgendeiner Linie, die wir mißachtet haben, weil wir uns zu stark mit der Mechanik befassen. Warum sollte sie nicht im ESP-Bereich oder in den Bereichen von Psychologie oder Psychiatrie liegen – bei den Wissenschaften vom menschlichen Geist?«

»Aber die Psychologen bewegen sich im Rahmen der normalen Prinzipien der physikalischen Wissenschaft«, sagte McCall. »Sie beobachten, überprüfen ihre Beobachtungen anhand einer Anzahl von Beispielen und versuchen dann Aussagen zu machen. Ich wüßte nicht, wie eine andere Rasse weitergekommen sein sollte, wenn sie diese Prinzipien nicht kennt oder übersehen hat.«

»Du bist kurzsichtig«, sagte Penfield. »Ich will nicht sagen, daß man auf einer anderen Welt die Psychologie in eine exakte Wissenschaft nach unseren Begriffen verwandelt haben könnte. Es handelt sich womöglich um eine ganz andere Angelegenheit. Unsere wissenschaftlichen Prinzipien basieren auf der Arithmetik. Der Grund, warum sie sich bei der Erforschung des menschlichen Geistes nicht sonderlich bewährt haben, mag schlichtweg darin zu suchen sein, daß sie dabei überhaupt nicht anwendbar sind. Es könnte sich um eine ganz andere Methode handeln. Denkt einmal einen Moment lang darüber nach. Es könnte sogar etwas auf dem Feld der Magie, der Hexerei sein.«

»Das gefällt mir«, sagte McCall. »Du möchtest einen Unterschied begründen, indem du etwas Reales durch etwas Irreales ersetzt.«

»Aber vielleicht ist es nichts Irreales«, beharrte Penfield. »Magie und Hexerei sind auf unserer Welt recht spät erschienen. Man hat zur gleichen Zeit und in den gleichen Begriffen davon zu reden begonnen wie über Alchimie, alles umwoben von Aberglauben, Betrügerei und schlichter Unwissenheit. In der Welt, die wir uns vorstellen, hat vielleicht jemand den Schlüssel zu etwas so Grundlegendem auf jenem Feld gefunden, wie das Schießpulver es für die physikalischen Wissenschaften war. Einige Leute sagen, wir hätten die Entdeckung beinahe hier gemacht. Ihr kennt die Geschichte um dieses Haus?«

McCall nickte. »Nein«, sagte dagegen Hodge. »Was für eine? Eine Gespenstergeschichte?«

»Nicht ganz. Der alte Teil des Hauses, der, wo sich jetzt die Schlafzimmer befinden, soll durch eine der Hexen von Salem errichtet worden sein. Keine von denen, die man auf der Grundlage falscher Anschuldigungen abgeurteilt hat, sondern einer waschechten Hexe, die verschwand, ehe Verdacht auf sie fiel – wie man es von einer richtigen Hexe wohl erwarten darf. Die Geschichte erzählt, daß sie sich hier niederließ und mit den Indianern Handel trieb, und weil diese im Zimmerhandwerk nicht sonderlich geschickt waren, half sie ihnen beim Bau mit Zaubersprüchen, so daß das Haus ewig stehen möge. Die alten Balken des Dachstocks weisen kein Stückchen Eisen auf. Sie werden ausschließlich von Pflöcken zusammengehalten und sind kein bißchen morsch. Man erzählt auch, daß sich, wenn man die richtigen Vorbereitungen trifft, in der Nacht etwas Ungewöhnliches zuträgt. Anscheinend habe ich jedoch noch nie das Richtige getan.«

»Das dürfte dir auch schwerfallen«, sagte Hodge. »Das Wesen der ganzen Hexerei ist ja eben Unzuverlässigkeit. Hast du noch nicht bemerkt, daß in all den Märchen und Sagen die Zaubersprüche gerade dann nicht recht wirken, wenn man sie am dringendsten benötigt?«

»Wahrscheinlich deshalb«, sagte McCall, »weil Hexerei keine Wissenschaft ist, die Resultate voraussehen kann.«

»Ein weiterer Grund könnte eine Rolle spielen«, sagte Penfield. »Ist euch schon aufgefallen, daß Zauberei die einzige Form menschlicher Tätigkeit ist, in der Frauen vorherrschen? Die wirklich schauderhaften Geschöpfe sind immer Hexen. Wird ein Mann zum Zauberer, ist er entweder vom Teufel besessen oder ein hochgejubelter Taschenspieler. Unsere theoretische Welt müßte zuerst einmal ein Matriarchat besitzen.«

»Oder wenigstens noch Relikte eines solchen aufweisen«, sagte Hodge. »Matriarchate sind sozial instabil.«

»Das ist alles«, sagte McCall. »Ständiger Fluß und ständige Veränderung von einer Form zur anderen sind Charakteristika des Lebens – oder vielleicht sogar seine Definition. Das gilt auch für deine Hexerei. Sie müßte ihre Erscheinung ändern, es dürfte Widerstand geben und Bemühungen, um sie durchzusetzen.«

»Oder um ihre Mängel zu beseitigen«, sagte Hodge. »Die Schwierigkeit mit jeder Gewalt, die wir nicht richtig kennen, liegt doch nicht darin, sie zu definieren, sondern besteht darin, ihre Grenzen zu ermitteln. Wäre Hexerei tatsächlich praktikabel, es gingen damit einige ziemlich schwere Benachteiligungen einher, nicht von gesetzlicher Seite, ich meine solche persönlicher Art, die aus ihrer bloßen Ausübung resultieren. Oder um es auf deine Weise auszudrücken, McCall, eine Hexe zu sein wäre ein so schwerwiegendes Auswahlkriterium, daß alsbald jede lebende Frau eine aktive Hexe wäre, käme es nicht zu den erwähnten Rückschlägen.«

Sorgsam schenkte McCall Portwein nach. »Hodge«, sagte er, »du bist ein wundervoller Kerl, und ich schätze dich. Aber das ist wieder ganz typisch für deine Art der Argumentation. Du versuchst eine schwache Stelle zu übergehen, indem du etwas hinzufügst, das jedermanns Aufmerksamkeit von der Angreifbarkeit deiner eigentlichen Behauptung ablenkt. Benachteiligung? Was ist der Nachteil für den Eigentümer eines elektrischen Kühlschranks?«

»Ein verzärtelter Verdauungsapparat«, erwiderte Hodge prompt. »Ich bezweifle, daß du den Verzehr der Speisen überleben würdest, die Königin Elizabeth über sehr lange Zeit hinweg genoß, denn sie wurde damit weit über sechzig Jahre alt. Gäbe es in der Welt ESP-Talente oder Telepathie, ein Widerstand dagegen und Schwierigkeiten für jene, die solche Fähigkeiten besitzen, träten zwangsläufig auf. Hast du noch nicht daran gedacht, daß nicht einmal eine Hexe ihr Leben lang in einem Kessel rühren könnte, daß sie vielleicht ein ganz normales Leben zu führen wünschte, eines mit Ehemann und Kindern und alldem?«

Penfield erhob sich und trat ans Fenster, wo er verharrte und hinaus auf den mitternächtlichen Atlantik blickte, der seine Brandung gegen die steinerne Brustwehr der Küste rollte. »Ich frage mich«, sagte er, »ob es sie wirklich gibt.«

Hodge lachte. Aber in der Nacht hatten alle drei Männer einen Traum; und es schien, als verliefe eine Faser durch die alten Räume, denn jeder wußte, daß er träumte und das gleiche träumte wie die anderen; und jeder von ihnen versuchte dann und wann, den anderen zuzurufen, vermochte jedoch nur zu sehen und zu hören.

1. Kapitel

Netznegon – Märzregen

1

Draußen fiel in gleichmäßigen Strömen Regen. Die Tränen und Wörter der älteren Frau fielen im Rhythmus der Tropfen: dripp-dipp, dripp-dipp. Kühle, denn das hohe Fenster am Ende des Raums ließ sich nie völlig schließen; Ober- und Unterseite fügten sich nie zugleich in den Rahmen. Lalette verspürte unter ihrer Soutane eine Gänsehaut und versuchte den Klang der Stimme zu verdrängen, indem sie an einen Mann mit einem grünen Hut dachte, der ihr eine Handvoll Goldscudi gab und nichts dafür verlangte, bloß weil es Frühling war und sie ihn mit einem Lächeln ein bißchen verzaubert hatte; aber es war noch nicht richtig Frühling, und die Stimme sprach hartnäckig auf sie ein.

»... mein ganzes Leben lang ... habe ich gehofft ... gehofft und für dich vorausgeplant ... schon vor deiner Geburt ... ja, vor deiner Geburt ... meine leibliche Tochter ...« Ja, dachte Lalette, ich weiß das alles, und es rührte mich mehr, hättest du nicht an jenem Abend, als du mit Domina Carabobo Wein trankst, ihr erzählt, daß ich das Ergebnis einer beiläufigen Vereinigung in einer Kutsche bin, stattgefunden zwischen Ruschaca und Zenss. »... und nachdem ich so schwer gearbeitet und sauer gespart habe ... du versäumst die einzige Gelegenheit ... die einzige Chance ... ich weiß gar nicht, was ich tun soll ... und Graf Cleudi dürfte wohl kaum ...«

»Du hast ihm gesagt, das Angebot sei schrecklich. Ich habe es gehört.«

Schluchzen. »Das war es auch. Ach, das war's auch. O Lalette, das ist nicht recht, du solltest in einer goldenen Kutsche mit sechs Pferden bespannt Vermählung feiern – aber was können wir tun? Ach, hätte dein Vater uns vor dem Krieg etwas hinterlassen ... ich habe für ihn alles geopfert ... aber das ist's, was wir alle müssen, Opfer bringen, wir können nichts wirklich besitzen, ohne etwas dafür fortzugeben ... Lalette!«

»Madame?«

»Du wirst dich der Verbotenen Kunst bedienen können und alles bekommen, das du willst, du kennst die meisten Schemata bereits, er geht nicht oft zur Messe ... und außerdem ist es etwas, das auf die eine oder andere Weise jeder Frau widerfährt, und mit Hilfe der Verbotenen Kunst, selbst wenn er dich nicht heiratet, kannst du durch ihn einen Gemahl erlangen, gegen den du nichts einzuwenden hast, es sind nur immer Männer wie Cleudi, die die ersten sein wollen, ein Mann, der heiraten möchte, bevorzugt in Wirklichkeit ein Mädchen mit einiger Erfahrung, das weiß ich ... Lalette!« Lalette antwortete nicht. »Nach der Oper besuchen alle die jungen Herrschaften den Ball, Lalette. Graf

Cleudi wird dich einführen, und auch wenn du nicht . . .« – Er sollte nicht nur einen grünen Hut tragen, sondern auch Spitze aus dem Süden an den Handgelenken und am Hals, und ein Mann von lustigem Aussehen sein, der mit mayernischem Akzent sprach, so dick wie Sahne, und die Börse in der Hand halten, weil sie den Sitz der Kleidung verdürbe . . . – ». . . als wäre er einer von jenen . . . so rücksichtsvoll . . .« – Ich glaube, wir haben keinen Einfluß darauf, wie wir zu unseren Eltern kommen – ». . . dein Vater, wie ein Engel des Himmels, und ich hätte dich noch so vieles mehr lehren können, wenn er . . .« – Nun ist sie wieder hüfthoch in der Vergangenheit. Ich werde mir alles nochmals anhören müssen – ». . . wahrhaftig ist's eher ein Schritt empor als ein Sturz aus der Höhe, wofür wir es vorm ersten Male immer halten . . . Lalette!«

»Ja, Mutter?«

Jemand klopfte an die Tür. Lalettes Mutter betupfte sich hastig die Wangen und erhob sich schwerfällig aus dem Sessel. »Wir könnten den Stein verkaufen«, sagte sie mit abgewandtem Gesicht. Doch bevor das Mädchen antworten konnte, wiederholte sich das Pochen. Die Frau watschelte zur Tür und öffnete sie einen Spalt breit; ein langes Kinn und eine lange Nase unter einem nassen Wendehut schoben sich herein. »Soeben habe ich zu meiner Tochter gesagt . . .«, begann Domina Leonalda.

Ein Paar dürrer Schultern drängten sie beiseite, dann stand der Mann, als habe er sie nicht gehört, mitten im Raum, rotzte und wischte sich die Nase am Ärmel. »Hört zu«, sagte er, »jetzt hat es ein Ende mit den Geschichten. Ich habe schon zuviel davon vernommen.«

Domina Leonalda widmete ihm einen betrübten Blick und eilte zurück an ihren Platz. »Aber ich versichere Euch, Sire Ruald . . .«

»Es ist aus mit den Geschichten«, sagte er erneut. »Ich muß Rechnungen begleichen und Steuern entrichten.« Sie legte die Hände vors Gesicht. Ihre einzige Zuflucht, dachte Lalette. Ich hoffe, ich werde nicht auch so. »Ich will alles andere als hartherzig sein, o nein«, sagte Ruald, »ich weiß, daß Ihr im Augenblick kein Geld habt. Ich möchte Euch meine Gutwilligkeit zeigen. Falls Ihr mir einen kleinen Gefallen erweist, nun denn, ich wäre nicht abgeneigt, Euch den Rückstand für alle vier Monate zu erlassen.«

Domina Leonalda ließ die Hände sinken. »Was für einen Gefallen?« fragte sie. In ihrer Stimme schwang ein leiser Anklang von Furcht.

Ruald rotzte nochmals, wagte einen Blick auf Lalette zu werfen, richtete einen zweiten zur Tür und trat näher. »Ich habe erfahren, daß Ihr zu einer Familie des Blauen Sterns zählt.«

»Wer hat Euch das gesagt?«

»Das ist gleichgültig. Ist es wahr?«

Die Lippen der Domina zuckten. »Und wäre es wahr?«

»Nun, Domina, so wäre es keine Gefahr für Eure Seele, mir mit einem kleinen Zauberspruch . . .«

»Nein, nein, das wäre unmöglich. Ihr habt kein Recht, so etwas zu verlangen.«

Das Gesicht des Mannes verzog sich zu einer höhnischen Grimasse. »Aber ich habe das Recht, von Euch mein Geld zu fordern.«

»Nein, nein, ich sage es Euch doch.« Ihre Hände fuchtelten. »Domina Sauglitz hat man mit fünf Jahren und Auspeitschung bestraft.«

»Hierfür wird niemand bestraft. Es bleibt gänzlich eine Sache zwischen Euch und mir. Ist Eure Kunstfertigkeit nicht groß genug, um jeden Verdacht der Hexerei von Euch zu weisen? Seht, ich will noch großzügiger sein. Ich erlasse Euch nicht nur die vier rückständigen Mieten, sondern schenke sie Euch auch für die nächsten vier Monate.«

»Mutter . . .«, sagte Lalette aus der Ecke.

Domina Leonalda drehte den Kopf. »Das hier geht dich nichts an«, sagte sie. Dann wandte sie sich wieder an Ruald. »Aber woher weiß ich, ob Ihr mich nicht, sobald ich Euch den gewünschten Gefallen erwiesen habe, beim Episkopat denunziert?«

»Nun, was das betrifft, vermögt Ihr Euch nicht vorzustellen, daß ich Eure Hilfe ein weiteres Mal benötigen könnte?« Sie hob eine Hand wie zur Abwehr. »Kommt, kommt«, sagte er, »bloß nicht noch mehr Geschichten. Ich werde . . .«

Von der Tür ertönte ein neuerliches Pochen. Ruald schaute verärgert drein, während Domina Leonalda mit abermaligem Rauschen ihrer Röcke den Raum durchquerte. »Tretet ein, Ohm Bontembi.« Ihre Stimme klang nahezu heiter.

Vom Mantel des Ohms troffen glitzernde Regentropfen. »Ach, unsere charmante Domina Leonalda.« Sein dicker Bauch behinderte seine Verbeugung. »Ich entbiete Euch den Abendgruß, Sire Ruald. Fürwahr, dies ist eine rechtschaffene Abendversammlung.«

»Ich wollte gerade gehen«, sagte Ruald und zupfte an seinem Rock. »Nun denn, Domina Leonalda, erwägt wohl, was ich Euch gesagt habe. Ich bin davon überzeugt, daß wir zu einer Übereinkunft gelangen.«

Sie stand nicht auf, während er den Raum verließ. Als sich die Tür geschlossen hatte, wandte sie sich an Ohm Bontembi. »Es ist ein so großes Problem, lieber Ohm«, sagte sie. »Natürlich hat das Kind in gewisser Hinsicht vollständig recht, und es wäre alles anders, hätte der Vater wenigstens irgend etwas hinterlassen, aber mit einem Mann wie Cleudi . . .«

»Der Graf ist ein prachtvoller Gentleman«, sagte der Priester. »Ich habe ihn schon fünfzig Goldscudi auf einen Schlag verlieren sehen, aber noch nie seine Fassung. Und er genießt die Gunst allerhöchster Kreise. Ein Problem im Zusammenhang mit ihm? Sollte er gar sein Auge auf unsere kleine Lalette geworfen haben? Das würde ich allerdings einen Anlaß zur Freude heißen, und ich riete zur Einwilligung.«

»Ach, es geht darum, Ohm, verhielten Männer sich nur zu Frauen so ehrenhaft, wie sie's untereinander tun! Er hat sein Auge in der Tat auf dies liebe Kind geworfen, aber er ersucht nicht um dessen Hand, sondern er will alle unsere Schulden bezahlen und Lalette außerdem einhundert Goldscudi geben, wenn sie lediglich mit ihm in die Oper und danach auf den Ball des Frühlingsfestes geht.«

Ohm Bontembi knetete sein Doppelkinn, und das Lächeln floh sein Gesicht. »Hm-hm . . . angesichts der Tatsachen ist das freilich ein Anerbieten, das . . . Ihr habt doch wohl nicht die Verbotene Kunst bemüht, Domina Leonalda?«

»O nein, nie und nimmer! und wie käme mein liebes kleines Mädchen dazu?«

Der Priester richtete einen verschmitzten Blick auf das Mädchen. »Ja, ja, sie muß alsbald ihre erste Beichte ablegen. Nun gut, wir wollen diese Sache gemeinsam erwägen. Ich möchte behaupten, daß Graf Cleudi auch in anderen als politischen Kreisen viel gilt. Im Palais Bregatz fanden kürzlich theologische Streitgespräche statt, und der Bischof war der Meinung, er habe nie zuvor vernünftigere und besser formulierte Doktrinen vernommen als von Cleudi. Weshalb er von den Gesetzen Gottes und rechter Sittlichkeit nicht weit sein kann, nicht wahr? Und daher kann seine Absicht eine größere Wohltat sein als sie zunächst zu sein scheint.«

»Solche Wohltaten möchte ich nicht«, sagte Lalette und dachte dabei: Dann könnte ich die Verbotene Kunst anwenden!

»Oho! Unsere junge Nichte widerspricht – das ist nicht ziemliche Demut! Kommt, Demoiselle Lalette, laßt es uns so sehen: Wir vermögen dem Guten nur dann wirklich zu dienen und die ewigen Gewalten des Bösen zu bezwingen, wenn wir anderen Glück schenken, denn trachten wir nur nach dem eigenen Glück, werden die anderen es ebenso halten, so daß zuletzt alle unglücklich sind und das Böse seinen Siegeszug antreten kann.« Er bekreuzigte sich. »Anderen Freude zu bereiten ist der wahre Dienst am Glauben und an der Moral, ganz gleich, was der Augenschein uns einreden will. Und in diesem Fall wären sogar drei Menschen glücklich gemacht. Ja, ja, nach den Lehren der Kirche ist er etwas heikel, aber in meinem Herzen vermag ich keine Mißbilligung aufzubringen. Eine Verletzung moralischer Gesetzlichkeit ist der Sache nach gegeben, und ich fürchte, die Kirche muß Euch eine gewisse Geldstrafe auferlegen, doch ich werde dafür sorgen, daß sie möglichst gering ausfällt. Gerade so hoch, daß sie daran erinnert, gute Taten zum moralischen Gewinnst zu vollbringen und nicht für weltlichen Nutzen.« – »Ich liebe ihn nicht«, sagte Lalette.

»Um so selbstloser, um so uneigennütziger die Tat.« Der Priester wandte sich an Domina Leonalda. »Habt Ihr unserer Nichte zu erläutern versäumt, daß die wahre Liebe, die zum Höheren Ruhme Gottes das Böse niederringt, erst aus und nach der Vereinigung ersteht? Nun, wenn sie aber solche Reden führt, werde ich ihr wegen ihrer Neigung zu den Irrlehren des Propheten eine Abgabe an die Kirche auferlegen müssen.«

»Ach, ich hab's ihr gesagt, ich hab's ihr gesagt!« Die Stimme ihrer

Mutter begann sich mit der Ankündigung eines neuen Tränenregens zu bewölken. »Aber sie ist so romantisch und empfindsam, meine kleine Tochter, so wie die Gedichte Terquids. Als ich noch ein Mädchen war . . .«

Lalette setzte eine gefaßte, gleichmütige Miene auf (während sie an den Opernball dachte und wie es dort zugehen möge), aber auch das bewirkte nichts; die beiden Stimmen quälten sie, bis sie hinter den Vorhang und ins Bett in der Ecke ging; zuerst war es unter der Decke noch kälter, so daß sie sich zusammenkauerte. Würde ich richtig heiraten, dachte sie, gehörte der Blaue Stern mir und meinem Gemahl, und . . .

2

»Aber ist es auch ein echter Blauer Stern?« fragte Pyax. Er richtete seine Frage an Dr. Remigorius, der es, falls es überhaupt jemand wissen konnte, wissen sollte.

»O weh, das kann ich nicht sagen. Immerhin sind wir schon betrogen worden. Es steht fest, daß die Alte wahrhaftige Hexereien vollbracht hat. In Veierelden hat das Zentrum in der dortigen Kirche das Protokoll eines diesbezüglichen Schuldspruchs über sie entdeckt. Die einzige Gewißheit bietet die Probe, und die ist dergestalt, daß nur hier unser Freund Rodvard sie vornehmen kann. Falls er echt ist, haben wir das Spiel gewonnen.«

Pyax' Unterlippe sank zwischen seinen Pickeln schlaff herab, und Mme. Kajas verwüstetes Antlitz wechselte seinen Ausdruck. »Es wäre *wun*-dervoll, ihn zu bekommen«, sagte sie, indem sie die Silbe dehnte, und Rodvard spürte unter seiner Haut den warmen Blutstrom, als alle ihn ansahen.

»Aber ich bezweifle, daß ihre Mutter einer Heirat zustimmt«, sagte er. »Was soll ich tun?«

»Tun?« wiederholte der Doktor. »Tun?« Die kleinen weißen Ecken an seinen Mundwinkeln stachen scharf aus dem schwarzen Fantasieschnitt seines Barts hervor. »Müssen wir nun die Hennen das Eierlegen lehren oder die Ratten das Aussaugen der Eier? Ihr sollt tun, was für einen forschen Burschen mit einem willigen Mädchen in den Armen zu tun ganz natürlich ist, und dann wird der Blaue Stern unser sein. Soll Mme. Kaja Euch Unterricht erteilen?«

Das Erröten erwärmte Rodvard. »Ich . . .«, sagte er, »ich . . . werde . . . Euch . . .«

Im Hintergrund öffnete Mathurin seine dünnen, festen Lippen. »Unser Freund ist noch im Pflichtgefühl gegenüber der Kirche verhaftet. Wohlan, Rodvard Ja-und-Nein, welche Moral zieht Ihr vor? Ist es die der Priester, dann ist für Euch kein Platz bei uns. Ihr seid in unseren Reihen als Soldat, um alle niederzuwerfen, die für die Pfaffenmoral einstehen.«

»Oooh, wie sehr Ihr an ihm Unrecht begeht, Freund Mathurin«, sagte Mme. Kaja. »Ich verstehe ihn. Der Mensch hat ein Herz im Leibe . . .« Sie legte eine Hand auf ihre verwelkte rechte Brust. »Aber wie meine alte Freundin, die Baronin Blenau, zu sagen pflegte, Herz bringt stets Schmerz. Ach, Freund Rodvard, glaubt mir, wenn jemand den inneren Frieden anstrebt, so muß er für die Sprache des Herzens taub sein und unter Mißachtung all dessen, das im Moment Kummer bereitet, den Sinn des Ganzen suchen.« Sie tätschelte nochmals ihre Brust und wandte sich an die übrigen Anwesenden. »Ich weiß es – er liebt eine andere.«

»Als ich gestern abend mit Cleudi zum Abendgottesdienst des Hofes ging«, sagte Mathurin plötzlich ohne jede Veranlassung, »war der alte Schweinehund wieder stockbesoffen. Während des königlichen Gebets sank er zu Boden, so daß man ihm helfen mußte, damit er . . .«

»Was wollt Ihr hier noch Kurzweil betreiben, Mathurin?« unterbrach Dr. Remigorius. »Dies Zentrum hat nur über eine Frage zu entscheiden – das Geheiß des Obersten Zentrums, daß hier unser Freund Rodvard es unternehme, Lalette Asterhax den Blauen Stern abzugewinnen. Können wir melden, daß die Aufgabe angegangen wird?«

»Falls er es nicht anpacken möchte«, sagte Pyax und fuhr sich mit der Zunge über die Lippen, »kann ich die Beschaffung durch Heirat und gesetzmäßige Pacht offerieren. Mein Vater wäre dazu bereit, eine Mitgift . . .«

Rodvard brach zugleich mit den anderen beim Gedanken daran in Gelächter aus, es könne in der Welt genug Geld geben, um für einen der Zigranerbälger des alten Paix ein dossolanisches Ehebett zu erkaufen. Doch das Lachen endete für den jungen Mann in Bitterkeit, als er daran dachte, daß er, weil es keinen anderen Weg gab, seine Ideale der Ehrenhaftigkeit und wahren Liebe aufgeben sollte. Er versuchte sich vorzustellen, wie es sein müßte, das Leben mit jemandem zu teilen, der nicht liebte, den man aber um der Ehre willen hatte heiraten müssen, und für einen Moment schienen ringsum die vom Kerzenschein erhellten angespannten Gesichter zurückzuweichen; flüchtig empfand er einen seltsamen, gleichermaßen süßen wie schmerzlichen Schauder, ehe das Bild vor seinem geistigen Auge dem seines Vaters und seiner Mutter wich, die um Geld zankten, und seine Mutter begann zu schreien und schrie, bis sein Vater mit verzerrtem Gesicht den Rohrstock vom Kamin holte . . . Ach, wenn jemand Liebe schwört, sollte es für immer sein, für ewig, fürs Leben und über den Tod hinaus . . .

». . . noch an seine Stelle treten«, sagte Dr. Remigorius, »aber dabei handelt es sich um eine Sache, womit sich das Oberste Zentrum befassen müßte. Nein, wir haben nur eine Angelegenheit zu klären, und zwar jetzt. Rodvard Bergelin, wir appellieren an Euch bei Eurem Schwur, den Ihr den Söhnen der Neuen Zeit geleistet habt, an Euer Verlangen, die üble Herrschaft des Lachenden Kanzlers und der alten Königin abschütteln – vollbringt Euren Teil!«

Pyax lächelte gehässig. »Erinnert Ihr Euch an Peribert? Wir verstehen mit jenen umzuspringen, die von unserer Sache abfallen.«

»Es ist unklug, jenen Härte zu zeigen, von denen wir Unterstützung erheischen«, sagte Mme. Kaja.

»Schweigt«, gebot Remigorius. »Euer Wort, junger Mann!«

Noch ein letztes Bemühen. »Ist es von so entscheidender Bedeutung«, fragte er, »daß wir dieses Juwel bekommen?«

»Ja«, antwortere Remigorius; sonst sagte er nichts.

»Dies ist der einzige echte Blaue Stern, wie alle unsere Ermittlungen erweisen«, erläuterte dagegen Mathurin. »Und dennoch ist ein Irrtum nicht ausgeschlossen. Aber falls Ihr Euch der Mühewaltung nicht unterziehen wollt, deren es bedarf, um ihn zu erringen, so gibt es eine andere Möglichkeit. Ihr seid Sekretär im Stammbaum-Bureau – macht einen anderen Blauen Stern ausfindig, den wir in unseren Besitz bringen können, und Euer Auftrag ist vergessen. Aber einen Blauen Stern brauchen wir auf jeden Fall, da sich am Hof alles auf eine Krise hinentwickelt und wir die schwächere Partei sind.«

Rodvard sah Pyax den Griff des Dolches berühren und erneut mit der Zunge die Lippen befeuchten, blitzschnell wie eine Eidechse. Unterlegen. Hatte er in jenen langen Diskussionen bis zum Morgengrauen nicht selber stets den Standpunkt vertreten, daß unter freien Menschen die Mehrheit der Stimmen entscheiden müsse? Ihm war zumute, als habe er sich einer Gemeinheit zu verschwören. »Ich werde tun«, sagte er, »was Ihr mir auftragt.«

Dr. Remigorius' Gesicht spaltete sich zu einem rot-schwarzen Lächeln. »Pah! Ihr werdet eine Hexe aus ihr machen, junger Mann, und es wird ihr beileibe nicht schlecht bekommen.«

Als er sich zum Gehen anschickte, trat Mme. Kaja zu ihm und ergriff seine Hände. »Das Herz«, sagte sie, »wird sich später melden.«

2. Kapitel

Aprilnacht

1

Lalette blickte durch Äste zum Himmel empor, der sich mit purpurnem Rot überzog, dann hinunter vom kleinen Hügel und hinaus über die weiten, flachen, fruchtbaren Felder, die sich bis zum Ostmeer erstreckten, wo die Nacht aufstieg.

»Ich muß gehen«, sagte sie. »Meine Mutter wird inzwischen von der Messe zurück sein.« Ihre Stimme klang matt.

»Noch nicht«, sagte Rodvard und hob den Kopf von seinen um die Knie geschlungenen Armen. »Ihr habt gesagt, sie wolle noch ein

Gespräch mit dem fetten Priester führen . . . In diesem Licht sind Eure Augen grün.«

»Das ist, wie meine Mutter sagt, ein Zeichen der Launenhaftigkeit. Einmal schaute sie für mich ins Wasser und sagte, als Ehefrau gäbe ich eine fürchterliche Schreckschraube ab.« (Sie war fast zu faul, um sich zu regen, daher froh darum, eine kärgliche Konversation führen zu können, die es ihr gestattete, reglos in der sinkenden Dämmerung zu verharren.)

»Dann müßte es Euch beschieden sein, einen bösartigen Mann zu heiraten. Ich begreife das nicht – wenn man jemanden wahrhaft liebt, wie könnte man da zänkisch sein?«

»Oh, die Mädchen unserer Erbfolge dürfen nicht aus Liebe heiraten. Das ist die Tradition der Hexenfamilien.« Plötzlich setzte sie sich auf. »Nun muß ich aber wirklich gehen.«

Er legte seine Hand auf ihre Hand, die unter den Zedern im dicken grünen Moos ruhte. »Und ich werde Euch wirklich nicht gehen lassen. Ich werde Euch in den gröbsten Banden zurückhalten, bis Ihr mir mehr über Eure Familie erzählt. Besitzt Ihr tatsächlich einen Blauen Stern?«

»Meine Mutter . . . ich weiß es nicht. Mein Vater wollte ihn nie benutzen, deshalb sind wir nun so ärmlich. Meiner Mutter Vater jedoch hat ihn verwendet, sagt sie, ehe sie ihn von ihm erhielt. Er war es, der ihr den Rat gab, meinen Vater zu wählen. Er war Kapellan im Heer, müßt Ihr wissen, und fiel im Krieg während der Belagerung von Sedad Mir. Meiner Mutter Vater ersah durch den Blauen Stern, daß mein Vater meine Mutter um ihrer selbst willen begehrte und nicht wegen des Erbes. Daher durften sie eine echte Liebesbeziehung eingehen. Aber nun ist niemand da, der den Blauen Stern gebrauchen kann.« Ich sollte wirklich nicht derartige Geschichten erzählen, die nicht wahr sind, dachte Lalette. Es fährt mir so heraus, weil ich nicht zurückgehen und sie wieder über Graf Cleudi reden hören möchte.

»Könntet Ihr ihn nicht verkaufen?«

»Wer würde ihn kaufen? Es wäre ein Eingeständnis, Hexerei betreiben zu wollen, und dann kämen die Priester und verhängten einen Kirchenspruch. Es ist eine seltsame Sache und eine Last, die Hexerei im Blut zu haben.« Sie schauderte leicht zusammen, fasziniert und zugleich bedrückt, wie immer, wenn es *darum* ging. »Ich möchte niemals eine Hexe sein . . .«

»Nun, ich würde sagen . . .«, begann Rodvard, und dachte insgeheim, daß dies der Grund war, weshalb sie, trotz ihrer Schönheit, mehr als ein wenig reserviert wirkte.

». . . und von den Menschen gehaßt werden. Und die, die mich mögen wollten, wüßten nicht, ob sie's wirklich tun oder nur infolge einer Hexerei. Der einzige wahre Freund, den meine Mutter besitzt, ist Ohm Bontembi, und das auch nur, weil er Priester ist, und ich glaube sogar, daß er auch kein wahrer Freund ist, sondern nur über sie wacht, um für die Kirche, falls meine Mutter eine Hexerei begeht, ein Bußgeld einziehen zu können.« Rodvard spürte, wie sich ihre kleine Hand unter der seinen zur Faust ballte. »Ich werde niemals heiraten und Jungfrau bleiben, dann brauche ich auch keine Hexe zu sein!«

»Was geschähe dann mit dem Blauen Stern? Ihr habt keine Schwester, oder?«

»Nur einen Bruder, und der fuhr fort übers Meer nach Mancherei, als der Prophet dort zu predigen anfing. Jemand berichtete uns, er sei später, als der Prophet weiterzog, bis hinaus über die Grünen Inseln gereist. Wir hören nun nicht länger von ihm . . . Aber er könnte sich des Blauen Sterns ohnehin nicht bedienen, außer er wäre mit einem Mädchen aus einer der anderen Familien verbunden, das für ihn den Stein behexte.«

Über ihnen verdunkelte sich der Himmel, an dem im Osten ein schwacher Stern funkelte, und in derselben Richtung erhob sich aus dem Schornstein einer Hütte eine hochauf gewundene träge Rauchsäule, und Rodvard dachte verzweifelt an das liebreizende Mädchen mit den hellen Haaren, das so oft in seine Sekretärsstube im Stammbaum-Bureau gekommen war, um nach Aufzeichnungen über Hexenfamilien zu forschen, doch es war seiner Spange zufolge die Tochter eines Barons, und selbst wenn er von diesem Mädchen hier den Blauen Stern erlangte und ihn verwendete, um das Mädchen mit den hellen Haaren zu gewinnen, Lalette wäre ja dann eine Hexe und würde ihn mit einem Bann belegen . . . O welch undurchdringliches Gewirr! Die Hand in der seinen rührte sich.

»Ich muß gehen«, sagte Lalette erneut. Irgendwie ähnelt er Cleudi, dachte sie, aber er sieht weniger hart aus, nicht so alt, und ein bißchen romantisch, und er besaß genug Sinn für Naturschönheit, um das wundervolle, kaum merkliche Aufblitzen von Grün im weiten Blau wahrzunehmen, das beim Sonnenuntergang entstand.

»O nein! Ihr werdet nicht gehen, noch nicht! Dies ist ein zauberhafter Abend, und wir wollen ihn auskosten, bis es völlig finster ist.«

Im Erlöschen des Lichts milderte sich ihre Miene ein wenig, aber sie versuchte, ihre Hand zurückzuziehen, um sie aus der seinen zu befreien. »Wirklich . . .«

Er hielt sie fester, spürte Herzklopfen und Pochen der Adern während der kurzen Auseinandersetzung. »Was, wenn ich Euch nicht fortlasse, bis zur Laternenstunde die Tore geschlossen werden?«

»Dann wird Ohm Bontembi von mir erwarten, daß ich eine Beichte ablege, und weigere ich mich, erlegt er mir ein Bußgeld auf, und das wäre schlimm für meine Mutter, weil wir so arm sind.«

»Aber wenn ich Euch zurückbehielte, dann wäre es, um mit Euch zu fliehen – ach, mit Euch bis weit hinter die Lichten Berge zu fliehen und für immer bei Euch zu bleiben!«

Ihre Hand hielt nun wieder still, und sie beugte sich leicht zu ihm, als wolle sie sich des Ausdrucks in seinem Gesicht vergewissern. »Ist das Euer Ernst, Rodvard Bergelin?«

Er hielt den Atem an. »Warum . . . warum sollte ich sonst so sprechen?«

»Es ist nicht Euer Ernst. Laßt mich los, bitte, laßt mich los, oder ich muß Gewalt anwenden.« Sie wandte sich halb ab und versuchte aufzustehen, während sie sich bemühte, mit der anderen Hand seine Finger zu lösen.

»Wollt Ihr mich verhexen, Hexe?« rief er, indem er sich gegen ihre Anstrengungen stemmte, und verlagerte seinen Griff aufwärts um ihr Handgelenk.

»Nein . . .« Sie packte ihre festgehaltene Hand mit ihrer anderen am Daumen. »Ich breche mir den Finger«, rief sie zornig, »das schwöre ich Euch, wenn Ihr mich nicht freigebt!«

»Nicht doch . . .« Er riß ihre beiden Hände auseinander. Geschmeidig wie eine Schlange entwand sie ihm erst die eine, dann die andere Hand, doch mußte sie dazu so heftige Mühe walten lassen, daß sie darüber das Gleichgewicht verlor und rücklings hinfiel. Er warf sich auf sie, um sie niederzupressen, drückte seine Hände auf ihre Ellbogen, senkte seinen Brustkorb auf ihren Busen und küßte ihren halb geöffneten Mund, bis sie den Widerstand aufgab.

Sie drehte ihr Gesicht zur Seite. »Laßt mich frei«, flüsterte sie. »Es ist nicht recht, es ist nicht recht.«

»Ich lasse Euch nicht.« Er nahm eine Hand von ihrem Arm und betastete ihren Körper an der Stelle, wo er auf atemberaubende Weise ihre Brust spürte und ihr Spitzenzeug begann. Die *camera obscura* seines Gewissens erhellte flüchtig den Gedanken, daß er sie nicht liebte und eines Tages würde dafür büßen müssen.

»Laßt mich gehen!« flehte sie nochmals mit erstickter Stimme. Sie wand sich und schlug ihn mit ihrer freien Hand an die Schläfe. In diesem Moment gab ihr Spitzenzeug nach, ihre Hand umschlang seinen Nacken statt zu einem erneuten Hieb auszuholen, sie zog sein Gesicht zu einem langen, geschluchzten Kuß herunter. »So sei es, ach, so sei es denn, nur zu!« Ein Murmeln, leiser als ein Flüstern. Ein schwacher Triumph durchzuckte ihr Bewußtsein, als er in sie eingedrungen war; ein Problem war hiermit gelöst: Cleudi würde sie nicht länger wollen.

Danach kniete er vor ihr, erschöpft und außer Atem, und küßte den Saum ihres hochgeschobenen Kleides. In der Mitte waren ihre Lippen zusammengepreßt, die Winkel jedoch leicht gehoben. Sie lag noch ganz so da, wie sie sich ihm hingegeben hatte. »Jetzt verstehe ich«, sagte sie; er aber verstand nicht, und während des ganzen Heimwegs zehrte die allerschrecklichste kalte Furcht an ihm, sie könne sich mit einer Hexerei an ihm rächen, die ihn zum Schwachsinnigen machte oder mit einer gräßlichen Krankheit schlug. Und die andere, die andere; nicht einmal zu denken wagte er ihren Namen, und tief in seinem Innern war ein Weinen.

2

Alle drei warteten, dazu jener Mann Graf Cleudis mit der olivenfarbenen Haut und den so wachsamen Augen – wie war sein Name? Lalette machte einen Knicks; Ohm Bontembi lächelte. »Mathurin, die Körbe«, sagte Cleudi. »Ich begann schon zu glauben, wir müßten heute abend auf das Vergnügen Eurer Gesellschaft verzichten, meine entzückende Demoiselle Lalette, und mein Herz fühlte sich einsam.«

»Oh«, sagte sie und dachte: Was, wenn sie es wüßten? »aber Ohm Bontembi würde Euch darauf entgegnen, daß es kein echter Glaube sei, im Herzen einsam zu sein, sondern ein Dienst am Bösen, denn Gott möchte uns glücklich sehen. Da er uns nach seinem Ebenbild erschaffen hat, muß es ein Ebenbild der Freude sein.«

»Ihr erörtert den Glauben wie ein Engel, Demoiselle Lalette. Erlaubt mir, daß ich Euch willkommen heiße.« Sie bewegte den Kopf gerade genug, um seinen Kuß auf ihre Wange abzuleiten. Domina Leonalda lächelte einfältig, doch Cleudis Gesicht zeigte in blitzartiger Flüchtigkeit ein Stirnrunzeln über den hohen Wangenknochen. »Welch liebliche Haut Eure Tochter hat!«

Mathurin verteilte auf dem Tisch Servietten, die er den Körben entnahm und entfaltete. Es gab in Schnee gepackte Austern, Schaumwein, eine Pastete aus Trüffeln und Hechtleber, als Ganzes eingelegte Artischocken, Pfirsiche aus dem Süden – denn in Dossola war nun erst die Zeit der Pfirsichblüte –, Weißbrot, ein reichlich gewürzter Schinken, kandierte Früchte aus Spalierobst. Wäre er nur mehr mir zugewandt als sich selbst, dachte Lalette, es könnte mit ihm auszuhalten sein, er sticht ja nicht. Sie und ihre Mutter nahmen einander gegenüber Platz, die beiden Männer dagegen an den Seiten des Tisches, der so klein war, daß die Knie sich berührten, Mathurin, der Lakai, stand neben ihrem Stuhl, aber er eilte bei Bedarf rund um den Tisch, um nachzureichen. Cleudi redete fast unaufhörlich über tausenderlei Dinge, während er mit der Linken aß und mit der Rechten dann und wann den Stoff auf Lalettes Bein tätschelte, welchen harmlosen Spaß sie ihm vergönnte, denn inmitten des Plauderns und Lachens beim Wein fühlte sie sich selbst ungemein wohl. Er verbreitete wie ein Parfüm eine Aura von Männlichkeit, Verlangen und guter Laune; Lalette schien es, als schwanke sie leicht auf ihrem Stuhl.

»Lalette Asterhax – der Name hat fünfzehn Buchstaben«, sagte Cleudi, »und die Summe von eins und fünf ist sechs, womit uns noch eine eins zur mystischen Zahl sieben fehlt. Schaut, man kann auch auf andere Weise herangehen, L ist der zwölfte Buchstabe des Alphabets, so daß man nach dieser Zählung für den Buchstaben A eine eins und für das zweite L nochmals eine 12 nimmt, und das so weiter, woraus sich insgesamt eine Summe von siebenundachtzig ergibt.« – Das hat er vorher ausgerechnet, dachte sie. – »Die Quersumme von siebenundachtzig wiederum ist fünfzehn, also ist es ganz offensichtlich, daß Ihr unvollständig und infolgedessen unglücklich sein werdet, bis Ihr einem Mann verbunden seid, der die fehlenden Ziffern hinzufügen kann.«

»Ich bin nicht davon überzeugt, daß die Kirche Eure Auffassung gutheißen könnte«, sagte Ohm Bontembi. Er hatte seinen Stuhl um die Ecke des Tischs geschoben und einen Arm um den Rücken Domina Leonaldas geschlungen, die zurückgelehnt saß und ihren Kopf an seine Schulter stützte.

»Zweifellos erliegt Ihr einem Irrtum, mein Freund«, antwortete Cleudi. »Die Kirche erkennt die Macht der Zahlen selber an, denn sie sind das Kennzeichen der Dienerschaft unter Gott gegen das Böse, nicht jedoch, wie manche unwissenden Menschen vermeinen, selbst der Schutz. Seht, hat die Kirche in Dossola nicht sieben Bischöfe? Gibt es nicht sieben verschiedene Arten von Engel? Und gilt es nicht als höchster geistlicher Wohlklang, sieben Gebete in einer Reihe hintereinander zu sprechen? Vielmehr sind es die häretischen Gefolgsleute des Propheten, die den Wert der Zahlen leugnen.«

»Dann darf ich mich niemals durch eine Verbindung mit Euch vervollständigen«, sagte Lalette. »Euer Name hat nämlich fünf Buchstaben, und fügt man die sieben meines Vornamens hinzu, resultiert daraus zwölf, was nach Euer Art des Addierens eine drei ergibt, und das ist ein böses Omen.«

Cleudi lachte. »Ach, meine liebe Lalette, Eure Beweisführung ist beileibe nicht schlüssig. Denn es besteht darüber völlige Klarheit, daß Mann und Weib für sich unvollständig sind und Vollständigkeit nur durch ihre Verbindung erlangen können, denn sonst wären sie nicht so erschaffen. Nun ist eine solche Verbindung dem Wohlgefallen Gottes gewidmet, weil ja er alles so eingerichtet hat, so daß andererseits alles, das der Verhinderung einer ehrlichen Herzens angestrebten Verbindung dienen könnte, im Widerspruch zur göttlichen Ordnung stehen muß. Verhält es sich nicht haargenau so, Ohm Bontembi?«

Der Priester lächelte, während Domina Leonalda kicherte, und legte dabei sein fettes Gesicht in Falten. »Eure Erlaucht mangelt es nur am Gelübde und einem Tropfen Öl in die Handfläche, um ein Bischof zu sein. Zu Euren Gunsten werde ich gerne auf meine diesbezügliche Beförderung verzichten.«

»Ich dagegen bin nicht zu einem solchen Verzicht geneigt.« Cleudi streckte einen Arm aus und drückte Lalettes Hand, die auf dem Tisch lag. »Ein glücklicher Zufall ist eingetreten. Heute morgen bin ich beiläufig mit Seiner Gnaden dem Kanzler ins Gespräch geraten. Er äußerte sich über Finanzsorgen, die gar dergestalt sein sollen, daß es in Zweifel steht – ist es zu glauben? –, ob Ihre Majestät in diesem Jahr ihre Sommerfrische in den Bergen verbringen kann.«

Domina Leonalda hob den Kopf. »Oh«, seufzte sie, »o was für eine Schmach!«

»Ich sehe daran«, sagte Lalette schlichtmütig, »nichts Glückliches.«

»Eine Schande, ja«, sagte Cleudi, das lebhafte Gesicht für einen Moment ernst. »Doch ich war überaus glücklich, Seiner Gnaden an Ort und Stelle den Vorschlag unterbreiten zu können, die Steuerfrage in die Hände des höfischen Adels zu legen, denselben in einem Maße zu besteuern, das den Steuereinnahmen aus seinen Lehen entspricht, und ihn diese Steuern eintreiben zu lassen.«

»Und doch – wo ist da der Glücksfall?« fragte Lalette mit geringem Interesse, als sie einen Finger in den Wein tauchte und auf dem Tischtuch feuchte Arabesken zu malen begann.

»Seine Gnaden fand meine Anregung so außerordentlich charmant, daß er mir eine Stellung im Staatsdienst anbot, namentlich das Direktorat der Lotterie, so daß ich nunmehr zu meiner höchsten Zufriedenheit mitteilen darf, daß ich nicht länger Tritulaccan bin, sondern durch die Gunst einer Adoption Dossolan.« Er hob Lalette sein Glas entgegen. »Ich trinke auf Eure grauen Augen, trinkt Ihr auf mein Glück.«

Die Gläser klangen. »Ich wünsche Euch«, sagte sie, »viel Glück.«

»Welches größere Glück könnte mir beschieden sein, als Euch während des ersten Opernballs des Jahres an meiner Seite zu haben und Euch als ihre Königin bei der Lotterie die Ziehung vornehmen zu sehen?«

»Der Frühling ist die Jahreszeit«, sagte Ohm Bontembi in gewichtigem Tonfall, als spräche er zu seiner Gemeinde, »die am meisten dem Zwecke dienlich ist, den Sieg Gottes über das Böse voranzutreiben und den Beginn neuer Blüte und neuen Glücks anzuzeigen. Wir feiern ja nicht allein die Rückkehr der Sonne, sondern auch die Vertreibung der Finsternis, die das Sinnbild des einstigen Prinzen und falschen Propheten ist.« Lalette sah ihn nicht an.

»Ich werde einen Schneider schicken«, sagte Cleudi, »damit er Euch eins dieser neuartigen wattierten Mieder anfertigt, und zwar eins in – ja, ich glaube, für Eure Erscheinung muß es rot sein . . .« Er verstummte, und die Augen schienen ihm aus den Höhlen zu quellen, als er das feuchte Muster unter Lalettes Finger sah. Lalettes Blick verlor seine Starre, und plötzlich fühlte sie sich matt, sehr alt und nicht länger auch bloß ein bißchen weinselig, denn ohne sich nur den leisesten Gedanken darüber zu machen, hatte sie ein vor langer Zeit von ihrer Mutter gelerntes Hexenzeichen gemalt, das nun vom Tisch leichten Rauch aufsteigen ließ. »Hexerei!« krächzte der Graf; doch er faßte sich schneller als der Schrecken selber ihn floh, erhob sich mit geschmeidiger Bewegung und vollführte eine sichtlich ironische Verbeugung. »Madame, ich beglückwünsche Euch zu Euren Verstellungskünsten, mit denen Ihr es noch weit bringen dürftet. Ihr und Eure edle Mutter habt mich zum Glauben verleitet, Ihr wärt rein.«

»Ja, Hexerei!« Nun stand sie ebenfalls auf. »Doch es hätte sich in jedem Falle das gleiche ergeben. Ich möchte weder Eure liederlichen Gewänder noch Eure schmutzigen Scudi. Und nun geht!« Ehe er sich bekreuzigen konnte, bespritzte sie ihn mit einigen Tröpfchen von ihren

Fingerspitzen. »Im Namen von Trustemus und Vaton, geht, bevor ich auf solche Weise auf Euch niederfahre, daß Ihr nimmermehr Frieden findet.«

An ihrer Seite hörte Lalette ihre Mutter schluchzen; Cleudis Gesicht nahm einen Ausdruck verbissener Verdutztheit an. Ohne ein weiteres Wort ließ er seine Arme baumeln, trottete zur Tür und durch sie hinaus. »Um sie kümmern wir uns später«, rief Ohm Bontembi. »Ich muß ihn vom Bann erlösen.« Damit stürzte er hinterdrein, während seine Finger in seinem Gewand nach dem heiligen Öl suchten; das Fleisch seiner Backen hing herab wie graue Säcke.

Langsam setzte Lalette sich wieder – ihr Inneres entbehrte in diesem Augenblick jeder klaren Überlegung, sie empfand nur so etwas wie reuevolle Ruhe, nachdem sie es nun getan hatte. Ihre Mutter hob das Gesicht, worin Tränen den Puder mit Streifen durchzogen. »O Lalette, wie konntest du nur . . .« Das Mädchen verspürte eine heftige Regung wie von erneutem Ertapptsein. Aber beide hatten den Lakaien Mathurin vergessen, der jetzt vortrat, um eindringlich Lalettes Arm am Ellbogen zu ergreifen. »Rodvard Bergelin?« fragte er, und sie wich vor seiner aufgewühlten Miene zurück; dann entsann sie sich ihrer neugewonnenen Kraft und berührte leicht, wie um sie abzustreifen, seine Hand.

»Und wäre es so«, antwortete sie, »was kümmert es dich?«

»Er ist der einzige, der Euch retten kann. Rasch, den Blauen Stern! Cleudi wird Euch niemals verzeihen. Er wird Euch vor das Gericht der Diakone zerren, er wird . . .« Er lief um den Tisch zu Domina Leonalda. »Madame, wo ist der Blaue Stern? Er gebührt Eurer Tochter, und sie muß Euch unverzüglich verlassen. Ihr würdet sie nicht wiedererkennen, geriete sie in die Klauen der Folterknechte.«

Die Frau brach in einen herzzerreißenden Anfall trunkenen Schluchzens aus, den Kopf auf die überm Tisch gekreuzten Arme gestützt. »Mir scheint, ich muß dir vertrauen«, sagte Lalette. »Komm, ich glaube zu wissen, wo er aufbewahrt ist.«

»Ihr müßt mir Euer Vertrauen schenken. Er ist grausam nach Art der Krokodile – er täte selbstgeschriebene Gedichte an Eurem Grab rezitieren, doch erst, nachdem er Euch hätte zerfleischen und allen erdenklichen Martern unterwerfen lassen . . . Ist er darin?«

Lalette hatte ihrer Mutter Bett beiseite geschoben, worunter der alte lederne Handkoffer mit dem Schnappschloß lag. Mathurin wollte ihn öffnen, versuchte es einmal, zweimal; das Schloß widerstand. Bevor das Mädchen dagegen Einspruch erheben konnte, riß er aus seinem Rock gleich einer stählernen Zunge ein Messer und begann rund ums Schloß fachmännisch das Leder zu zerschneiden. Der Handkoffer klaffte auseinander und enthüllte ein Sortiment kleinen Flitterkrams und vieler verschiedener Stoffreste jener Art, wie Frauen sie zu horten pflegen; Mathurin häufte mit beiden Händen alles auf den Boden, bis er endlich auf eine sehr alte hölzerne Kiste stieß, deren Grundfläche ungefähr die Maße einer Hand besaß. Im Holz war ein Riß, und das Kistchen wies eine schmale eingelegte Marmorplatte auf, die vielleicht einst eine Inschrift getragen hatte. »Das muß er sein«, sagte Lalette. »Aber ich habe ihn bisher bloß außerhalb des Kastens gesehen. Ich kann's nicht mit Gewißheit sagen.«

»Warum nicht?«

»Eine Hexerei ist erbeten worden, und . . .«

»Holt Euren Mantel und Euer gesamtes Geld. Rodvard wohnt in der Straße der Weber, im dritten Haus zur Linken, wenn Ihr sie betretet, das mit der blauen Tür. Säumt nicht – ich muß zu meinem Herrn. Lebt wohl!«

3. Kapitel

Flucht

1

Der Mond schien und warf schwarze Schatten auf Katzen und Menschen, die durchs Dunkel huschten; Lalettes schmale, spitze Absätze klapperten auf dem Pflaster so laut, daß sie schließlich fast auf den Zehenspitzen schlich. Die Straße der Weber war ihr bekannt; davor war sie Rodvard erstmals begegnet, inmitten von Marktbuden, die mit bunten Wimpeln für das Frühlingsfest beflaggt waren. Bei jener Begegnung hatte er sie mit einer aufgeblähten Tierblase drangsaliert und von ihr verlangt, zu den feurigen Klängen der Geigen und dem süßen Spiel der Blockflöten die Volalelle zu tanzen . . .

»Schöne Frau . . .?« sprach versuchsweise eine Stimme. Sie schaute sich nicht einmal um, zog die Kapuze tiefer übers Gesicht und beschleunigte ihre Schritte, bis die Schritte hinter ihr zögerten und schließlich verstummten.

Eins, zwei, drei; der Mondschein fiel auf eine Tür, die bei Tageslicht von verblichenem Blau sein mochte. Offenkundig handelte es sich um ein Pensionnario. Lalette hielt den Atem an, als das laute, trockene Pochen des Türklopfers in die Stille der Nacht einbrach; sie behielt den Klopfer noch einen Moment lang in der Hand und beschäftigte sich mit nichts anderem als der Frage, ob sie es wagen werde, noch einmal anzuklopfen, da vernahm sie von drinnen gedämpfte Geräusche, und neben der Tür öffnete sich ein Pförtnersfensterchen, wohinter sich ein mißgestimmt verzogenes Gesicht mit langem Schnurrbart zeigte, der verklebt war von Schmutz. »Was wollt Ihr?«

»Ich . . . ich muß mit Rodvard Bergelin sprechen.«

»Dies ist ein ehrbares Haus. Sprecht am Morgen mit ihm.«

»Es geht um . . . eine Angelegenheit von Leben und Tod . . .« Das Fensterchen begann sich zu schließen. »O gütiger Gott!« Sie griff in ihre Börse und warf rücksichtlos eine der drei Silberguineen, die ihr einziges Geld waren, in das Gesicht. Was würde Mutter morgen früh tun. »Hier.« Das Gesicht spiegelte säuerliche Befriedigung wider; ihm entfuhr ein tonloses Brummen, das Lalette als Anweisung auffaßte, zu warten, wo sie stand. Die Bude der Musikanten hatte sich dort befunden, wo nun der Schatten eines Turmes die Ecke in scharf umrissene sonderbare Gebilde zerlegte.

Im Haus näherten sich Schritte der Tür, die gleich darauf geöffnet wurde; darunter stand Rodvard und gähnte, das Haar wirr, die Hose an den Knien zerknittert, den Rock ohne Spitzenkragen umgeworfen. »Lalette! Was gibt es? Tretet ein!«

Im Hintergrund erschien das schnurrbärtige Gesicht. »Sie kann nicht mitten in der Nacht in dies Haus.«

»Der Salon . . .«

»Ich sage, so spät geht es nicht. Dies ist ein ehrbares Haus. Begebt Euch hinunter zur Losleibstraße.«

Der Schnurrbärtige schloß die Tür hinter ihnen; Rodvard trat tief verärgert die einzige Stufe hinab und knöpfte seinen Rock zu, um das feine braune Haar zu verbergen, das sich auf seiner Brust in Gestalt eines vielarmigen Sterns kräuselte. »Worum handelt es sich?«

»Könnt Ihr mir helfen? Ich möchte Euch keineswegs zur Last fallen, aber ich bin in Gefahr. Ohne es zu beabsichtigen – das ist die Wahrheit! –, habe ich an Graf Cleudi eine Hexerei vollzogen, und man hat mir gesagt, er werde mich dem Gericht der Diakone vorführen.«

Sofort war er hellwach und ernst. »Kennt Ihr keinen Legalisten oder Priester, den Ihr . . .«

Sie stampfte mit dem Fuß auf. »Wäre ich dann hierher in Euer ehrbares Haus gekommen?«

»Ich wollte nicht . . . ich habe nur gefragt, weil . . . verzeiht mir, dies ist eine Lage, worüber man gut nachdenken muß . . . Hört! Ich kenne ein Wirtshaus am Nordtor, wo die Profosen niemanden finden, der zahlt. Ich werde Euch dorthin geleiten.«

»Ich besitze kaum Geld.«

Selbst im trüben Zwielicht der Mondnacht sah sie, wie sein Gesicht sich verdüsterte, nahezu so wie Cleudis es getan hatte; eine weitere Ähnlichkeit. Das glaubt er also von mir, durchfuhr sie flüchtig ein Gedanke, den sie bitterer empfand als den Verdacht des Hausmeisters. »Wartet – ich glaube, ich weiß, wo ich Euch wenigstens für diese Nacht in Sicherheit bringen kann, nämlich bei einem Freund, der jedoch weder ein Freund der Profosen noch des Hofadels ist. Doch zuvor muß ich meine Kappe und mein Messer holen.« Sie wich seinem Kuß flink genug aus, um den Eindruck zu erwecken, sie habe bloß seine Absicht nicht bemerkt. Er drehte sich auf dem Absatz um und sprang die Stufe hinauf; nach einer Minute kam er zurück, auf dem Kopf die Kappe mit der langen Feder, welche er an jenem Nachmittag getragen hatte, und fesch das Messer umgegürtet. Zusammen strebten sie hinaus in die nächtliche Stadt. »Wie ist das geschehen?« erkundigte er sich an einer Abzweigung.

»Am Anfang war es ein Mißgeschick . . . ach, fragt mich nicht!« Ungnädig winkte sie ab, dann legte sie die Hand, während die andere sich an seinen Arm klammerte, auf ihr Gesicht. »Und nun bin ich eine Hexe, obschon ich geschworen habe, es nie soweit kommen zu lassen!«

»Ich trage die Schuld. Vergebt mir. Seid Ihr geneigt, Euch mit mir zu vermählen?« Nun war die Frage ausgesprochen; er verspürte den Schauder einer Ahnung von Gefahr durch sein Rückgrat rinnen.

»Ihr wünscht . . .? Nein, Ihr wünscht es nicht, ich weiß es! Außerdem, wo wollten wir einen Priester finden, der ohne bischöfliche Zustimmung eine Ehe schließt – und obendrein mit einer Hexe als Braut?«

»Aber es ist mein aufrichtiges Verlangen. Ich schwöre . . .«

»Ach, erspart mir Eure falschen Schwüre. Da Ihr um Vergebung bittet, bedenkt denn, daß ich Euch alles außer solchen Schwüren vergebe.« Plötzlich packte sie seinen Arm so fest, daß es schmerzte. An der Ecke der nächsten Straße standen zwei Stadtwächter, einer mit Helm und Hellebarde, der andere mit Schwert und Laterne; doch der Anblick eines Paars, das zu später Stunde einherwandelte, war für sie nicht außergewöhnlich, und sie blickten bloß im Vorbeigehen kurz herüber.

»Dieser Freund, von dem ich sprach, heißt Dr. Remigorius. Habt Ihr schon von ihm vernommen? Ein großmächtiger Mensch, der Euch anbrüllen kann wie ein Löwe, aber er hat ein gutes und großmütiges Herz. Für die Armen hat er stets ein freundliches Wort übrig, und oftmals behandelt er sie oder entbindet sie ihrer Kinder, ohne dafür etwas von ihnen zu verlangen.« Rodvard führte sie um eine Ecke und zu einem jener Häuser, die nach Zigranerbauart vorspringende Obergeschosse besaßen. Fensterreihen mit kleinflächiger Verglasung erstreckten sich beiderseits einer Tür, über der eine staubige ausgestopfte Echse hing, um anzuzeigen, daß in diesem Haus jemand die Medizinische Kunst ausübte. Die Glocke läutete lautstark; Rodvards Arm umschlang das Mädchen in nervöser Ungelenkigkeit. »Alles wird sich zum Besten wenden«, sagte er. »Nichts kann uns noch schaden, da wir . . . uns nun gefunden haben.« Sie versuchte sich dem warmen, heimeligen Druck seiner Umarmung nicht zu entziehen und verblieb darin, bis ein abermaliges Läuten endlich einen Mann aus dem Haus lockte; er hatte hastig eine Robe um seine Hüften gerafft, die einem Priestergewand ähnelte, und sein vornehmer Bart war ohne Rücksicht auf die Lächerlichkeit dieses Anblicks, damit er seine Form behalte, in eine Art von kleinem Schlafsack gehüllt. »Dies ist Demoiselle Asterhax«, sagte Rodvard. »Könnt Ihr ihr behilflich sein? Sie hat an einem der Adeligen des Hofes eine Hexerei vollbracht, nämlich am Grafen Cleudi, und die Profosen suchen sie.«

Aus den Augen des anderen Mannes wich jede Spur von Müdigkeit. »Eine Hexerei? An dem tritulaccanischen Grafen? Er steht in so hoher Gunst, daß er jedermann zu verderben vermag, und das Unheil träfe auch mich . . . Doch ich habe das Gelübde abgelegt, im Namen der Heilkunst niemandem den Beistand zu verweigern, der sich in Not an mich wendet. Kommt aus der Kälte und herein.«

Als sie der Aufforderung folgten, erfaßte Lalette den dunklen Glanz von Wandregalen voller Krüge aus Glas oder Stein. Rodvard stieß gegen einen Stuhl und stolperte, dann standen sie vor einer Verbindungstür. »Halt«, sagte Dr. Remigorius, schlug Feuerstein und Metall aneinander und entzündete eine Kerze, deren Schein ihn und ein verwühltes Bett erhellte; er entledigte sich seines Bartschoners. »Und nun erzählt mir die wirkliche und wahrhaftige Geschichte, wie das sich zutragen konnte«, sagte er, »denn ein Arzt muß die gesamte Natur des Leidens kennen, um es heilen zu können, ha ha ha! Möchte die Demoiselle sich setzen?« Er nahm den Stapel seiner Kleidungsstücke vom einzigen Stuhl und warf ihn aufs Bett.

Die Nachwirkung des Weins in ihren Gliedern und der lange, zweifache Weg hatten Lalette ermüdet, und sie fühlte sich nun in vorläufiger Sicherheit, so daß alle anderen Umstände sie wenig störten. Zögernd nahm sie Platz. »Es geschah bloß so, weil Graf Cleudi mit einigen Körben voller Köstlichkeiten kam, um mich zu überreden, ich solle mit ihm den Opernball besuchen, und ich spielte auf dem Tisch mit Wein, ich meine, mit den Fingern . . .« Sie tat eine knappe Geste. »Ihr wißt, wie man es mitunter gedankenlos macht . . . Unglücklicherweise malte ich ein Hexenzeichen, und als er's bemerkte und erkannte, was es war . . . er . . . er . . . er hätte mich zu allem zwingen können, und da habe ich ihn verhext. Das ist die ganze Geschichte.«

In Remigorius' Gesicht bewegte sich kein Muskel. »Ich verstehe – ausgenommen ein Detail. Wie seid Ihr darauf gekommen, mitten in der Nacht zu meinem Freund Rodvard zu eilen? Was wißt Ihr über den Grafen Cleudi?«

»Sein Lakai, ein Mann namens Mathurin, sagte zu mir, ich müsse augenblicklich den Blauen Stern meiner Mutter an mich nehmen und gehen, denn Graf Cleudi würde mich in den Tod stürzen.«

Sie sah Rodvards Brauen hochzucken, als er Remigorius ansah. Der Ausdruck um seine Mundwinkel wirkte wie einer von Triumph, aber so etwas schien völlig unbegreiflich zu sein. Ihre eigenen Brauen zogen sich verwirrt zusammen. Die Stimme des Arztes allerdings klang glatt wie Eis. »Es ist nicht der Blaue Stern Eurer Mutter, sondern der Eures Mannes, Eures Liebhabers, solange er Euch liebt, und das muß wohl der Fall sein, oder dieser Graf aus dem Süden hätte nicht von Euch verhext werden können. Ihr habt also Sire Rodvards Klunkerstein gerettet?«

Ein schwacher Anklang von Argwohn – brachte man all diese Freundlichkeit ihr entgegen oder galt sie in Wahrheit dem Blauen

Stern? »Ich habe ihn dabei«, sagte Lalette und holte das Kistchen aus ihrem Mantel.

»Dann werden die Profosen sich um so eifriger auf Eure Fährte heften«, sagte der Arzt in tiefem Ernst, »denn die weltliche und geistliche Kumpanei des Adels mag es nicht dulden, daß solche Dinge sich in den Händen von Menschen befinden, deren sie nicht sicher sind. Ich fürchte, Ihr müßt so schnell wie möglich die Stadt verlassen, vielleicht sogar den Machtbereich der Königin, bis hinauf nach Kjermanasch. Wegen des Prinzen und seiner Prophezeiungen solltet Ihr nicht nach Mayern. Doch zuvor wäre es gut, diesen Blauen Stern mit der erforderlichen Hexerei zu belegen und ihn Sire Rodvards Obhut zu überlassen. Wenn man Euch nicht binnen kurzer Frist zu ergreifen vermag, wird man in alle Himmelsrichtungen Spione aussenden, und dank dieses Hexenwerkzeugs vermöchtet Ihr womöglich zu unterscheiden, wem Ihr trauen dürft und wem nicht.«

Lalette verzog mißmutig das Gesicht, sah jedoch hinüber zu Rodvard. »Ist das auch Eure Meinung?«

»Wie könnte ich eine andere hegen? Ich glaube, wir werden so einen Schutz brauchen.«

»Na gut.« Sie legte eine Handfläche auf ihre Stirn. »Die Hexerei, so will mir scheinen, da ich heute eine begangen habe, beläßt weder Kraft noch Willen in jenem, der sie ausübt. Aber ich werde es tun, wie es auch sein mag. Ich möchte dabei allein sein.«

»Nebenan ist die Apotheke. Benötigt Ihr irgendwelche Hilfsmittel, Demoiselle?«

»Nur ein wenig Wasser – allerdings wäre Wein besser.«

Remigorius holte aus einem hohen Schrank an der Wand eine halbvolle Weinflasche, entzündete einen Kerzenstummel und stieß mit einer Verbeugung die Tür zur Apotheke auf. »Ich begreife nicht«, sagte Rodvard, als die Tür sich hinter ihr geschlossen hatte, »wie ich, wenn ich sie alsbald aus der Stadt bringen soll, diesen Blauen Stern für unsere Zwecke benutzen könnte.«

Der Arzt blickte sich um und legte einen Finger auf seine Lippen. »Pssst! Das ist Sache des Obersten Zentrums. Außerdem, wer hat gesagt, daß Ihr mit ihr gehen sollt?« Sie schwiegen. Aus dem Nebenraum ertönte ein leiser Laut, dem Miauen eines Kätzchens ähnlich, der jedoch sogleich verstummte; dann kam Lalette zurück. Die Kapuze lag auf ihren Schultern, und ihr Gesicht war bleich bis an die Haarwurzeln; das hölzerne Kistchen hielt sie aufgeklappt in ihren Händen, und darin ruhte auf einem Polster einstmals weißer Seide, so alt, daß sie mittlerweile gelb war, der Hexenstein, der Blaue Stern, kleiner als man sich ihn im allgemeinen vorstellen mochte, kaum so groß wie der Knöchel eines Fingers; aber er schien eine gewaltige Tiefe zu besitzen, so daß selbst im Kerzenschein all die saphirblauen Feuer des Meeres und kalter Hölle aus seinem Herzen leuchteten.

Rodvard erschauderte leicht. »Öffnet Euren Rock«, sagte Lalette; als er es getan hatte, hängte sie ihm das Juwel an der dünnen goldenen Kette um den Hals. »Nun will ich Euch sagen, was man auch mich gelehrt hat«, sagte sie. »Während Ihr dies Juwel tragt, seid Ihr Angehöriger der Hexenfamilien und könnt die Gedanken jener lesen, denen Ihr fest in die Augen schaut. Doch das währt nur, solange Ihr mein Mann und Liebhaber seid, denn Ihr besitzt diese Gabe allein durch mich. Falls Ihr mir untreu werdet, ist das Juwel für Euch nicht mehr wert als ein Stück Glas. Und gebt Ihr's mir nicht sofort zurück, sobald ich danach verlange, wird auf Euch und dem Juwel eine zerstörerische Hexerei ruhen, so daß Ihr nie wieder Frieden findet.«

Sie trat vor, nahm sein Gesicht zwischen beide Hände und küßte ihn auf die Lippen. Der Stein brannte auf seiner nackten Brust wie ein Klumpen Eis. Rodvard verspürte keine Veränderung, er fühlte sich wie zuvor; doch als er tief in die Augen des Mädchens blickte, das vor ihm stand, wußte er ohne ein Wort und doch unanzweifelbar, daß sich über ihr Gemüt ein schwarzer Schatten gesenkt hatte, sie würde ihn niemals verhexen, so lautete ihr Beschluß, aber im Moment haßte sie diese Umstände, Remigorius und auch ihn. Er wandte den Kopf, und in seinem Bewußtsein erloschen ihre Gedanken.

»Nun werden wir sehen«, sagte der Arzt mit einem Zucken seiner Mundwinkel, »ob dieser Stein in der Tat ein Wunderding ist oder ob wir es lediglich mit einem weiteren dieser Gruselmärchen zu schaffen haben, welche der Adel verbreitet, um die Menschen unter seinem Joch zu halten. Seht mir in die Augen, Sire Rodvard, und sprecht aus, was ich denke.«

Rodvard tat wie geheißen. »Nun ja«, sagte er, »ich verstehe es nicht gänzlich, doch es ist so, als sagtet Ihr in Worten, Ihr würdet gerne an einem lebenden Menschen erproben, ob ein Aufguß aus Zwiebelsaft und Weinessig gegen Verstopfung hilft.«

Seine Auskunft verschwieg etwas; irgendwo in hintergründigen Gefilden stak wie ein ungeschlachter Schatten ein Gedanke an Verrat. Remigorius schüttelte den Kopf und wandte mit zusammengepreßten Lippen seinen Blick ab.

»Großer Gott«, sagte er, »Ihr seid ein gefährlicher Mann geworden, Sire Bergelin – oder Ihr seid gar klüger als ich vermeinte . . . Die Nacht ist mehr als zur Hälfte verstrichen, und Ihr werdet noch ein wenig Schlaf brauchen, da Ihr am Morgen eine so weite Reise antreten müßt. Ich stelle Euch mein Bett zur Verfügung, denn ich will unterdessen für die Reise Vorbereitungen treffen.« Er nahm seine Kleider unter den Arm, verneigte sich und entfernte sich in die Apotheke, um sich anzukleiden. Rodvard und Lalette blieben allein zurück.

2

Sie verharrte im Sessel, während ihr Haupt schwankte und sich leicht zur Seite neigte, so daß er nur die Bogen ihrer Wange und des Kinns sehen konnte. »Das Bett . . .«, sagte er.

»Ich bin so müde«, sagte sie, »daß ich es nicht benötige. Legt Ihr Euch hin und laßt mich hier ruhen. Ich drehe mich um, falls Ihr Euch auszuziehen wünscht.«

Ihm ging der Gedanke durch den Kopf, daß sie beide nach jenem Nachmittag – nun schon so lange her – nicht länger so förmlich miteinander umzugehen brauchten. Fast hätte er ihn ausgesprochen. »Nein, legt Ihr Euch ins Bett«, sagte er statt dessen. »Ihr habt es sehr wohl nötig.« Er streckte eine Hand aus, um sie zu stützen, aber sie berührte sie kaum, mit einem Knistern ihrer Röcke richtete sie sich auf, tat einen unsicheren Schritt zum schäbigen Bett und warf sich in ihrem Mantel darauf; wie er an ihren Atemzügen hörte, schlief sie auf der Stelle ein.

Er war wach wie eine Eule, aus Erregung und da er bereits eine Zeitlang geschlafen hatte; er setzte sich auf den Stuhl, die ungewohnte Eiseskälte des Juwels um den Hals – es nahm nicht die geringste Körperwärme an –, und gab sich halb Wachträumen hin, halb widmete er sich seinen Gedanken. Eine hohe Bestimmung? Nicht mit einer Hexe und durch Hexerei. Sein ganzer Verstand lehnte sich dagegen auf, es war Betrug; sollte die Hexerei herrschen, war die Willensfreiheit dahin, wann und wo sie am meisten zählte, konnte man alle Hoffnung abschreiben. Unter der Herrschaft der Hexerei würde keine Neue Zeit anbrechen, man konnte ebensogut sein Bett unter der Herrschaft der alten Königin machen und der Florestans, des Lachenden Kanzlers.

Remigorius. Der Arzt würde sagen, dies sei nicht, was er meine, sondern nur, was man ihn gelehrt hätte. Darüber war bereits oft Streit zwischen ihnen gewesen. Remigorius pflegte zu argumentieren, daß Rodvards Überlegungen auf schnurgeradem Wege zur Verteidigung aller jener Dinge führten, die sie doch beide zu stürzen wünschten; daß eben die Verurteilung der Hexerei als Teufelswerk und Unreinheit ja der Macht der Königin und der Bischöfe entspringe. Wenn es einen guten Gott gebe, was die Kirche verkünde, könne Er keine Willensfreiheit gewähren, da sie es auch gestatte, sich gegen Ihn zu wenden, um Ihn Seiner Göttlichkeit zu berauben. An diesem Punkt des Disputs mischte sich gewöhnlich Mathurin ein und erklärte, daß unter einer Tyrannei kein Mensch aus freiem Willen die Freiheit wählen werde, die Allgemeinheit zöge es vielmehr vor, jede Gelegenheit wahrzunehmen, um selber zum Thron der Tyrannen emporzusteigen. Man müsse die Menschen zu ihrem eigenen Besten auf den richtigen Weg bringen; somit sei die Willensfreiheit selbst in weltlichen Angelegenheiten nichts als ein Traum. Und dann war er, Rodvard, durch die Stürmischkeit und Übermacht ihrer Argumente zum Schweigen gebracht.

Eine hohe Bestimmung? Dann wollen wir, die Söhne der Neuen Zeit, die Menschen zu ihrem Ziel führen, im Sturmwind zur Größe aufsteigen, indem wir ihnen die Freiheit geben. Oh, es wäre ehrenvoll, zu jenen zu zählen, die den Wandel vollziehen. Doch nein; nein, diese Ehre würde den Mitgliedern des Obersten Zentrums zufallen, den Führern, die jetzt verborgen im Schatten warteten, ihre Gestalten würden mit der Dämmerung der Neuen Zeit in Granit fortdauern – während niemand den Namen Rodvard Bergelin kannte.

Eine hohe Bestimmung? Er dachte an Krieg, den Nahkampf der Schlacht, den Hagel von Todesboten aus den Reihen der Bogenschützen gegen die dichten Schildphalanxen, während Reiter vorüberdonnern und Trompeten schmettern. Der Schlachtgesang kam ihm in den Sinn: ›Empor den Stern von Dossola, stehen tapfere Männer auf, stehen Tyrannen versteinert . . .‹

Nein. In diesen Zeiten würde der Stern nicht steigen. Dossola war geschlagen und entehrt, gebunden von Verträgen, welche die Königin und Florestan einhielten, damit sie sich nicht selbst jeglichen Halts entäußerten. Schändlichkeit – ihr zu dienen, das konnte unmöglich der Weg hoher Bestimmung sein. Und auch andernfalls, wäre die Sache eine bessere, was vermochte ein Rodvard Bergelin schon in einem Krieg zu leisten? Es hatte einen Dagus von Grödensteg gegeben, kein Zweifel; den Bogenschützen, den großen Helden, der aus Nacht und Nichts sprang, als die Zigraner das Land mit Schrecknis überzogen – Rodvard dachte an sein Standbild auf dem Langen Platz, das einen Arm mit dem tödlichen Bogen erhoben hielt, an der Mütze die Sternenspange trug. Aber das war in der längst vergangenen ruhmreichen Zeit gewesen, als es noch möglich war, einfach den Hut zu nehmen und auf Abenteuer auszuziehen statt den ganzen Tag lang im Stammbaum-Bureau über vergilbten Dokumenten brüten zu müssen. Welche Taten ließen sich bei der modernen Art der Kriegskunst noch vollbringen? Adelige Herkunft und zwanzig Dienstjahre waren vonnöten, um Kommandeur zu werden. Er müßte, daran gab es nichts zu rütteln, die Bettstatt irgendeines Hauptmanns entlausen, ihm das Zelt ausfegen; oder in den Zehnjahresdienst eintreten, mit Hellebarde und Bogen umzugehen lernen und ein Karree zu bilden – ein stumpfsinniges Dasein, das zur Verblödung führte, an dessen Ende ein einsames kaltes Grab stand; ›Dumm wie ein Lanzenträger‹, so lautete es im Volksmund, und alle davon, die er kennengelernt hatte, waren dumm genug gewesen, um diese Wendung zu rechtfertigen. Nein; das Soldatenleben war heutzutage keine hohe Bestimmung. ›Die Bestimmung allen Daseins ist das Dienen, denn nur im Dienen erringt man Zufriedenheit.‹ Wer hatte das gesagt? Irgendein Priester; einer derjenigen, die Mathurin der Verschwörung gegen die Armen bezichtigte. Doch war es nicht die Wahrheit, dann mußte es richtig sein, ausschließlich sich selbst zu dienen und zur ganzen Welt ringsum sich falsch wie ein Geschöpf der Hölle zu verhalten. Dann mußte man sein Gewissen absterben lassen . . .

Hinter dem Grau des Fensters begann die Morgendämmerung sich heranzuschleichen, als Geräusche die Rückkehr des Arztes bezeugten.

4. Kapitel

Tag – Zuflucht

1

Schläfrig setzte Lalette sich auf und trank ein wenig Wein; zu essen gab es nichts außer einem Kanten Brot, wovon das meiste Rodvard verzehrte, überrascht vom eigenen Hunger und einem Kitzel, der durch seine Adern rann, als er jenes Abends unter den Zedern gedachte. Remigorius wartete nicht einmal, bis sie ihr kärgliches Frühstück eingenommen hatten. »Horcht, die Profosen sind bereits unterwegs. Eile ist geboten, Ihr müßt fort. Ich habe alles so arrangiert, daß so wenig Gefahr wie möglich besteht. Am König-Crotinianus-Platz ist an der Nordseite das Wirtshaus, das sich Zur Hinkenden Katze nennt. Dort machen die Postkutschen nach dem Norden Station, um aus jenem Stadtteil Passagiere aufzunehmen. Geht dorthin. Ihr könnt vorm Haus auf einer Bank warten und solltet es auch besser tun, damit Euch nicht jemand in ein Gespräch verwickelt, der ein Spion ist. Ich rate Euch, Demoiselle, Euer Gesicht möglichst wenig zu zeigen. Rodvard, benutzt Ihr den Teufelsstein, um die Absicht eines jeden Menschen zu durchschauen, der sich Euch nähert. Eine blaue Kutsche wird eintreffen, die auf dem Weg über Trandit und Liazabon nach Bregatz fährt. Der Kutscher heißt Morsens, daran könnt Ihr Euch vergewissern. Vor Trandit schauspielert Ihr den anderen Passagieren eine Auseinandersetzung vor, Ihr seid ein jungvermähltes Paar, und im glücklichen Überschwange der Hochzeit ist der Schlaftrunk der jungen Dame vergessen worden. In Trandit werdet Ihr, Sire Rodvard, dann aussteigen und umkehren, angeblich um ihn zu holen, wogegen Demoiselle Asterhax weiter nach Bregatz fährt, bis zur Ankunft dem Schutz des Kutschers Morsens anvertraut, und in Bregatz wendet Sie sich an die Mitglieder des dortigen Zentrums. Seid Ihr genügend gute Schauspieler, um Eure Rollen glaubwürdig darzubieten . . .? Es wird nicht sonderbar wirken, wenn Morsens eine auf weiter Reise allein zurückgelassene Dame unter seinen Schutz nimmt, und er wird's gerne tun. Aber Ihr müßt ihm einen Goldscuderius geben, denn er gehört nicht zu uns, und er setzt sich großer Gefahr aus.«

Lalette, die mit sicheren, schnellen Fingern ihr Haar gelöst hatte, um es zu Brautzöpfen zu flechten, verhielt inmitten ihrer Tätigkeit und spitzte die Lippen. »Aber ich habe keine Scuderius«, sagte sie. »Ich besitze so gut wie gar kein Geld.«

Ein Ausdruck ärgerlichen Zorns verzerrte das Gesicht des Arztes, als er sich an Rodvard wandte. »Und Ihr?«

Der junge Mann errötete, griff in seine Rocktasche und holte eine Handvoll Kupfermünzen und eine Silberguinee heraus. »Vielleicht reicht es, wenn wir alle zusammenlegen«, sagte er. »Das Bureau, wo ich in Diensten stehe, ist so stark mit der Lohnzahlung im Verzuge . . . oder falls wir einen Zigraner antreffen, der so früh schon seinen Laden geöffnet hat, könnte ich meinen Lohn womöglich verpfänden . . .«

»Oder wir könnten versuchen, einen Profosen ausfindig zu machen«, rief Remigorius, »der ein goldenes Herz hat und in der Tasche Scudi statt Ketten für die Verfolgten lockert! Madam, Ihr werdet aller Hexenkraft bedürfen, deren Ihr fähig seid, denn ohne Zweifel seid Ihr die gedankenloseste Närrin, die jemals vor den Bütteln die Flucht ergriffen hat. Ich habe auch kein Geld.« Er zupfte an seinem Bart und musterte sie aus Augen, die vor Unmut blitzten, doch ehe Lalette mehr als bloß zu einer hitzigen Entgegnung ansetzen konnte, besänftigte sich seine Miene, er zuckte die Achseln und breitete die Arme aus. »Also ist meine Arbeit einer Nacht vergeblich gewesen. Aber ich schicke Euch nicht zurück zu Cleudi und dem Gericht der Diakone, ich täte es nicht einmal, wärt Ihr eine andere als Freund Rodvards Geliebte.« Er dachte nach, und Rodvard, der seinen Blick einfing, als er den Kopf drehte, sah wie ein kurzes Aufflammen darin eine destruktive Gier nach dem Blauen Stern, jedoch in keiner Hinsicht ehrliches Interesse an Lalettes Schicksal. Der junge Mann fuhr zusammen wie unter einem Hieb. »Dann müßt Ihr Euch eben in der Stadt verbergen«, sprach Remigorius weiter, »bis wir eine andere Beförderungsmöglichkeit finden. Ihr wärt willkommen in dieser Wohnung, aber zuviel Patienten besuchen mich, Eure Anwesenheit spräche sich herum. Auch Euer Wohnsitz, Rodvard, ist ungeeignet. Die Profosen der Königin werden nicht lange brauchen, um unsere Verbindung zur Demoiselle aufzudecken, o nein! Weiß es Eure Mutter?«

»Ihr meint, ob sie von Rodvard weiß?« fragte Lalette. »Ich . . . glaube, nein. Wir haben uns stets getroffen, wenn sie zur Messe ging. Er war nie bei uns daheim, und die einzige Person, die jemals mit uns beiden zusammen war, ist meine Base, Avilda Brekoff.«

»Dann haben wir möglicherweise noch ein paar Tage lang Zeit, bis sie uns auf die Spur kommen. Hat man Euch in der Nacht auf dem Weg zu mir gesehen?«

»Begegnet sind wir lediglich zwei Stadtwächtern, die jedoch Abstand gehalten haben«, sagte Rodvard. »Außerdem hat uns, wo ich wohne, der Hausmeister gesehen.«

»Ich mußte dem Mann eine Silberguinee geben, damit er Rodvard rief«, ergänzte Lalette. »Es kam zu einem kurzen Tauziehen, ob ich ins Haus dürfe oder nicht. Ich fürchte, ich bin nicht bloß gesehen worden, sondern auch aufgefallen . . . so sehr ich's bedaure.«

»Dazu habt Ihr allen Grund. Damit haben wir die Frist wieder verloren. Wenn von oben der erforderliche Druck auf diesen Fall ausgeübt wird, fragt man gewiß die Hausmeister aller Pensionnarios in der Stadt aus.« Remigorius wandte sein Gesicht mit verkniffenen Brauen Rodvard zu. »Am besten, Ihr geht heute ins Bureau, denn Eure Abwesenheit könnte Verdacht erregen. Einmal noch dürft Ihr Euer Pensionnario ruhig aufsuchen, schafft Eure allerpersönlichsten Habseligkeiten fort. Setzt Euch nirgends zur Mahlzeit nieder, wo geschwatzt wird – wenigstens nicht, ehe wir uns dieses Hausmeisters angenommen haben. Wie heißt er?«

»Krept oder so ähnlich, ich weiß es nicht genau. Wir nennen ihn nur Udo den Dussel. Ich habe ein oder zwei Bücher, auf die ich ungern verzichten möchte.«

»Würdet Ihr lieber auf Euer Leben verzichten?« Der Arzt suchte ein Stück Papier heraus und begann zu schreiben. »Diese ganze Angelegenheit ist gefährlicher als Ihr ahnt. Demoiselle, für eine Weile könnt Ihr Unterschlupf bei einer unserer Freundinnen finden, einer gewissen Mme. Kaja, die früher einmal Opernsängerin war – sie wohnt im obersten Geschoß einer alten Bruchbude in der Cossaostraße, und es gehen ständig junge Mädchen zu ihr, um Musikunterricht zu erhalten, also wird man sich über Euer Auftauchen dort keine Gedanken machen.« Seine Feder kratzte, er stand auf, trocknete die Tinte und ließ das Papier auf den Boden segeln. »Das ist Eure Empfehlung. Euer Geliebter . . .« – ein Zucken seiner Lippen begleitete das Wort und machte Lalette schaudern – ». . . kann sich am Abend zu Euch gesellen. Doch halt – man könnte Euch auf der Straße erkennen.« Er hastete in die Apotheke und kam mit zwei Stückchen Schwamm wieder. »Hier, hebt die Nase, eines an jede Seite. So. Ich sähe es lieber, wir hätten einen anderen Mantel für Euch, aber laßt die Kapuze unten . . . mit verändertem Haar und Gesicht . . .«

2

Es geschah nach diesem Hochzeitsfrühstück aus jungem Wein und altem Brot ohne einen Anflug von Schmackhaftigkeit, daß *sie* erneut ins Stammbaum-Bureau kam, sie mit ihrer Fülle hellen Haars, ihrem sanft geschwungenen Kinn und ebensolchen Wangenknochen und der spitzen Adelsspange am Hut, die sie als Tochter eines Barons auswies. Den ganzen Morgen hindurch hatte Rodvard schläfrig herumgehockt, gedöst; sie begrüßte ihn in lustiger Stimmung. »Habt Ihr mehr darüber herausgefunden, in welcher Verquickung sich die Linie der Stojenroseks mit Graf Cleudi befindet, oder war das Wetter zu schön zum Arbeiten?«

»Nein, Demoiselle.« In seiner Brust stak irgend etwas wie ein Klumpen, er vermochte kaum seine Stimme zu erheben. Er schritt an ihrem Stuhl vorüber, worauf sie saß und ihren Knöchel drehte und betrachtete, und zu einem der hohen, dunklen Wandregale, dem er ein Pergament entnahm. »Ein Archivar verwies mich auf diese Urkunde – seht her, sie stammt aus der Regierungszeit von König Crotinianus II., dem großen König, und trägt das Siegel mit dem Eberkopf neben dem des Kanzlers. Sie protokolliert eine Reihe von Entscheidungen über Erbteile und Vormundschaften in der Provinz Zenss. Im elften Jahr der Herrschaft erlaubte man . . .« – behutsam drehte er das Blatt – ». . . dem Sohn der Stojenroseks, das Haus zwecks Vermählung mit einer Luedecia zu verlassen und das Erbe ihren Töchtern weiterzuvermachen, doch wäre im Falle, daß keine weiblichen Erben sich einstellten, da sie selbst lediglich die Tochter eines Bogenschützen war, das Vermögen der Krone zu übereignen gewesen.«

Sie hatte sich erhoben, um die alte, eigentümlich schnörkelige Kanzleischrift zu betrachten, die das auf dem Tisch ausgebreitete Dokument bedeckte, und ihre Schulter berührte leicht die seine. »Und haben sie sich vermählt?« fragte sie.

»Leider, Demoiselle, kann ich Euch das nicht sagen.« Die Schulter löste sich nicht von der seinen. »Viele Dokumente aus jener Zeit sind vor vier Jahren durch die große Feuersbrunst zu Zenss vernichtet worden. Aber ich werde weiter nachforschen.«

»Ja, macht das . . .«, sagte sie. »Ich kann das nicht lesen. Was heißt das?« Ihre Finger berührten seine Finger, die gespreizt auf dem Pergament ruhten, um es auf der Tischplatte festzuhalten, und er erschrak regelrecht. Ihre Hände blieben miteinander in Berührung, während sie sich in dem bißchen Frühlingssonnenschein, das durch die schmutzigen Scheiben sickerte, vornüber beugte, um näher hinzuschauen. Die Verbindungstür zum Nebenzimmer war geschlossen; draußen im Korridor pfiff jemand im Vorbeigehen vor sich hin. Sie wandte langsam den Kopf, um ihn anzublicken. Er spürte den Hexenstein kalt wie Eis über seinem Herzen.

»Wie lautet Euer Name?« röchelte er heiser heraus, um dem vorzubeugen, was er befürchtete und kommen sah.

»Mein Name ist Maritzl.« Zwecklos – er nahm ihre Gedanken mit aller Deutlichkeit wahr: Wenn er mich küßt, werde ich ihm nicht wehren, ich werde ihn heiraten, ihn ins Haus meines Vaters bringen, ich werde seine Geliebte sein, wenn er es so lieber hat . . . Mit dem Verschwinden ihrer Gedanken trat blitzartig Lalette vor sein geistiges Auge: ›Falls Ihr mir untreu werdet . . .‹ Schlagartig drängte sich die Kenntnis dessen in sein Bewußtsein, das geschehen mußte, wenn er des Blauen Stern verspielte, für den er bereits soviel geopfert hatte. *Aus, verkauft . . .!*

Sie verhielt ein wenig den Atem. Er entzog ihrer Hand das Pergament. »Ich werde den Text für Euch in zeitgemäßer Schrift abschreiben«, sagte er und verbeugte sich knapp.

3

Gemäß Remigorius' Anweisung ging Rodvard zur Sonnenneige nicht wie gewöhnlich heim ins Pensionnario, sondern setzte sich in einer Taverne nahe des Bureaus für zwei Kupfermünzen zur Vesper mit Käse und Dünnbier nieder. Er war noch nicht oft darin gewesen, aber er konnte sich nicht des Eindrucks erwehren, daß ein über jedes gewohnte Maß lebhaftes Gesprächsgewirr herrschte, und daher fragte er sich, ob wohl schon irgendeine Geschichte über die Verhexung Graf Cleudis und Lalettes Flucht umlaufe; seine Vermutung wurde zur Gewißheit erhoben, als er ins Bureau zurückkehrte, denn dort kam von nebenan der junge Asper Poltén herein. »Habt Ihr schon gehört, daß das Mädchen, mit dem Ihr am Erntefesttag einhergewandelt seid, sich als Hexe entpuppt hat? Die Person hat Graf Cleudi verhext und all sein Geld gestohlen. Es heißt, er müsse sterben. Man hat die Stadttore geschlossen und ein Kopfgeld ausgesetzt. Euer Glück, daß Ihr Eure Bekanntschaft mit ihr nicht ausgebaut habt.«

Rodvard kramte in Papieren. Irgendeine Antwort mußte er erteilen. »Warum regt man sich so auf wegen eines Ausländers? Es sind schon viele Leute verhext worden, ohne daß man deswegen in Netznegon alle Pflastersteine umgedreht hätte.«

»Ja, lebt Ihr denn im Traum? Er ist der neue Günstling – erst gestern wurde er zum Direktor der Lotterie ernannt. Vielleicht ist das sogar der Grund, warum die Hexe ihn heimgesucht hat – es war womöglich viel mehr aus Eifersucht als um der Scudi willen. In dem Falle kann man ihr fast keinen Vorwurf machen, soviel ich weiß, ist er in der Hinsicht, die eine Frau am meisten interessiert, mehr als ein durchschnittlicher Mann. Man erzählt, daß Cleudi und Florestan für Ihre Majestät eine Ausstellung veranstalteten, und der Tritulaccan siegte mit erheblicher Länge Abstand. Da wir gerade davon reden, Sire Rodvard, offenbar seid Ihr selbst dem großen Glück nicht fern. Heute war, wie ich bemerkt habe, die Demoiselle von Stojenrosek wieder hier. Sie ist von wohlgeformterer Gestalt als Cleudi jemals eine zwischen die Hände bekommen wird, und ein Vermögen verheißt sie Euch obendrein.«

So, hast du sie bemerkt, verfluchter Tölpel? wollte Rodvard herausschreien. Und was geht's dich an! Oder: Ich habe der hohen Bestimmung der Hexerei zu folgen! »Dahinter steckt nichts«, konnte er jedoch laut bloß sagen. »Sie sucht nur nach alten Familienurkunden. Ich muß jetzt zu Sire Habbermal, er hat umfangreiche Arbeit für mich.«

Er erhob sich mit leichtem Wanken, sein Bein kribbelte höchst unangenehm, als er es aus seiner verkrampften Haltung löste. Asper Poltén blickte beleidigt drein. »Ach, fürwahr, Ihr seid für alles zu großartig außer für die Priesterwürde!« Er drehte sich um und stieß die Tür zum Nebenraum auf. Rodvard hörte ihn zu seinen drei Kollegen murmeln. »Bergelin ist ja wieder unheimlich heute! Diesmal gibt er vor, er wisse nicht, was Frauen zwischen den Beinen haben und wozu es gut ist . . .«

Die anderen prusteten vor Belustigung.

Rodvard ging zur Tür hinaus, ehe sie alle hereinkommen konnten, um ihn gewohnheitsmäßig zu verspotten, und ohne wegen seiner Kappe bei der Garderobe zu verharren, strebte er den Korridor hinunter, das letzte Stück im Laufschritt, stürzte auf die Straße und davon. Falls er Blicke auf sich zog, weil er ohne Huttracht oder Standesspange herumlief, entging es ihm; er erwiderte keinerlei Blicke, sondern eilte zu seinem Wohnsitz. Die Pensionnaria stand am Fuß der Treppe, die dünnen schwarzen Haare ihrer Oberlippe bebten, während sie einer Dienstmagd, die ein Tablett mit schmutzigem Geschirr hielt, einen Rüffel erteilte; ihre Augen begannen zu funkeln, als sie ein neues Opfer eintreffen sah. »Ihr kommt zu spät, Sire Bergelin, wenn wir Regeln festlegen, müssen sie für alle gelten, nur so kann ich das Haus so billig führen, und außerdem kann ich es ganz einfach nicht dulden, daß Ihr hier spät in der Nacht Mädchen anschleppt, ich habe Udo gesagt . . .« Den Rest bekam er nicht mit, er drängte sich vorbei und erklomm in raschen Sätzen die Treppen.

Sein zweites Paar Strümpfe mußte er natürlich mitnehmen, und das war auch nicht schwierig, doch sein bester Rock wollte sich nicht über den anderen ziehen lassen, den er trug, und daher mußte er aus dem Mantel, für den es heute ohnehin zu warm war, ein Bündel voller Unterzeug und mit den übrigen Sachen schnüren. Die Prunkkappe für Festlichkeiten ließ er zurück, obwohl er dafür von einem Händler sicherlich einige Kupfermünzen erhalten hätte; ebenso das Paar winziger Festpokale aus dem Süden, die man zu Festtagen an der Hüfte trug und auf deren Erwerb er so stolz gewesen war; im letzten Moment fügte er den Band mit Dostals Balladen hinzu – von allen Büchern fühlte er sich dies zu entbehren am wenigsten imstande. Er durchlebte einen Augenblick der Furcht, als er hinter dem Glaseinsatz der Tür Udo den Dussel mit fremden Besuchern im Gespräch sah, aber ein schneller Seitenblick verriet ihm, daß es nur zwei rauhe Burschen in Lederröcken waren und keine blau und grün gekleideten Profosen.

Er war erst einmal bei Mme. Kaja gewesen, und das in der Nacht, anläßlich einer Zusammenkunft der Söhne der Neuen Zeit. Im unbarmherzigen Tageslicht erwies die Cossaostraße sich als dreckige Hinterhofgegend mit einer ekelhaften Gosse in der Mitte, in den Winkeln angehäuften Abfällen, lautstarken Kindern ohne Zahl, über die man fast stolperte, und einem Geigenspieler, der irgendwo in einem Obergeschoß seinem Instrument schrille Klänge abquälte, darum bemüht, das Erntelied zu spielen, aber er blieb jedesmal an demselben Kontrapunkt hängen. Zuerst suchte Rodvard das falsche Haus aus, der Hausmeister kannte Mme. Kaja, aber dann war es gleich das nächste Haus, das zum vorherigen im Winkel stand; er stieg eine schmale, dunkle, gewundene Treppe hinauf, wo es nach Abfällen und Essensresten vom Vortag roch, und klopfte an die oberste Tür. Mme. Kaja öffnete selbst, gehüllt in einen alten Morgenmantel aus ausgebleichter rosafarbener Seide, allerdings von schmutzigem Grau am Saum, der am Boden schleifte; ihr Haar hatte sie auf dem Kopf unordentlich hochgetürmt. Jenseits des Flurs sah man im Licht, das durch zwei Dachfenster drang, ein Tasteninstrument und Stühle. »Sire Rodvard!« quietschte sie, und ihre Stimme schraubte sich zu einem hohen musikalischen Tonfall empor. »Ihr seid *über*-aus willkommen. Wir haben Euch nicht so früh erwartet. Das liebe Mädchen harrt Eurer.« Eine gegenüber der Dachschräge befindliche Tür öffnete sich, und Lalette trat heraus, und da er ungekünstelte Freude empfand, sprang er diesmal ungezwungen frohgemut ihr entgegen und küßte sie auf die Lippen. »Ich lasse Euch mit Eurer Wiedersehensfreude allein«, sagte die ältere Frau. Sie verschwand durch die Tür, wodurch Lalette sich hereinbegeben hatte.

»Rodvard«, sagte sie, nachdem die Tür sich hinter Mme. Kaja geschlossen hatte; sie war sehr ruhig und blickte zu Boden.

»Lalette.«

»Ich habe dir meinen Blauen Stern übergeben. Ob ich dich heiraten soll, weiß ich nicht. Ich glaube, ich sollte es nicht tun – ich habe den Eindruck, daß du keine vorbehaltlose Bereitschaft dazu hegst, ich spüre, daß du etwas vor mir verbirgst. Aber dies will ich dir sagen, und du kannst in mein Herz schauen, um dich von meiner Wahrhaftigkeit zu überzeugen . . .« Sie hob den Kopf zu einem Aufleuchten grauer Augen. »Ich will dir eine gute Gefährtin sein, Rodvard, und aufrichtig alles tun, das in meiner Macht steht, um dich nie zu enttäuschen.«

Aus dem hinteren Raum erscholl Mme. Kajas Stimme, die mit dem, was davon verblieben war, die Tonleiter sang.

Was kann ich darauf schon antworten? dachte Rodvard; er hatte ihre Sympathie nicht aus eigenem Antrieb, sondern aufgrund von Remigorius' Machenschaften gewonnen. Sollte das Gewissen absterben; aber nicht ohne eine blutige Herzensträne. »Ich will mich gleichermaßen bemühen«, sagte er. »Falls wir«, ergänzte er, als ihre Lippen infolge seines Tones zitterten, »dieses gefährliche Abenteuer jemals lebend überstehen.«

Sie hob eine Hand und ließ sie sodann an ihre Seite sinken. »Ich habe ein Leben ohne Rücksicht auf Gefahren geboten«, sagte sie. »Ich würde nie . . .«

»Woher willst du das wissen? Lalette, sieh mich an. Wirst du dich heute nacht in meine Arme legen, sei's in Gefahr oder was immer?«

Aber sie weigerte sich, den forschenden Blick seiner Augen zu erwidern. Und er dachte, sie dachte – sie wußten beide –, daß es im Moment um die Verständigung zwischen ihnen nicht sonderlich gut stand. »Du bist früher gekommen«, sagte Lalette.

Ihm schauderte ein wenig. »Man ist mir auf die Nerven gegangen, bis ich's nicht länger aushielt. Du würdest nicht glauben, wie . . . wie gemein . . .«

Die einwärtige Tür flog auf, und Mme. Kaja erschien – fast mit einem

Tanzschritt – in einer Aufmachung verwelkender Pracht bis unter die Augen. »Ich muß für ein Weilchen fort«, sagte sie, »aber Ihr zwei werdet mich wohl kaum vermissen, hihihi! Ich bringe ein Abendessen aus der Garküche mit, gibt es irgendeine Delikatesse, nach der es Euch gelüstet, oder gibt es eine andere Möglichkeit, um meinen beiden eingesperrten Vögelein die Gefangenschaft zu erleichtern?«

Sie lächelte sie zärtlich an. Rodvard gedachte der Kappe, die er im Bureau zurückgelassen hatte, und erbat sich, sie möge ihm eine neue mitsamt passender Standesspange besorgen; dafür mußte er erneut von seinem bescheidenen Vorrat von Kupfermünzen opfern. Die Tür fiel zu. Danach hatten die beiden einander nicht viel zu sagen, da sie ohne Umstände darin übereinstimmten, daß man alle wirklich wichtigen Dinge vorerst besser nicht aussprach.

Schließlich legte Lalette sich in vollständiger Bekleidung auf das Bett in der Ecke, um etwas vom in der vergangenen Nacht versäumten Schlaf nachzuholen, während er sein Bündel auseinanderfaltete und in den Zauber von Iren Dostals schöngeistigen lyrischen Gesängen und Sagendichtungen zu entschweben suchte; doch auch das gelang ihm nicht recht, die Verse, die er immer so geliebt hatte, schienen ihm nun bloß sinnlos zu sein. Er sank in einen Halbschlaf oder eine Art von Wachtraum, worin der Gedanke durch seinen Kopf wanderte, daß er, wollte er zugunsten einer hohen Bestimmung wirklich sein Gewissen abtöten, lediglich dieser Hexe ihren Blauen Stern zurückzugeben brauchte, dann die Profosen rufen, das Kopfgeld einstreichen, das ausgesetzt war; und zu guter Letzt seine Schritte zu Maritzl von Stojenrosek lenken. Nach den Maßstäben der Söhne der Neuen Zeit war das kaum eine allzu hohe Bestimmung, daran ließ sich nicht zweifeln. Liebe und Aufstieg, naja; Remigorius allerdings würde es billigen, es die Tat eines großen Geistes nennen, nach persönlicher Zufriedenheit zu trachten, was andere auch darüber, wie man dazu gelangte, denken mochten, wie sehr man durch seine Strebsamkeit auch anderen Schaden zufügte. Doch Remigorius hielt auch den Kampf für wichtiger als dessen Ende – und daß er, Rodvard, keine hohe Bestimmung zu finden verstand, konnte seine Ursache durchaus darin haben, daß er keinen solchen Geist besaß, der keine Skrupel kannte, der die Bereitschaft hegte, jeder beliebigen Sache zu dienen. Darauf geriet er ins Grübeln; er fragte sich, was das war, das Gewirr von Ideen und Gedanken, das ihn ausmachte, Rodvard Bergelin, woher diese Ideen und Gedanken kamen und nach welchen Gesetzen sie sich aneinanderreihten – konnte man daran etwas ändern? – und dabei entglitt sein Bewußtsein immer tiefer in Tagträumerei, bis die Dämmerung herabsank und Mme. Kaja mit einer zugedeckten Schüssel voller Fisch mit Feuerbohnen zurückkehrte.

5. Kapitel

Nacht – Großmut und Verrat

Sie war weniger wohlgelaunt als zuvor, da sie unterdessen vom Schließen der Stadttore und dem auf Lalette ausgesetzten Kopfgeld erfahren hatte. Erstmals sieht sie, was das heißt, dachte Rodvard, ein Konspirator zu sein. Eine von Opfermut geprägte Debatte ergab sich darum, wer wo schlafen solle, denn die Sängerin besaß nur das eine Bett und versuchte hartnäckig darauf zu bestehen, das Paar möge sich hineinlegen oder es wenigstens mit ihr teilen. Letztendlich streckte Rodvard sich am Boden auf einem Haufen alter Kleider aus. Sie stanken nach Küchendunst, Urin und altem Schweiß, er fühlte sich übel behandelt und schlief mit dem verzweifelten Gedanken daran ein, woher sie Geld auftreiben sollten.

Am Morgen erwies dies Problem sich nicht eben als geringer, da Mme. Kaja erklärte, ihre Rücklagen seien sehr niedrig, und sie könne, während die beiden bei ihr weilten, ihre Schülerinnen nicht kommen lassen. Als sie sich zum Gehen anschickte, gab Rodvard ihr seine letzte Silberguinee, die sie alle drei mindestens zwei Tage lang ernähren konnte. Lalette äußerte, sie sorge sich sehr um ihre Mutter; ob es der Sängerin möglich sei, Nachricht von ihr zu bringen?

Die Schritte hatten sich kaum über die erste Treppe entfernt, als Rodvard, der innerlich von Unruhe, Anspannung und der Vorstellung eines weiteren Tages der Untätigkeit brannte, ein Zustand, der sich ganz selbständig in Verlangen umwandelte, das Mädchen von den Füßen und auf seine Arme riß und es wortlos zum Bett trug. Lalette leistete schwachen Widerstand, und durch den Blauen Stern ersah er, daß sie nicht allzu bereitwillig war, aber die Berührung ihrer Körper überwältigte sie bald; sie bat lediglich, er möge mit dem Kleid, das sie auszog, behutsam umgehen. Er schickte sich eben an, ungeduldig tiefer in sie einzudringen – da ertönte Mme. Kajas Stimme. »Oh!«

Rodvard rollte sich herum, Blut schoß ihm heiß in die Wangen. »Das bedaure ich ja sooo sehr«, sagte die Frau, während sie nach seiner mühsam verhüllten Blöße schielte. »Ich möchte zur Messe und habe mein Buch der Wochentage vergessen. Aber Ihr solltet Euch nichts daraus machen, wahrlich nicht, als ich noch an der Oper war, ließ Seine Majestät es sich gewöhnlich von dreien zugleich besorgen, und wenn das Herz spricht . . .« Sie schnarrte wie eine zersprungene Spieluhr in Worten daher, die Rodvard kaum begriff, während sie das Zimmer durchquerte, ihr Buch der Wochentage nahm und wieder ging, ohne die beiden direkt anzuschauen.

Lalette, die sich fühlte, als habe man sie mit Jauche übergossen, so daß sie nie wieder etwas Reines anfassen dürfe, griff nach ihrem Kleid, um es überzustreifen. Als Rodvard ihre Schulter berührte, schüttelte sie seine Hand ab. »Nicht«, sagte sie bloß.

»Es ist meine Schuld«, sagte er, »und es . . .«

»Nein. Ich bin's, die die meiste Schuld trifft. Aus welchem Grund, das ist jetzt belanglos.« Ihr Mund zuckte; sie hielt den Blick gesenkt, während sie Bänder schnürte. »Lieber Gott, was müssen deine vornehmen Freunde von mir denken! Ich hätte Graf Cleudis Angebot annehmen sollen, dann wäre ich wenigstens gut entgolten für den Namen, den ich tragen muß.«

Er spürte, daß er wieder errötete. »Nun, wenn man dich bei irgendeinem Namen nennen sollte, der dir nicht gefällt, dann gewiß durch deine eigene Schuld«, sagte er. »Ich habe dir die Vermählung vorgeschlagen . . .«

»Ach, wahrhaftig, ja, und die Guineen für den Priester muß ich hinlegen.«

». . . und ich lasse mein Anerbieten bestehen. Du bist ungerecht, Lalette.«

Sie wandte sich ab und nahm Platz. Sie fühlte sich plötzlich matt und stärker als zuvor von der Sorge um ihre Mutter gequält, so daß das Gezänk seinen Reiz verlor. Er setzte ein- oder zweimal zum Sprechen an, fand jedoch keine passenden Worte; er schlenderte unbefriedigt und noch immer halb erregt im Zimmer auf und ab, klimperte mit den Kupfermünzen in seiner Tasche, schaute zum Fenster hinaus, schlug ein, zwei Tasten des Instruments auf eine Weise, die bezeugte, daß er davon nichts verstand, nahm ein Buch Mme. Kajas und blätterte im Stehen darin, stellte es wieder hin, begann erneut herumzuwandern; blieb stehen; nahm wieder das eigene Buch zur Hand und ließ sich betont umständlich in einer Haltung zum Lesen nieder, die sein Gesicht vor ihr weitgehend im Schatten verbarg. Lalettes Zorn und Scham waren nun verflogen; sie sah ihn aufrichtig unglücklich. Nach einer Weile trat sie durchs Zimmer zu ihm, schlang ihre Arme um seine Schultern und küßte ihn auf die Wange. »Rodvard«, sagte sie, »ich habe im Ernst gesprochen. Wenn du mich willst – ich bin jederzeit dein.«

Er zog sie herab auf seine Knie, doch er konnte nun – aus Furcht vor erneuter Unterbrechung – nicht mehr tun als sie küssen und an sich drücken; sie verblieben lange so, Mund an Mund, und tauschten mit leisen Worten Erinnerungen an jene Dinge aus, die sie anläßlich ihrer wenigen Zusammenkünfte so köstlich empfunden hatten, und sie bemerkten nicht einmal, daß sie noch kein Frühstück zu sich genommen hatten. Schließlich hörten sie vor derTür Mme. Kajas Schritte, die diesmal fest genug auftrat, um die beiden zu warnen. Die Sängerin begann sofort von der Messe zu erzählen, wie der Chor das Lied vom Himmel angestimmt habe und die Violinenklänge zwischen den Blumen, die von den Galerien regneten, um unter den Knien der Gläubigen zerrieben zu werden, einhergesäuselt seien, so daß sie verspürt habe, wie aus ihrer Seele jegliche Macht des Bösen vertrieben worden sei. ». . . obwohl der zweite Bariton beim *Musanna* um einen halben Ton zu niedrig lag. Ach, hätte der königliche Hof den Glauben nur so in seinem Herzen wie die einfachen Menschen, die dort mit Tränen in den Augen saßen!« Plötzlich lächelte sie Lalette zu. »Ich habe in Eurer Sache bei meinem Priester Fürsprache getan. Ich weiß, daß Ihr inzwischen eine Beichte abzulegen haben dürftet . . .« Sie legte gespreizte Finger vors Gesicht und kicherte. »Daher habe ich mir eine Geschichte ausgedacht, eine um einen eifersüchtigen Ehemann, und er will Euch nach Anbruch der Dunkelheit anhören, wenn es gefahrlos ist, und Ihr müßt nichts bezahlen außer einem oder zwei Kupferlinge.«

Lalette blickte auf. »Ich habe nichts zu beichten . . . Habt Ihr etwas über meine Mutter in Erfahrung gebracht?«

Rodvard sah, wie Mme. Kajas Augen sich weiteten, und er spürte die Kälte des Steins. Sie glaubte Lalette nicht im mindesten, und aus irgendeinem Grund flößte die Annahme, daß das Mädchen lüge, ihr geradezu verzweifelte Furcht ein. »Ach, Ihr *aaar*-mes Kind, wie gedankenlos von mir«, sagte sie, »daß ich vergessen habe, Euch sogleich in Kenntnis zu setzen. Ich vermochte nicht viel herauszufinden, aber ich weiß, daß die Profosen sie nicht geholt haben, und außerdem, daß Graf Cleudi nicht so krank ist wie man sich erzählt, das ist nur eine Gruselgeschichte.« Sie häufte Päckchen und Gefäße auf den Tisch, die Portionen von Linsen mit Brot sowie Wein enthielten, und begann zu decken, wobei sie Rodvards Blick mied, so daß er ihre Gedanken nicht lesen konnte (ihm fiel ein, daß er wahrscheinlich nicht der erste Träger eines Blauen Sterns war, mit dem sie Umgang pflegte), und geschwätzig ihre Schilderung des Gottesdienstes fortsetzte. Der Priester habe gesagt, wenn jemand dem Bösen zu seinem Herzen Zutritt gewähre, so schwebten alle in Gefahr, die sich dieser verlorenen Seele näherten. »Denn diese Mächte des Bösen mehren sich wie Mäuse in einem Kornspeicher, von einer Seele kriechen sie in die nächste, und wie der Bauer bisweilen einen alten Kornbehälter verbrennt, um die Ausbreitung des Ungeziefers einzudämmen, so ist es vor dem Gesetz recht und sogar notwendig, den Leib eines Menschen auszumerzen, der von den Mächten des Bösen verpestet ist. Er meinte dies arme Kind hier, das war leicht zu verstehen.«

Rodvard, für den dies eine interessante, wiewohl reichlich fragwürdige Abschweifung war, wollte Näheres erfragen, sobald sie Atem holte, aber Lalette – die sich mehr als langweilte – mischte sich ein und fragte, wie es in der Stadt stünde; wie eifrig man nach ihr suche? »Oh, man hat die Tore wieder geöffnet und freigegeben, heißt es, allerdings habe ich mich davon nicht persönlich überzeugt. Doch sollen überall Wachen aufgestellt worden sein. Aber es wird schon alles gutgehen. Habe ich Euch überhaupt schon erzählt, Freund Rodvard, daß ich selbst einmal arrestiert gewesen bin? Das hatte ich der Oronari zu verdanken, sie war so neidisch, weil ich in ›Die mayernischen Liebenden‹ die hohe Stimme singen konnte und sie nicht, und deshalb beschuldigte sie mich des Diebstahls einiger Juwelen, die man für die Premiere anläßlich des Frühlingsfestes ausgeliehen hatte. Ich war zutiefst entsetzt, denn sie war meine Freundin, aber es handelte sich in der Tat um einen solchen Fall, wie der Priester es beschrieben hat, das Böse hatte von ihr Besitz ergriffen, und mir blieb nichts anderes übrig als mich an den Baron Coespel zu wenden und mich zu beklagen, er war damals mein Gönner, und er trug Sorge dafür, daß über sie der Bann . . .«

Sie schob sich Essen in den Mund, plapperte jedoch weiter, während sie geräuschvoll kaute. Rodvards Blick kreuzte sich flüchtig mit dem Lalettes, und er bemerkte, daß sie dachte, wie dünn der Schleier von Vornehmheit, während eines halben Lebensalters bei Hofe angeeignet, doch bei jemandem bäurischer Abstammung war.

»Madame«, erkundigte er sich, um das Thema zu wechseln, »ist irgendein Bescheid vom Doktor gekommen?«

»Hat sich der Obsthändler aus seiner Straße noch nicht eingefunden?« Sie seufzte und wandte sich an Lalette. »Dann konnte er wahrscheinlich noch kein Geld auftreiben. Er ist so gutherzig und gütig und nimmt so wenig für seine Dienste, daher ist er häufig ohne Geld. Mein liebes Kind, besitzt Ihr denn gar keine Rücklagen?«

»Nur zwei Guineen«, sagte Lalette. »Aber ich habe das ganze Geld mitgenommen, das wir daheim hatten, und meine Mutter . . .«

»Mein liebes Kind, natürlich lieben wir alle unsere Eltern und tun für sie, was sich machen läßt, doch immerhin sind wir allein aus Zufall ihre Verwandten und nicht durch die Wahl des Herzens . . .« Sie drückte auf jene Weise, die Rodvard bereits kannte, ihre welke Brust. »Und wenn das Herz spricht, kehrt Gott darin ein, um die Mächte des Bösen daraus zu vertreiben. Dann sind wir dankbar zu jenen, die durch das Herz zu uns sprechen, und besitzen wir etwas, so geben wir ihnen alles. Einmal habe ich nicht auf die Stimme meines Herzens gehört, und . . .«

»Verzeiht mir«, sagte Lalette, stand auf und verließ den Tisch. Ihr Gesicht war ein wenig blaß.

Mme. Kaja trank den Wein aus und wischte sich den Mund. »Ich weiß, Ihr habt es schwer, da Ihr nun einmal einer Hexenfamilie angehört, liebes Kind«, sagte sie, »aber Ohm Tutul, der Priester, den wir heute abend treffen werden, er sagt, daß selbst eine Hexe sich zu erretten vermöchte, falls sie auf alles zugunsten jener verzichtet, die sie liebt, und – ach, meine Liebe, es ist nicht etwa so, daß ich meine Schülerinnen vermisse, aber . . .«

Lalettes Lippen waren fest zusammengepreßt. Sie erhob sich und zerrte die winzige Börse von ihrer Hüfte. »Hier sind die Guineen«, rief sie und warf sie auf den Tisch, so daß sie mit silbernem Klang gegen die Teller rollten. »Nehmt sie! Ich stelle mich den Profosen freiwillig. Es ist meine Schuld, das gestehe ich, daß ich mich habe verführen lassen. Aber ich gedenke mich deshalb niemandem zu verpflichten.« Sie eilte so rasch zur Tür, daß es Rodvard nur mit Mühe gelang, ihr im letzten Moment den Weg zu vertreten.

»Nein«, sagte er, als sie ihn fortzuschieben versuchte, »so wirst du nicht gehen.« Er ergriff ihre Hände, und einen Moment lang begehrte sie auf. »Es sei denn, du sagst, daß du mich nicht liebst und niemals lieben wirst – dann geh! Vor dem Gericht der Diakone werden wir uns wiedersehen. Doch vor kurzem noch hast du eine andere Rede geführt.«

»O liebes Kind«, sagte Mme. Kaja, »einer solchen Liebe darfst du nicht widerstreben.«

Sie kicherte, und die Nerven der beiden flatterten.

Lalette setzte sich wieder. »Ich bin auf Gnade oder Ungnade ausgeliefert«, sagte sie.

»Gnade? Ungnade?« Die Armbänder der Sängerin klirrten. »O nein, wir sind auf Eure Gnade angewiesen, wir ersuchen Euch um Beistand, obwohl es Euch gefährdet. Ist es nicht wirklich und wahrhaftig so, Freund Rodvard?« In einem Moment der Unachtsamkeit drehte sie den Kopf und sah ihn an, und der Haß hinter ihren Augen, den sie für Lalette empfand, traf ihn wie ein Blitzschlag, so daß er sich an der Tischkante festhalten mußte; vermengt damit war eine seltsame Mütterlichkeit, aber die Wahrnehmung war unscharf. Kajas Blick schweifte ruhelos durchs Zimmer weiter; sie erhob sich ihrerseits. »Ich weiß die Stunde nicht«, sagte sie, »meine Uhr ist zur Reparatur außer Haus, aber sicherlich ist es schon spät, da es draußen so trübe ist, und Ohm Tutul dürfte bereits warten. Demoiselle Asterhax – nein, ich werde Euch Lalette nennen, das ist viel freundlicher – kommt Ihr mit mir?«

Wenn ich sie gehen lasse, dachte Rodvard, wird sich zweifellos alles zu meinem außerordentlichen Vorteil entwickeln. »Maritzl«, sagte er, »geh heute abend nicht fort. Es ist nicht . . .«

Mme. Kaja kicherte erneut. »Ach, Freund Rodvard«, sagte sie, »falls Ihr Euch die Zuneigung der Frauen erhalten wollt, so merkt Euch ihre Namen. Kommt Ihr nun, Demoiselle Lalette? Selbst wenn Ihr nichts zu bekennen habt, es wird Euch eine Freude sein, Ohm Tutuls Worten zu lauschen.«

»Lalette, bei allem, was du heute gesagt hast, bei allem, was wir für die Zukunft erhoffen«, sagte Rodvard, »ich flehe dich an, geh nicht. Ich habe einen Grund für meine Bitte.« Er streckte eine Hand aus und umfaßte die ihre, als sie ihn anblickte, insgeheim verwundert, warum er sich in einer so geringfügigen Angelegenheit so heftig verhielt; ihr Blick glich dem eines Kindes, er war voller Vertrauen.

»Nun gut«, sagte sie und setzte sich wieder.

Auf Mme. Kajas Gesicht erschien ein glasiges Lächeln. Sie drohte Lalette neckisch mit dem Finger, als sie zur Tür eilte. »Böser Rodvard! Gewißlich wird sie die Beichte dringlich nötig haben, wenn ich zurückkomme.« Ihre Schritte entfernten sich abwärts.

Lalettes Hände ruhten matt in ihrem Schoß. Für einen Moment herrschte Schweigen; währenddessen erhob sie sich, ging langsam zum Fenster und schaute hinaus und hinunter. »Was ist das für ein Grund, und wer ist Maritzl?« Sie drehte sich nicht um.

Mit flinken Fingern hatte er sein Bündel zu packen begonnen; den Band mit den Texten Iren Dostals vergaß er nicht. »Wir müssen augenblicklich fort. Der Blaue Stern ... sie wird dir, sobald sie's kann, etwas Schreckliches antun.«

»Du verrätst mir nichts, was ich nicht auch ohne dein bißchen Hexerweisheit schon wußte. Eine Hexerei wäre an ihr verschwendet, sie steht der Kirche zu nahe ... Rodvard ...«

»Was möchtest du?« Er verknüpfte die Zipfel des Mantels.

»Ich bedaure mein Wort von vorhin ... das über die Verführung. Vergibst du mir? Ich will keine alte Schreckschraube werden, wie meine Mutter es mir verheißen hat, und ich möchte dir sagen, daß ich nicht bereue ... was ... was wir getan haben.« Er ließ den zur Hälfte fertiggestellten Knoten seinen Händen entgleiten und stürmte zu ihr hinüber, aber sie wand sich in seiner Umarmung und deutete hinaus. »Rodvard!«

In der Richtung, wohin ihr Finger wies, sah er hastige Gestalten an der Laterne am Zugang zur Cossaostraße vorübereilen. Es war unmöglich, Mme. Kaja nicht zu erkennen; auch konnte man nicht anzweifeln, daß es sich bei ihren Begleitern um einen Priester und einen Profosen mit blankem Schwert handelte. »Ich habe nicht erwartet«, sagte Rodvard, »daß ihr Ingrimm sie zu so rascher Tat treibt. Gibt es im Haus noch eine andere Treppe?«

»Keine, von der ich wüßte. Ich bin dessen sicher, daß es keine gibt. Kein Ausweg! Ach ...!«

»Das kann nicht wahr sein. Das Leben gehört jenen, die darum kämpfen, pflegt Dr. Remigorius zu sagen.« Er entriegelte das Fenster und stieß die Flügel auf; kaum einen Fuß darunter verlief eine breite Dachrinne, die auf ihn, als er mit einem Bein ihre Festigkeit prüfte, einen hinreichend soliden Eindruck machte. Drei schnelle Schritte quer durch das Zimmer, und er schlang sein Bündel um eine Schulter, eilte zurück ans Fenster, trat vorsichtig hinaus, verschaffte sich mit der Rechten Halt am Fensterrahmen – er wagte nicht hinab in die schwindelerregende Dunkelheit zu schauen – und streckte die Linke Lalette entgegen. »Komm!«

»Oh, ich ...«

»Komm!«

Er spürte ihr furchtsames Beben, als sie den Schritt tat, und auf der Fensterbank stolperte sie fast über ihren Saum, doch als sie sich erst einmal draußen befand, war sie es, die sich an seiner Hand, womit er sie festhielt, bis zum Äußersten reckte, um das Fenster zu schließen. Zu ihrem großen Glück war es ein milder Frühlingsabend; Rodvard konnte hinter dem Dachfirst des Hauses Sternenlicht erkennen. Sie tasteten sich nach rechts, stützten dabei die freien Hände gegen den Dachstuhl und erreichten schließlich das zweite Dachfenster, das zum Ankleideraum gehörte. Er ertastete die Oberkante des Aufbaus, Fuß rutschte gegen Fuß, sein Bündel brachte ihn, als er sich damit am Fenster vorüberschob, beinahe aus dem Gleichgewicht. »Schnell«, flüsterte Lalette. »Ich kann sie schon hören.«

Voraus endete das Dach im rechten Winkel; es war vielleicht möglich, die hinter der Ecke befindliche Schräge zu überwinden, doch würden sie auf diesem Weg nirgendwohin als auf die andere Seite von Mme. Kajas Dachwohnung gelangen. Rodvard verhielt in der Rutschbewegung seiner Füße und blickte über die Schulter nach dem trüben Lichtschein, der aus dem Haus an der Rückseite des Hofs drang; glücklicherweise besaß es die gleiche Höhe. Bei einem Blick nach unten entdeckte er eine weitere Dachrinne, und dazwischen lag etwas mehr als eine Schenkellänge schwarzen Abgrunds. Er wandte den Kopf, wobei sein Gesicht Dachschindeln streifte, um sich zu vergewissern, daß auch Lalette gesehen hatte, wie die Lage aussah. »Sollen wir es wagen?« flüsterte er. »Ich liebe dich«, fügte er unvermittelt hinzu, und in diesem zauberhaften Moment war es tatsächlich die Wahrheit.

Statt anderer Entgegnung entzog sie ihm ihre Hand und begann ihr Kleid in die Höhe zu raffen, dabei an den Dachstuhl gelehnt. Er schwang sein Bündel und warf es in die jenseitige Dachrinne, dann setzte er einen Fuß auf den Rand der diesseitigen Rinne, wippte kurz und tat den weiten Schritt über die Kluft; seine Handflächen waren feucht. Fast stürzte er ab, weil die jenseitige Rinne ein wenig höher verlief als angenommen. Doch dafür war sie auch breiter, und sie hielt; er streckte einen Arm nach Lalette aus und zog sie herüber.

Dieses Haus hatte auf dieser Seite keine Fenster. Es stellte sich als leicht heraus, dem Verlauf der Dachrinne nach links zur Ecke zu folgen, und wie durch eine besondere Gunst des Himmels besaß die Ecke ein Abflußrohr, worin Rodvards Fuß steckenblieb, aus welchem Grund allein er nicht in die Tiefe stürzte, als er urplötzlich ans Ende der Rinne kam, wo die Mauer senkrecht von unten aufragte. Sie verharrten beide atemlos, als sich drüben am anderen Haus, das sie soeben verlassen hatten, mit einem Knarren ein Fenster öffnete. »Nein, in der Dachrinne sind sie nicht«, sagte eine Stimme. »Vielleicht sind sie gesprungen.«

Mme. Kaja erhob ihre schrille Stimme. »Wir müssen weitere Männer holen und suchen . . .«

Lalette drückte Rodvards Hand; das Fenster wurde geschlossen, und sie standen, Finger in Finger verklammert, stumm auf der Dachkante. Lange Zeit schien zu verstreichen. Von drunten aus dem Hof erschollen Stimmen, so deutlich, als kämen sie ganz aus der Nähe, abgesehen davon, daß man nichts verstehen konnte; lediglich Mme. Kajas Stimme unterschied sich unüberhörbar von den anderen. Lalette zog ihn zu sich heran. »Wir müssen zurück«, flüsterte sie, »bevor sie wieder heraufkommt.« Sie schlich voraus bis zu der Stelle, wo sie den Abgrund überquert hatten. Sie hatte eindeutig recht; hier kamen sie nicht weiter, das Dach, worauf sie waren, gewährte ihnen keinen Zutritt ins Haus, es führte von vorn bis hinten zu nichts außer hinauf zum First. Der Rückweg mit seiner Erneuerung einer bereits überwundenen Gefahr verlief unangenehmer als ihr erster Weg. Rodvard mußte sich an den äußersten Rand stellen, um zu dem entscheidenden Schritt ansetzen zu können. Lalette folgte vergleichsweise mühelos. Als sie das Fenster des Ankleideraums erreicht, das Fenster mit einer Hand geöffnet und ein Bein über die Fensterbank geschwungen hatte, wagte sie hinunterzublicken – und sah etwas, das sie, wären sie früher darauf aufmerksam geworden, vermutlich bewogen hätte, sich eine Umkehr zweimal zu überlegen, nämlich einen Profosen in blauer Tracht, der wachsam unter der Laterne an der Sttaßenmündung stand. Zwei oder drei andere Gestalten huschten in der Straße umher. Doch wie die meisten mit eifriger Suche beschäftigten Menschen blickten sie nicht nach oben. »Wohin?« wisperte Lalette, als sie beide im Zimmer standen.

»Wir dürfen das Haus noch nicht verlassen«, gab er zur Antwort. »Selbst wenn sie nicht unten sind, so wird doch der Hausmeister nun wach sein. Hast du irgendeinen anderen Hausbewohner gesehen?«

»Ich war ja so gut wie eine Gefangene.«

»Dann müssen wir bei dieser Gelegenheit feststellen, ob es wahr ist, was die Priester behaupten – nämlich, daß nicht alle Menschen schlecht sind.«

Hand in Hand durchquerten sie den benachbarten Raum, der im Dunkeln lag; Rodvard stieß gegen einen Stuhl, fluchte verhalten, und sie lachten beide unterdrückt. Eine Diele knarrte, und die Angeln der Wohnungstür quietschten; sie stiegen die Stufen hinab und stolperten abwechselnd auf den kurzen Endwindungen der Treppenabsätze. In unausgesprochenem Einverständnis schlichen sie auf den Zehenspitzen an der Tür der vorderen Wohnung des fünften Stockwerks vorüber und zur rückwärtigen Wohnungstür. Rodvard atmete tief ein und klopfte.

6. Kapitel

Nacht und Tag – Die Kammer der Masken

1

Kein Schritt ließ sich vernehmen, doch während sie sich an die Tür preßten, damit ihnen keine Regung entgehe, drang gedämpft eine klare, kindlich helle Stimme durch das Holz. »Was ist los?«

Rodvard drückte Lalettes Hand. »Das kann ich dir von draußen nicht sagen«, antwortete sie, den Mund dicht an der Tür. »Wir brauchen Hilfe. Läßt du uns ein?«

Schweigen; Rasseln einer Kette. »Im Namen des Gottes der Liebe, dessen Schutz ich mich anempfehle, tretet ein!« Die Tür wich zurück in eine vielfach abgestufte Düsternis voller dunkler Umrisse. »Wartet, bis ich ein Licht entzündet habe«, sagte die junge Stimme. »Seid vorsichtig, damit Ihr nichts zerbrecht.«

Das leise Geräusch des Umhertastens von Händen ertönte, Feuerstein und Metall klirrten, und langsam glomm eine Kerze auf und erhellte einen Anblick, der Rodvard und Lalette nahezu Schreie entlockte, denn der winzige Raum schien voller Menschen zu sein; Prinzen und Königinnen mit Adelskronen, reich und lebensfroh gekleidet, Bettler in Lumpen aus Seide, blonde Krieger mit Widderhornhelmen, Zigraner mit spitzem Kinn und Schlitzaugen sowie alle erdenklichen menschlichen Gestalten, im ungewissen Licht so lebensecht, daß man einmal zwinkern mußte, ehe man erkannte, daß es Puppen waren, die Festkostüme trugen. In ihrer Mitte stand ein Junge mit weichem Haar, der jeden Alters zwischen zwölf und sechzehn Jahre sein konnte; in seiner Schlafanzugshose verbeugte er sich würdevoll, den Arm mit der Kerze ausgestreckt. »Ich freue mich, Euch willkommen heißen zu dürfen«, sagte er. »Mein Name ist Laduis Domijaiek.«

Der Name verhieß ihnen nicht das Schlechteste; er stammte aus den nordwestlichen Provinzen, wo die Königin und Florestan am wenigsten beliebt waren. »Die Stadtprofosen jagen uns, da ein Adeliger des Hofes dieser Dame Böses antun will«, sagte Rodvard. »Willst du ihr helfen, damit sie ihm entkommt?«

Der Junge sah Lalette an und neigte seinen Kopf zur Seite, als lausche er einer fernen Stimme. »Ja«, antwortete er altklug. »Mein Herz sagt mir, daß es richtig ist, und auf das Herz soll man immer hören. Außerdem können wir die Profosen nicht ausstehen.«

»Danke«, sagte Lalette. »Wo sind deine Eltern?«

»Mein Vater weilt in einer anderen Welt, wogegen meine Mutter sich im Palais der Marquise von Palm aufhält, um die Kostüme für das Frühlingsfest zu schneidern. Sie wird über Nacht dort bleiben, zu mir hat sie aber gesagt, ich müsse zeitig ins Bett. Das hier finde ich aber viel aufregender.« Plötzlich, als er Lalette nochmals anschaute, weiteten sich seine Augen. »Ach, seid Ihr die Hexe? Dann müßt Ihr etwas für mich hexen.«

Trotz ihrer Situation lächelte Lalette. »Fürchtest du nicht, daß ich dir etwas Schlimmes anhexe?«

»O nein! Wir sind Amorosier, und deshalb können Hexen bloß unserem Äußeren schaden. Eigentlich darf ich das niemandem verraten, aber da die Profosen Euch nachstellen, ist es wohl keine allzu große Dummheit.«

Von draußen erscholl der Lärm von Füßen auf der Treppe – *wumm, wumm!* – begleitet von Stimmengewirr. »Sie werden alles durchsuchen«, sagte Rodvard. »Laduis, die Dame wird ein anderes Mal kommen und etwas für dich hexen, aber jetzt geht es darum, daß wir sie vor den Profosen retten. Gibt es einen anderen Weg aus diesem Haus außer dem über die Haupttreppe?«

Der Junge war todernst. »Nicht aus diesem Stockwerk, Sire. Früher bin ich immer aus Sire Tretterans Wohnung am Abflußrohr hinuntergeklettert, aber da war ich dreizehn, und für eine Dame ist es ein unwürdiger Weg.«

»Dann müssen wir sie verbergen.« Rodvards Blick schweifte durch den kleinen Raum, wanderte in einen noch kleineren Nebenraum, worin offenbar Betten standen. »Die Masken – kannst du uns irgendwelche anlegen?«

Laduis Domijaiek klatschte in die Hände und machte sich unverzüglich ans Werk – aus Lalette wurde eine kjermanaschische Prinzessin, deren dicke Pelzimitationen ihren zu auffällig wohlgeformten Körper verhüllten; Rodvard verwandelte sich in einen buckligen zigranischen Geldverleiher mit einem Beutel voller Messingscudis. Lalette mußte ihr Kleid ablegen, doch der Junge hängte es zwischen die Garderobe seiner Mutter; dann half er Rodvard dabei, der Gesichtsmaske den richtigen Sitz zu verleihen. Im oberen Geschoß verschob man Möbelstücke, dann erklangen wieder Schritte auf der Treppe; Rodvard und Lalette verschwanden hinter den geisterhaften Gestalten, welche die erste Reihe des Maskensortiments bildeten, und der Junge blies die Kerze aus.

Wumm! »Im Namen der Königin!« rief jemand von draußen. »Aufgetan!«

Rodvard hörte die Füße des Jungen über den Boden vom Schlafgemach zur Tür gehen – *patsch-patsch*; er spielte seine Rolle sehr gewissenhaft. »Was gibt's?«

»Im Namen der Königin, aufgemacht! Wir suchen eine Meuchlerin!«

Die Kette rasselte. Durch die Augenschlitze der Gesichtsmaske konnte Rodvard im Licht der Laterne des Profosen den Priester sehen, und er hielt den Atem an. »Meine Mutter ist nicht hier.«

»Wir bedürfen ihrer nicht. Beiseite!« Rodvard stand steif und starr; er verfluchte sich, weil er in diese Zigranerkleidung geschlüpft war, zu der ein Geldsack voller falscher Münzen gehörte, die womöglich klimperten. »Göttliche Gnade, das ist ja ein wahres Pandämonium!« Der Priester hielt sein Amulett in die Höhe. Dies war der Moment der Entscheidung, doch er verstrich so umstandslos, daß er gar keinen so gewichtigen Eindruck hinterließ.

Der Profos hob seine Laterne. »Hast du heute abend Besuch gehabt, Sprößling?«

»Ich habe geschlafen, verehrter Profos.«

Der Mann grunzte; Lichtschein flackerte, als er das Schlafgemach betrat. Ein dumpfes Geräusch ertönte, als habe er irgendeinem Gegenstand einen Tritt versetzt, dann kam er zurück ins Blickfeld, in der Faust ein blankes Kurzschwert. »Nicht hier«, sagte er. »Ach, Verdammnis, sie ist eine Hexe, sie hat sich zu den Grünen Inseln verflüchtigt. Aber ich halte mich schadlos.«

Er hieb sein Schwert in den Nacken eines leicht gepanzerten mayernischen Streiters, und Rodvard hörte den Kopf auf den Boden poltern und den Jungen aufschreien. »Drei Scudi Belohnung für Niederhauen eines Erbfeindes. Sag deiner Mutter, daß ich dich vor einem Unhold geschützt habe. Horch! Heute nacht öffnest du die Tür niemandem mehr – Befehl im Namen der Königin!«

Die Tür krachte ins Schloß, und die Zurückgebliebenen standen im Finstern; die Schritte entfernten sich. »Ob sie noch einmal wiederkommen?« flüsterte Lalettes Stimme.

Langsam glomm die Kerze von neuem auf. Laduis Domijaiek kniete neben dem gefallenen Kopf; dem war die Nase abgebrochen. In den Augen, die nun aufblickten, standen Tränen. »Der Kerl hat Baron Mondaifer umgebracht«, sagte der Junge heftig. »Am liebsten würde ich ihn auch umbringen.«

Lalette streifte die Gesichtsmaske ab und lockerte mit einer Hand ihr Haar; mit ihrem dunklen Haupt und den weißen kjermananischen Pelzen sah sie wie eine echte Prinzessin aus. »Ein wahrer Jammer, und wir sind daran schuld«, sagte sie. »Hast du allen Namen gegeben?«

»O ja. Ihr seid die Prinzessin Sunimaa, und sie gerät stets in Unbill; weil es da so kalt ist, woher sie kommt, und deshalb ist ihr Herz ganz aus Eis, und die anderen mögen sie nicht, außer dem Bettler Bonsteg, der in Wahrheit ein verkleideter Prinz ist, aber das weiß sie noch nicht. Aber Baron Mondaifer war einer von denen, die mir am meisten bedeuten. Er war aus Mayern, wie Ihr seht, und er hat immer im Wald gehaust, obwohl er in der Gunst des Prinzen Pavinius stand, er hielt ihn nach wie vor für einen guten Propheten.«

»Deine Mutter wird bestimmt dafür sorgen, daß er wieder in Ordnung gebracht wird«, sagte Rodvard, der die Schnürbänder löste, um die Zigranertracht abzulegen. »Dann erwacht er wieder zum Leben.«

»Nein. Sein Geist ist nun fort und in einem neuen Körper, so wie Vaters Geist, und übrig ist nichts als Staub. Wenn Mutter einen neuen Kopf gemacht hat, muß ich ihm einen anderen Namen geben.« Der Junge sah Rodvard in feierlichem Ernst an, doch obschon der Blaue Stern kalt wie Winterkälte auf seiner Brust lag, vermochte er die Gedanken hinter den jungen, offenen Augen aus irgendeinem Grund nicht deutlich zu erfassen. Da war etwas von einem in Wolken gehüllten Ort, ein altes Haus mit verwaschenem goldenen Licht.

Die Müdigkeit packte Rodvards Kiefer und zwang sie zum Gähnen. »Können wir irgendwo schlafen?«

2

Sie mußten das Bett seiner Mutter nehmen, das allerdings nur für eine Person bestimmt war, so daß sie erstmals einander in den Armen lagen und eine warme Decke und eine ganze Nacht vor sich hatten; und das war, zumal mit der noch eindringlichen Erinnerung an die Gefahr, die sie gemeinsam, Hand in Hand, auf den Dächern durchstehen mußten, ein wenig mehr für die beiden, als sie ungerührt verkraften konnten. Obwohl der Junge in einer anderen Ecke des Gemachs lag, begannen sie sich zu küssen, während sie sich fest umschlungen hielten; schließlich zeigten tiefe Atemzüge an, daß Laduis schlief. Sie widerstrebte nicht, bewies jedoch auch kein Verlangen, während er sie gierig nahm. Danach blieb Rodvard noch lange wach – im Gefühl, das dies die vom Herz begehrte wahre Vereinigung gewesen war, kein eingefädeltes Ereignis wie damals unterm Baum; sie hatten sich einander versprochen und waren nun eins für alle Zeit. Nun war er gebunden, und der Gedanke an Hingebung und ans Nehmen, ans Leben und Lieben erfüllte ihn tief mit herber Wohligkeit, die allen Ehrgeiz verdrängte, alle hohe Bestimmung vergessen machte, sogar die Söhne der Neuen Zeit, durch die er es bis hierhin gebracht hatte . . .

Am Morgen erhoben sich sowohl die Lerche wie auch Laduis natürlich eher als die beiden; das erste, was das Paar vernahm, war ein zweimaliges Pochen an der Tür, worauf die Stimme des Jungen erscholl. »Mutter, wir haben Gäste.«

Rodvard wälzte sich aus dem Bett und vollführte eine Verbeugung, so gut es mit so vielen ungeschnürten Bändern ging; er sah eine kleine Frau von abgehärmter Erscheinung, etwa fünfunddreißig Jahre alt, die soeben einen schweren Korb abgestellt hatte. »Euer ergebener Diener Rodvard Bergelin, Domina Domijaiek. Euer Sohn hat meine . . . meine Liebste und mich aufgenommen, als uns gestern abend Unheil drohte.«

»Ich habe die Stimme des Herzens gehört, wie du mir zu tun immer rätst, Mutter«, zwitscherte der Junge. »Das sind gute Menschen. Dann war ein Profos hier und hat Baron Mondaifer zerschlagen.«

»Du hast richtig gehandelt, Sohn.« Fürsorglich legte sie eine Hand auf seine Schulter. »Ich bin froh, Sire, daß Laduis Euch helfen konnte. Habt Ihr bereits gefrühstückt?«

»Ich habe von meinem Brot und Käse stehenlassen, Mutter. Die Dame ist eine Hexe.«

Rodvard bemerkte, wie die Miene der Frau sich änderte, und ihre Augen, in denen bis dahin lediglich eine stumme Frage von gelinder Eindringlichkeit gestanden hatte, wandten ihren Blick von ihm ab. Sie kramte in ihrer Börse, die am Gürtel hing. »Laduis«, sagte sie, »sei so gut und hol uns aus dem Laden am Marktplatz noch ein Pjoter Hirse, ja?«

Lalette trat aus dem Schlafgemach; im Tageslicht wirkte sie nur halb so herrlich wie Rodvards Erinnerung an die verstrichene Nacht sie darstellen wollte. Sie machte einen Knicks. »Madame, ich bin Eurem Wohlwollen ausgeliefert und muß auf Eure Ehrenhaftigkeit vertrauen, so daß ich Euch nichts verhehlen will«, sagte sie ohne Umschweife. »Ich bin Lalette Asterhax, die wahrhaftige Hexe, welche die Profosen suchen und auf deren Kopf eine Belohnung ausgesetzt ist, und wenn meine Anwesenheit Euch beunruhigen sollte, werde ich augenblicklich gehen.

Aber ich schwöre Euch, daß ich nichts getan habe, wofür ich in der Tat einen gerechten Gott fürchten müßte.«

Der Zweifel in Domina Domijaieks Gesicht zerschmolz; sie streckte beide Hände aus und ergriff die des Mädchens. »Meine Liebe«, sagte sie, »ich könnte Euch nie und nimmer von dieser Schwelle in die Gefahr entlassen, denn das wäre beileibe keine Menschenfreundlichkeit. Was jedoch Eure Hexenkraft angeht, so lehrt man doch, daß im Leben in der dinglichen Welt die äußerliche Erscheinung des Bösen, wovon uns allen anhaftet, keinen Einfluß ausüben soll. Ein jeder muß seinen eigenen Weg zur Liebe finden. Nun berichtet mir die gesamte Geschichte, während ich etwas zu essen bereite.«

Das Mädchen schilderte die vorangegangenen Ereignisse auf angemessene Weise, ohne irgendwelche Umstände zu verschweigen, indessen sie Brot, Käse und Salzzwiebeln verzehrten. »Eine arge Schandtat«, bemerkte Domina Domijaiek, als die Rede auf Mme. Kajas schmählichen Verrat kam. »Doch das Versagen dieser armen Frau beruht ja zum Teil auf dem Euren.«

»Wie könnte das sein, Madame?« erkundigte sich Rodvard verwundert.

»Es bedarf mehr als eines Menschen, um ihn zum Mörder zu machen. Wärt Ihr vollständig vom Gott der Liebe ausgefüllt gewesen, so hätte es nicht anders kommen können, als daß Euer guter Wille von ihr auf Euch zurückgespiegelt wäre. Geschah nicht irgend etwas, das vielleicht eine scheinbar geringe Bedeutung besaß, wodurch Ihr Zorn gegen sie empfunden habt?«

Rodvard errötete, da er sich des Augenblicks entsann, als Mme. Kaja hereinplatzte und sie beide auf dem Bett vorfand. »Ja«, erwiderte dagegen Lalette völlig unbefangen. »Und das trug sich in einer Angelegenheit zu, die am ehesten die menschlichen Leidenschaften entfesselt – in einer Geldfrage. Da fällt mir ein, Rodvard, hast du die Guineen?«

»Nein, bedauerlicherweise nicht. Als wir durch das Fenster kletterten, habe ich sie auf dem Tisch zu ertasten versucht, aber ich konnte sie nicht greifen, und daher dachte ich, du hättest sie wieder an dich genommen.«

Lalettes Nasenflügel bebten. »Ein Erfolg für Madame Kaja. Sie hat es geschafft, uns bis zum letzten Kreuzer auszuplündern.«

»Glaubt mir«, sagte Domina Domijaiek, »das ist ganz offensichtlich das Resultat dessen, daß Ihr mit ihr um Kreuzer gehadert habt.«

»Ich will keineswegs sagen, daß ich an Eurem Wort zweifle, Madame«, sagte Rodvard, »doch ich weiß nicht, wozu diese Erkenntnis in unserer gegenwärtigen Notlage dienlich sein sollte. Geschehen ist geschehen. Nun müssen wir Überlegungen anstellen, wie wir die Situation zum Besseren wenden, besonders auch, wie wir meinen teuren Freund Dr. Remigorius benachrichtigen können, so daß wir uns der Verfolgung zu entziehen vermögen.«

Die Witwe musterte ihn mit festem Blick, und es erstaunte ihn – obwohl er mit diesem Blauen Stern noch keine weitreichenden Erfahrungen besaß –, daß er hinter ihren Augen überhaupt nichts erkennen konnte, nicht einmal den Anflug eines Gedankens. »Sire Bergelin«, sagte sie, »eines Tages werdet Ihr begreifen, daß Ihr, bevor Ihr dem Elend der Welt zu entfliehen vermögt, der Selbstsucht der Welt entrinnen müßt. Diesmal aber hat Gott Euch zu mir geleitet, damit ich Euch beistehe, und so dürft Ihr auf meinen Beistand rechnen. Dank meiner Maskenbildnerkunst kann ich Euer Aussehen so verändern, daß es Euch kaum schwerfallen wird, eine nicht übermäßig argwöhnische Wache zu passieren. Aber wird jener Arzt tatsächlich Eure Sicherheit verbürgen können?«

»Gewißlich«, antwortete Rodvard (zu vorschnell, fand Lalette); und es war eine voreilige Antwort, denn er entsann sich selbst an den Moment, als er den Arzt bei seinen Gedanken ertappte, an dessen Gleichgültigkeit gegenüber Lalettes Schicksal.

Domina Domijaiek seufzte leise. »Vorerst seid Ihr hier außer Gefahr. Doch ich knüpfe an meine Unterstützung eine Bedingung. Ich glaube an eine Gewalt, die größere Bestimmtheit besitzt als Eure Hexenkraft, Demoiselle. Darum ersuche ich Euch, aus Eurer Seele, solange Ihr unter meinem Dach verweilt, jeden Gedanken an Bosheit, Schrecknisse und Rache zu verbannen, selbst im Hinblick auf jene, die an Euch ein Unrecht begehen. Zwar werdet Ihr's nicht glauben, aber ich erbitte dies zum Schutz für mich und meinen Sohn.«

3

Mittlerweile war es sowohl Rodvard wie auch Lalette klar, daß sie sich, wie schon die Äußerungen des Jungen hatten vermuten lassen, unter Anhängern des Propheten von Mancherei aufhielten. Sie sprachen es nicht aus, doch bereitete diese Erkenntnis ihnen insgeheime Bedenken, nicht wegen der möglichen Gefahr, hier entdeckt zu werden, sondern aufgrund der Vorstellung, was ihrem ureigenen Ich durch einen dieser heimtückischen Erforscher verborgener Gedanken, die ihren eigenen Propheten so mißbrauchten, widerfahren mochte. Aber eine Maus kann den Geruch des Lochs, worin sie sich verstecken muß, nicht wählen. Die beiden blickten sich an und gaben der Witwe ihr Wort, wie sie es erbeten hatte. Laduis kehrte wieder. Für den Fall, daß Besucher kamen, erachtete man es als günstiger, daß das Paar sich alsbald wieder in gewissem Umfang verkleidete; Lalette behielt die kjermanaschischen Pelze, wogegen Rodvard sich zunächst für das Gewand eines Henkers entschied, doch da er in diesem Aufzug des Mädchens Mißfallen erregte, verzichtete er darauf und legte die Kleidung eines Jagdführers aus den Rauhen Bergen an.

Es wurde ein Morgen nervöser Wachsamkeit, in dessen Verlauf sie in der oberen Wohnung immer wieder Schritte kommen und gehen hörten. Eingeschränkt zwischen dem Versprechen, das sie der Witwe gegeben hatten, und ihren Gefühlen, konnten sie so gut wie nichts von dem aussprechen, was sie gerne gesagt hätten, und folglich verbrachten sie die Zeit damit, dem Jungen zu lauschen, der ihnen Geschichten von seinen Fantasiepersonen unter den Masken erzählte. Ungefähr zur Mittagsstunde pochte ein Mann an die Tür, der behauptete, er sei der Butler der Baroneß Stampalia und solle sich nach einem Kostüm umschauen; er benahm sich unter der Tür so zudringlich, daß Rodvard und Lalette keine Zeit blieb, um Gesichtsmasken überzustreifen, und überstürzt entwichen sie ins Schlafgemach. Damit hatten sie, wie sich herausstellte, auch besser getan; der Butler begutachtete im vorderen Raum alles mit außerordentlicher Sorgfalt.

Kurz darauf kehrte die Witwe zurück; ihre Augen verengten sich, als sie vom Butler der Stampalia vernahm. »Sie hat eine eigene Schneiderin. Könnte es ein Spion gewesen sein?« Sie wandte sich an das Paar. »Ihr seht, da Ihr meinen Anregungen gefolgt seid, bliebt Ihr unbehelligt.« Rodvard hätte diese Annahme zum Anlaß eines Disputs genommen, aber Domina Domijaiek gewährte ihm dazu keine Gelegenheit. »Bezüglich Eurer Mutter, meine Liebe«, sagte sie zu Lalette, »braucht Ihr Euch, wie ich glaube, nicht zu grämen. Ich habe sie nicht persönlich gesehen, aber wie die allgemeine Fama vermeldet, hat Graf Cleudi ihr in seiner Großmut ein Geldgeschenk gemacht, worin man zweifellos einen Beweis für das Wirken des Gottes der Liebe erblicken muß, auch wenn sein Werkzeug nicht nach unserem Geschmack ist.«

Rodvard, den diese Art von Salbaderei mit Unbehagen erfüllte, dem er nicht recht Ausdruck zu verleihen wußte, fragte nach Remigorius. Die Domina hatte dessen Apotheke aufgesucht; sie holte einen Wisch des Arztes hervor, der alle Befürchtungen Rodvards hinsichtlich Lalettes Person bestätigte, denn Remigorius befahl ihm in vorsichtigen Worten, sofort zu kommen, aber ohne sie. Lalette erfaßte nicht den vollen Sinn der Nachricht, sondern legte ihm nahe, der Weisung auf jeden Fall zu folgen. Domina Dimijaiek sprach sich ebenso dafür aus, indem sie betonte, daß Lalette, wenn man Rodvard andernorts benötige, um so sicherer sei, hätte sie nur sie allein zu verbergen.

Aus einem Schrank brachte sie vom falschen Haar, das sie für Masken verwendete, und versah geschickt mit einigem davon Rodvards Gesicht, während Lalette, plötzlich lustig, seine Frisur änderte und um einen Scheitel bereicherte, der eine ganz andere Erscheinung aus ihm machte. Zum Abschied küßte er sie; die Witwe lächelte schlichtmütig, als habe er diesen Abschiedsgruß ihr entboten, und erklärte, sie wolle dem Gott der Liebe ein geeignetes Gebet um einen glücklichen Verlauf seines Ausflugs empor zum Himmel senden.

7. Kapitel

Sedad Vix – Ein neues Leben

1

In seiner Pforte hob der Hausmeister nicht den Blick aus seiner Kladde – offenbar ein träges Mannsbild –, und der Profos, der an der Straßenmündung auf Posten stand, blieb gleichermaßen desinteressiert, als Rodvard vorbeiging; nachdem er soviel Zeit in geschlossenen Räumen verbracht hatte, war ihm etwas unwirklich zumute. Remigorius mischte gerade mit Mörser und Stößel einen Liebestrank; er begrüßte Rodvard beinahe überschwenglich und erheiterte sich über den Anblick des falschen Haars. »Was denn!? Wollt Ihr nun eine Karriere als Schoßkater bei den Damen einschlagen, da Ihr Euch als professioneller Verführer bewährt habt? Hört, ich habe Euch gerufen, weil alles einer Krisis zusteuert. Die Finanzlage des Hofes ähnelt bereits einem Bankrott, und das Oberste Zentrum vertritt die Auffassung, daß wir rasch handeln müssen, denn im Westen rührt sich etwas, anscheinend neigt man sich Pavinius zu.«

»Wahrscheinlich können wir uns in aller Kürze selber bankrott erklären«, sagte Rodvard. »Madame Kaja ist eine Verräterin.«

Der Stößel verharrte im Mörser; über dem mitternachtsschwarzen Bart des Arztes schien sein Gesicht zu schrumpfen, und eine hellrosa Zunge fuhr aus seinem Mund und rundum über die Lippen. »Dieser verruchten Hure werde ich einen Schweinetrank zurechtbrauen, der ihr den Arsch zerreißt. Berichtet!«

Rodvard erzählte alles, eingeschlossen ihre Flucht auf die Dächer und von der Aufnahme bei den Amorosiern; letzteres füllte Remigorius' Augen mit Besorgnis. »Die Frau, die hier war? Ihr habt ihr doch nicht von unserer Gesellschaft kundgetan? Diese Anhänger des Propheten sind nie allein, man trifft sie stets mit der Häufigkeit von Schneeflocken an, und obwohl der Hof ihnen so tief verhaßt ist wie uns, würde ich ihnen keineswegs trauen. Aber diesen Zwischenfall mit dieser alten Sängerin . . .« – er legte einen Finger an seine Wange und hielt seinen Blick abgewandt, so daß Rodvard seine wahren Gedanken nicht zu erkennen vermochte – »nehmt Ihr wahrscheinlich zu ernst, da Ihr so tadelt. Ich sehe darin keinen regelrechten Verrat. Sie ist bis zum Hals in Doppelintrigen verwickelt und muß nach allen Seiten ihren Anschein wahren, und nebenbei ist zweifelsohne eines gealterten Weibsbildes Bleichsüchtigkeit wegen eines jüngeren Mannes im Spiele. Es könnte sogar auf Order des Obersten Zentrums geschehen sein – Euch hätte man freilich durch irgendeine List gerettet, denn Ihr seid nun zu wertvoll. Nun zu Eurer neuesten Sendung – im Morgenrot besteigt Ihr die Kutsche nach Sedad Vix, wo Ihr während der Beratung des Hofes dem Grafen Cleudi als Schreiber zu Diensten sein werdet.«

Rodvard riß die Augen weit auf. »Beim Hof? Wird man mich denn nicht kennen?«

»Aber nein, nicht doch – die Fahndung der Profosen erstreckt sich ja gar nicht auf Euch. Der einzige Mensch, der Eure Verbindung zur Hexe aufdecken könnte, ist daran gehindert.«

»Was . . . wer sollte das sein?«

»Der Hausmeister Eures Pensionnarios. Heute nacht ereilte ihn ein Unglücksfall, und am Morgen fand man ihn im Fluß, mausetot und grün wie ein Stint.« Remigorius verabschiedete Udo den Dussel mit einer Geste der Geringschätzigkeit und wechselte wieder zu seinem Hauptanliegen, der Beratung des Hofes. Kanzler Florestan, das Heer widerspenstig infolge Soldverschleppung, die Einkünfte längst verpfändet, die Frage einer großen Sammlung, Cleudi beim Spinnen von Intrigen, die Zeit schrecklicher Heimsuchungen angebrochen.

»Aber Mathurin kann all das so gut auskundschaften wie ich«, wandte Rodvard ein, dabei durchlief ihn ein Aufglühen von Mißtrauen.

»Unter allen offen ersichtlichen Verhältnissen kann er's sogar besser, aber wir müssen die geheimen Ziele der Beteiligten in Erfahrung bringen, wir müssen herausfinden, wem wir vertrauen dürfen. Mathurin hält Cleudi für einen Spion des tritulaccanischen Regenten, obwohl man ihn dort aus dem Rat entfernt hat. Ist es wahr? Ihr werdet die verborgenen Kämmerlein seines Geistes erkunden. Dann ist da Baron Brunivar, der Volksfreund, wie man ihn nennt – er genießt ein zu übertriebenes Ansehen, um es für glaubwürdig halten zu können. Er stammt aus dem Westen – er steht nicht zufällig im Dienste Prinz Pavinius', trachtet nach der Thronbesteigung dieses wurmstichigen Heiligen, als Prinz und Prophet zugleich? Tausend solcher Fragen gibt es. Deshalb macht Ihr nun in hoher Politik und Euch gleichzeitig einen Namen, junger Mann.«

»Gut . . .«, begann Rodvard mit klopfendem Herzen.

»Nun, was wollt Ihr mehr?«

Sein Verstand klärte sich, als sei darin irgend etwas eingerastet, und die Antwort kam über seine Lippen, als spräche durch ihn ein anderer. »Zweierlei. Demoiselle Asterhax, die meine Rückkunft erwartet, einen Brief schreiben. Und wissen, wie ich ohne eine Guinee nach Sedad Vix gelangen soll.«

Remigorius richtete ruckartig seinen Blick auf ihn, starrte ihn an und schaute sogleich zur Seite. Rodvard erkannte in dem flüchtigen Blick Unmut und etwas, das Lalette betraf und war wie ein Tropfen Tinte. »Was denn! Ihr Grashüpfer, immer ohne das liebe Geld! Nach Sedad Vix kostet die Fahrt eine Guinee und zwei Heller.« Aus seiner Tasche zählte er genau diesen Betrag ab. »Schreibt getrost den Brief. Hier ist Papier. Für die Zustellung werde ich schon sorgen.«

Rodvard schrieb seinen Brief. Während der Tag sich verdüsterte, besprachen sie, welchen Personen in jener Villa am Meer erhöhte Aufmerksamkeit zukommen mußte und wie die Nachrichten Mathurin weiterzuleiten waren. Rodvard nahm beim Arzt ein miserables Abendessen zu sich, einen Eintopf, der den scharfen Geschmack von zu lange gelagertem Fleisch hatte; schließlich streckte er sich mit zwei Kissen und seinem Mantel als Bettstatt ermüdet am Boden aus.

Der Schlaf stellte sich noch eine ganze Zeitlang nicht ein; seine Gedanken drehten sich fortwährend im Kreis, um die Vorstellung, Beherrscher des Schicksals zu sein, bis sich in seinem Kopf zuletzt so etwas wie ein komplettes Theaterstück herausgebildet hatte, worin er vor einem Gericht des Volkes als Ankläger auftrat, gemeinsam mit einem Mann, der einen ebenso berühmten Namen besaß wie der Angeklagte, und er hielt eine Rede. ›Ihr aber, Euer Durchlaucht, seid ein Lügner und Verräter – womit rechtfertigt Ihr Eure insgeheime Anerkennung des Propheten . . .?‹ Diese Szene war ganz deutlich, auch das Gesicht des Angeklagten, die Mienen der Richter, die Ingrimm ausdrückten, während er die Anklage vortrug; doch aus irgendeinem Grund wollten die Schauspieler dieses Dramas sich über diese Stelle hinaus nicht rühren oder nur ihre Mimik von neuem bemühen, und jedesmal, sobald er diesen Punkt erreichte, zerplatzte alles in einem weißen Aufblitzen, und er trieb für eine Weile zwischen Schlafen und Wachen, halb mit dem Gedanken beschäftigt, ob dieser Blaue Stern ihn womöglich um den Verstand brachte. Dann begann das seltsame Bühnenstück von vorne, ohne daß sein Willen irgendeine Gewalt darüber besaß. Gegen Morgen schlief er offenbar ein wenig, denn plötzlich spürte er Remigorius' kalte Hand auf seinem Gesicht, und es war an der Zeit, sich auf den neuen Tag und das neue Leben vorzubereiten.

2

Von Netznegon bis Sedad Vix an der Küste waren es gute zwölf Meilen, und die Strecke führte durch die allerfruchtbarsten Felder ganz Dossolas, worauf nun reihenweise junge grüne Orchideen und blaßgelbe Narzissen emporschossen. Bei anderer Gelegenheit hätte Rodvard den Weg, sobald sie erst die hohe Brücke überquert hatten, als reines Vergnügen betrachtet; doch er fühlte sich unausgeschlafen, und die Reisegefährtin im Sitz gegenüber, eine gutaussehende schwangere Frau, die nach eigenen Worten unterwegs zu ihrem Gatten war, plapperte unaufhörlich über dessen angeblich unerhört wichtige Stellung im königlichen Orchester, so daß es völlig unmöglich war, auch bloß zu dösen. Der Blaue Stern verriet mit seiner üblichen Kälte, daß sie log und vor allem deshalb quatschte, um die Tatsachen vor sich selbst zu tarnen – nämlich, daß sie ihren Gemahl haßte, die Schwangerschaft verabscheute und daneben überhaupt alle Männer, und daß sie, sobald sie dieses Zustands ledig war, die Gunst einer wohlhabenden Dame zu finden hoffte, welche sie für sittenwidrige Freuden reichlich entgelten möge; ein solchermaßen nichtswürdiges Sinnen, daß Rodvard seine Augen schloß. Der Mann neben ihm war, nach der Spange an seiner Mütze zu schließen, irgendein Händler; er machte der Dame fortgesetzt schwerfällige Komplimente, versicherte ihr, am Frühlingsfest mit ihr tanzen zu wollen und Ähnliches. Als er den Kopf wandte, bemerkte Rodvard, daß der Mann sie für ein der Unzucht verfallenes Frauenzimmer hielt und entschlossen war, sich zur rechten Zeit auch eines Vergnügens mit ihr zu sichern. In Masjon, wo sie zum Mittagsmahl hielten, bestellte der Handelsmann ein ganzes gebackenes Hähnchen und eine Flasche jenes ausgezeichneten tritulaccanischen Weißweins, der ›Honig der Berge‹ hieß.

Rodvard dagegen war aus Hunger schon wieder ein wenig ermattet, als er nach einer starken halben Meile Fußmarsch über die Poststation hinaus die Villa erreichte; der Kammerdiener, der ihn empfing, bot ihm keine Mahlzeit an, sondern geleitete ihn unverzüglich in ein Gemach, das Ausblick auf einen in Terrassenform angelegten Blumengarten bot und an der Rückseite des weitläufigen Gebäudes lag. Der Mann sagte, er solle das Erscheinen von Sire Tuolén erwarten, des Oberhaushofmeisters. Der Name klang kjermanaschisch; und der hochgewachsene Mann, der sich nach ungefähr einer halben Stunde einfand, besaß tatsächlich die steile Nase und das Lockenhaar jenes nordischen Landes. Rodvard erhob sich, um ihn mit ausgestreckter Hand zu begrüßen, und da, als er ihm in die Augen sah, erlitt er einen Schrecken, der wie das Feuer eines Gifts durch seine Adern raste und unanzweifelbar verkündete, daß dieser Mann ebenfalls einen Blauen Stern trug.

»Ihr seid Sire Bergelin?« Die Augen musterten ihn unverwandt, wiewohl das Lächeln nicht von den Lippen wich. »Was ist Euer Auftrag?«

»Dem Grafen Cleudi während der Beratung als Schreiber zu Diensten zu sein«, brachte Rodvard hervor. Man schien in diesen Augen, die wäßrig und nordisch blau waren, ertrinken zu müssen, aber dahinter konnte er nicht einen Gedanken lesen.

Das Lächeln verbreiterte sich. »Ihr werdet unbeschwerter sein, wenn Ihr anderen begegnet, die *Wissende* sind, sobald Ihr den Stein eine Zeitlang getragen habt. Wie ich sehe, ist es noch eine neue Erfahrung für Euch. Es gibt nur wenige von uns. Hmmm – ich nehme an, es ist zwecklos, Euch zu fragen, warum Graf Cleudi einen Blauen Stern zu seiner Verfügung möchte. Gleichwohl, ich habe ihn bereits zur Genüge beobachtet, und es ist kein Geheimnis, daß er Kanzler zu werden begehrt – selbst Seine Gnaden weiß das. Ich vertraue darauf, daß Ihr kein Amorosier seid oder ein Mitglied jener Bande von Meuchelmördern, die sich Söhne der Neuen Zeit nennt?«

»Derlei bin ich nicht«, sagte Rodvard und dachte im Hintergrund seines Bewußtseins, daß dies der Grund war, warum bislang jeder Versuch, unmittelbar bei Hofe zu wirken, scheitern mußte, warum andere der Bruderschaft in die Hände der Profosen fielen – die Anwesenheit dieses Stern-Trägers. An der Oberfläche seiner Gedanken konzentrierte er sich auf Einzelheiten eines Gemäldes hinter Tuoléns Ohr, das Bild eines Milchmädchens.

Der Oberhaushofmeister drehte sich um. »Es ist von Raubasco. Er war mit der Farbwirkung aus mittlerem Abstand unzufrieden, wie ich auf eine Weise erfahren habe, die Euch vertraut ist, und daher konnte ich ihn leicht zur Veräußerung des Gemäldes überreden. Beabsichtigt Ihr, Eure Gemahlin kommen zu lassen?«

»Nein«, antwortete Rodvard, blitzartig dachte er an Lalette und verdrängte den Gedanken nicht minder schnell.

»Oh, es stimmt etwas nicht in Eurer Beziehung . . . Nun, vielleicht ist es auch besser, wenn sie nicht kommt – Ihre Majestät ist durchaus nicht prüde, aber am Hof duldet sie keine Hexen. Euer Quartier befindet sich innerhalb des Westflügels, hinter dem Sitzungssaal. Ein Kammerdiener wird Euch hinführen.« Er stand auf und zog mit einer Hand an der Klingelschnur. »Noch ein letztes Wort an Euch. Der Besitzer eines Blauen Sterns befindet sich hier in einer ganz besonderen Situation. Ich vermute, daß Eure Gemahlin Euch die übliche Warnung bezüglich der Treue beziehungsweise Treulosigkeit erteilt hat, aber Ihr seid offenkundig unerfahren mit dem Juwel und obendrein jung, und hier begegnet man nicht wenigen Damen, die zu gewinnen Euch den Verlust aufzuwiegen scheint – da ihr Begehr Euch nicht entgeht. Insbesondere rate ich Euch, von der Gräfin Aiella von Arjen Distanz zu bewahren, welcher dergleichen Gelüste unschwer anzumerken sind. Sie ist liiert mit dem Herzog von Aggermans, einem Mann, der auf gefährliche Weise hütet, was er besitzt . . . Sprecht morgen abend bei mir vor, wenn Graf Cleudi Euch entlassen hat – es wird mir ein Vergnügen sein, mit einem anderen Träger eines Blauen Sterns die Erkenntnisse über die Welt auszutauschen. Ich habe seit langem keinen kennengelernt.«

Im Quartier fand Rodvard auf dem Tisch ein Tablett mit einem Menü vor, reichlich und überdies erlesen zusammengestellt, dazu eine Flasche Wein; außerdem drei oder vier Bücher, doch waren es alles Romanzen jener Art, die er für schon schwerlich lesbar erachtete, wenn sie gut geschrieben waren – und diese waren's beileibe nicht. Er schaute kurz in jedes Buch hinein und warf sie dann allesamt beiseite; vor der Langeweile verschonte ihn sodann allein Mathurins Ankunft. Mathurin drückte ihm die Hand und erklärte, am morgingen Abend wiederkommen zu wollen, doch nun müsse er sich sputen. Rodvard sagte ihm, daß der Oberhaushofmeister Tuolén Besitzer eines Blauen Sterns war und Mathurin daher seinen Blick meiden müsse oder auf jeden Fall an unschuldige Dinge denken.

»Und seine Hexe? Halt, nein – das klärt mancherlei.«

»Ich verstehe nicht, was«, sagte Rodvard.

»Nun – Tor, der Ihr seid! – damit ist doch klar, wieso der Hof eine so geschlossene Partei ist. Sobald bei Hofe jemand auftritt, der widersetzliche Auffassungen vertritt, enthüllt dieser Tuolén seine geheimsten Pläne, und nach meiner Meinung besteht kein Zweifel daran, daß sein Weib den Mißliebigen verhext. Das ist etwas für das Oberste Zentrum der Neuen Zeit!«

3

Ein hübsches Mädchen brachte ihm das Frühstück ans Bett. Es entbot ihm einen heiteren Morgengruß, machte ihn jedoch zugleich verlegen, da es in Gedanken hoffte, daß dieser Bewohner der Unterkunft nicht auch zu lüsternen Attacken neigte. Ihre Gedanken enthielten eine unmißverständliche Erinnerung daran, daß der vorherige Bewohner dergleichen getan hatte, wehrten sich aber so nachdrücklich dagegen, auch des Ergebnisses zu erinnern, daß Rodvard sich versucht fühlte, statt sittsam ihrem Blick auszuweichen, tiefer in ihre Seele einzudringen, doch blieb ihm dazu gar nicht die Zeit. Das Mädchen unterrichtete ihn, daß Graf Cleudi stets erst kurz vor der Mittagszeit dem Bette entstieg und seine Räumlichkeiten in einem der Pavillons hatte, die westlich des Hauptgebäudes der Villa inmitten von Bäumen, Hecken und Gärten standen. Rodvard kleidete sich an, ging hinaus und schlenderte in diese Richtung; die gebogenen Avenues führten ihn durch kunstvoll angelegte Beete von Frühlingsblumen – Tulpen und Narzissen, gleich daneben rosa Azaleen, und dazu erhoben Magnolien ihre schweren wächsernen Häupter. Die Wege bildeten ein dergestaltiges System, daß sie an jeder Krümmung aus irgendeinem Blickwinkel Sicht auf das blaue Glitzern der Bucht boten, worüber die weißen Häuser von Sedat Vix sich an den Hang klammerten, ihre Mauern vom milden Sonnenschein in Gold getaucht; in den Lüften sangen knallgelbe Vögel, falls sie nicht emsig für ihre Nester Hölzchen und Halme sammelten. Rodvard spürte, wie sein Herz sich in der frohgemuten Gewißheit weitete, daß alles gut werden solle; doch nicht weniger stark fühlte er sich von der Uneinsichtigkeit dessen gerührt, wie Menschen, die in einer solch köstlichen Umgebung residierten, dem Bösen und der Herrschsucht anheimfallen konnten. Ach, dürften doch alle Menschen täglich in Gärten wandeln! Ein philosophisches Problem, das mit dem Arzt zu diskutieren sich lohnte; doch bevor er es bei sich in die richtigen Worte zu fassen vermochte, gelangte er hinter einer Biegung und vorüber an einem riesenwüchsigen Rhododendron vor einen Pavillon mit roten Türen, wo soeben ein Gärtner erblühte Hyazinthen einpflanzte, welche die Luft mit ihrem Wohlgeruch versüßten.

»Einen guten Morgen wünsche ich Euch«, sagte Rodvard fröhlich und aus reiner Lebensfreude.

Der Mann schaute auf, und seine Mundwinkel zuckten abwärts. »So Ihr sagt, daß es ein guter Morgen ist«, sagte er, »wird's für Euch wohl einer sein.« Damit bückte er sich wieder über seinen Spatel.

»Na, ich würde es einen ganz wundervollen Morgen heißen. Bereitet diese herrlich frische Luft Euch kein Wohlsein?«

»Doch.«

»Was fehlt Euch dann? Plagen Euch Sorgen?«

»Wen nicht?« Der Gärtner warf seinen Spatel neben die zuletzt gesetzte Pflanze. »Seht Euch nur diese Blumen an. Riecht einmal an dieser weißen Blume hier, sie ist wohlriechender als die blaue Sorte. Sind sie nicht wunderschön? Es war teuer, sie herzuschaffen, aber in diesem Boden – sehen Sie, wie schwarz er ist! – würden sie makelloser denn je gedeihen, Jahr um Jahr. Doch hier ist es bald aus mit ihnen, sobald die Blüten bloß ein wenig zu welken beginnen, muß man sie wieder ausreißen und fortwerfen, die armen Dinger, weil sie . . .« – er wies mit dem Kopf zum Pavillon mit den roten Türen und schielte zugleich hinüber – ». . . es nicht verträgt, andere als blühende Blumen vorm Haus zu haben und sofort frische Lilien verlangt.«

»Wer ist *sie*?« erkundigte sich Rodvard mit gedämpfter Stimme, aus Furcht, man könne ihn durch das Holz vernehmen.

»Die Gräfin Aielle. Ihre Sache, werdet Ihr sagen, ob Blumen gedeihen oder vergehen, wenn sie zahlt. Ihr fallen alle Einnahmen aus den Besitztümern in Arjen zu, und sie braucht nicht für ihre Brüder zu sorgen, weil sie die beiden Erbinnen oben in Bregatz geheiratet haben, aber dennoch mag ein Mensch um diese Verschwendung der Blumen Tränen vergießen. Bedenkt, Sire, daß wir nie genug Schönheit in der Welt haben können, und daß jene, die etwas davon zerstören, es den anderen, allen anderen Menschen fortnehmen. Ist es nicht wahrlich so, Sire?«

Er verharrte auf seinen Knien und blickte zu Rodvard auf, der nun in der Tat Interesse verspürte, doch da fühlte er die Kälte des Blauen Sterns und sah, daß dieser erdhafte Philosoph nicht im entferntesten an die Schönheit dachte, sondern lediglich darauf hoffte, durch den wehmütigen Vortrag erlernter Sprüche von diesem anscheinend poetisch veranlagten jungen Mann ein Geschenk zu erschwatzen. »Ich bezweifle es nicht«, sagte Rodvard, »aber ich habe kein Geld zu verschenken.« Er wandte sich zum Gehen, doch hatte er noch kein Dutzend Schritte getan, als ihm eine Dame begegnete, welche die Gräfin Aiella persönlich sein mußte, denn an ihrem weiten Hut trug sie eine kleine doppelte Adelskrone. Rodvard verneigte sich vor der Spange und bemerkte im flüchtigen Moment seiner Verbeugung, daß das leidenschaftliche Gesicht von verwirrender Schönheit war, umrahmt von Locken hellbraunen Haars.

Sie blieb stehen. »Genug«, sagte sie, und er hob seinen Blick. Ihr Mantel konnte die Tatsache nicht verbergen, daß sie darunter noch die Abendkleidung trug; der Schlitz ihres Kleids ließ Bein sehen. »Ich kenne Euch noch gar nicht.«

»Nein, Euer Gnaden. Ich bin erst gestern abend eingetroffen.«

»Eurer Spange zufolge seid Ihr ein Schreiber.«

»Ich werde dem Grafen Cleudi während der Beratung zu Diensten sein.« Er wagte in ihre Augen zu blicken, denen nur die Länge einer Fingerspitze bis zu seiner Augenhöhe fehlten; hinter ihnen erkannte er unendliche Langweile und einen schwachen Funken von Interesse an ihm selbst, dazu den Gedanken an eine üble Nacht – ein müder Gedanke.

»Graf Cleudi, so. Ihr könntet er in Verkleidung sein.« Sie lachte ein Lachen, das die gesamte Tonleiter durchtrillerte, glitt mit der Behendigkeit einer Gazelle an ihm vorbei und betrat über den Pfad den Pavillon mit den roten Türen. Rodvard starrte ihr nach, bis er den Gärtner kichern hörte; dann machte er, indem er sich selber ein wenig grollte, auf dem Absatz kehrt und entfernte sich um die Biegung, um den Zauber des Morgens wieder einzufangen zu versuchen. Teilweise gelang es ihm, aber nicht in solchem Umfang, der verhindert hätte, daß er sich mehr mit dem Vergleich zwischen dieser Gräfin und Lalette beschäftigte denn mit dem Unterschied zwischen diesem und irgendeinem anderen Tag. Darüber gelangte er vor Cleudis Tür, in deren Holz das Wappen mit dem Vogel und dem Fisch in dessen Schnabel geschnitzt war; Mathurin empfing ihn mit förmlichen Worten, um vorzutäuschen, daß sie einander nicht kannten.

Der Pavillon umfaßte nur zu ebener Erde gelegene Räumlichkeiten. In einem seitlichen Raum war der Graf und ließ sich soeben von einem Mann frisieren, wobei er gewürzten Glühwein trank, der köstlichen Duft verbreitete. Rodvard hatte schon viel von diesem berühmten Exiltritulaccan und Intriganten vernommen, ihn aber noch nie gesehen; nun blickte er in ein schmales Gesicht mit breiten Brauen über einer scharfrückigen Nase und Lippen, die auf Zügellosigkeit zu schließen erlaubten. Mathurin stellte den neuen Schreiber vor; ein Paar dunkle Augen schauten Rodvard düster an. Der Gedanke dahinter galt der Frage, was seine Schwäche sein möge und wie er sie zu verheimlichen pflege. »Ich frage nicht nach Eurem bisherigen Dienstverhältnis«, sagte Cleudi, »denn das ist ohne Bedeutung, wenn Ihr zuverlässig und klug seid. Dummheit ist mir unerträglich. Beherrscht Ihr das Tritulaccan?«

»Ja, Euer Gnaden.«

»Es verhilft Euch zu nichts, falls Ihr mir mit Titeln zu schmeicheln versucht. Auf dem Seitentisch liegen Schreibzeug und Papier, außerdem ein tritulaccanisches Horoskop und ein Poem in Eurer eigenen wohlklingenden Sprache. Fertigt von beidem Abschriften in dossolanischer Sprache an. Habt Ihr bereits gefrühstückt?« Sein Akzent besaß die leichte Überbetonung auf s, die kein Tritulaccan jemals ablegte.

»Ja, ich danke Euch.«

Die astrologischen Symbole des Horoskops waren Rodvard unbekannt; er kopierte sie durch bloßes Abzeichnen und übersetzte dann die Texte nach bestem Vermögen. Das Poem war ein Sonett zur Verherrlichung einer braunhaarigen Dame; seine Metrik holperte an zwei Stellen. Es gelang Rodvard, eine davon durch eine Wortumstellung zu beseitigen, und endlich legte er beide Arbeiten Cleudi vor; dessen Brauen rutschten für einen Moment zusammen, dann lächelte er. »Ihr seid ein sehr kühner Schreiber, da Ihr verbessert, was ich niedergeschrieben habe, doch Ihr habt es gut gemacht. Mathurin, gebt ihm einen Scuderius. Nun denn – wartet auf der Beratung am Nachmittag zum neunten Stundenglas auf mich. Schreibt alles auf, was ich sage, ebenso die Äußerungen des Kanzlers Florestan, ganz besonders jedoch die von Baron Brunivar, da diese in Zukunft noch von großem Nutzen sein können. Von allen anderen Teilnehmern schreibt auf, was Ihr nach Eurem Gutdünken dessen für wert erachtet. Ihr seid entlassen.«

Mathurin geleitete ihn zur Tür. »Meinen Scuderius?« erinnerte Rodvard.

»Der kommt in die Kasse unseres Zentrums«, knurrte der Lakai.

»Aber ich habe kein Geld, überhaupt kein Geld«, lehnte Rodvard sich auf.

»Pah! Ihr werdet hier keins brauchen. Wollt Ihr unser großes Ziel durch Geiz hinauszögern, bloß um Euer persönliches Vergnügen an Kleinigkeiten zu befriedigen? Heute abend komme ich zu Euch in Eure Unterkunft.«

8. Kapitel

Hohe Politik

1

Obwohl es draußen heller Tag war, vermochte durch die Bleiverglasungen nur wenig Licht einzudringen, und selbst das wurde ferngehalten durch dicke, faltenreiche Vorhänge. Kerzen brannten auf der langen Tafel und in Wandarmen. Im Marmorkamin am oberen Ende des Saals glomm unter steinernen Cupiden eine schwache Flamme; davor standen drei Männer mit Branntwein in ihren Gläsern. Baron Brunivar ließ sich mühelos nach der Beschreibung erkennen – groß, eine Mähne weißen Haars, ein fester Mund, der an den Begriff ›Adel‹ denken ließ, ohne den Adelsstand zu meinen. Er sprach mit einem kleinen, rundlichen Mann, der auf die denkbarste Weise gemütlich wirkte, und einem düsteren, äußerst vornehmen Herrn mit ernstem Gesicht, der auf dem Arm ein Kätzchen hielt, bis das winzige Geschöpf zappelte, um sich auf den Boden setzen zu lassen, wo es dann um seine Füße spielte und nach den Schuhbändern haschte. Trotz der Ernsthaftigkeit mußte dies Florestan sein, der Lachende Kanzler; seine Vorliebe für Katzen war allgemein bekannt.

Kaum einen Moment später drehte er den Kopf und nickte Tuolén zu, dem Oberhaushofmeister, der am Tisch eine kleine silberne Glocke läutete. Alle Anwesenden begannen sich aus den verschiedenen Ecken des Saals um die Tafel zu versammeln. Drei davon waren Bischöfe in ihren veilchenblauen Gewändern mit dem klerikalen Blümchenmuster. Florestan wartete stumm, bis Ruhe herrschte, seine Miene blieb unbewegt, doch Rodvard fing gerade genug von seinem Blick auf, um dahinter den Gedanken zu erspähen, daß hier möglicherweise eine scheußliche Sache bevorstand. Er klingelte nochmals mit dem Glöckchen.

»Ihr Herren, wäre Euch der Zweck dieser Zusammenkunft unvertraut, Ihr hättet Euch nicht eingefunden. Daher wollen wir alle Vorreden unterlassen und uns unverzüglich der Frage der Finanzen Ihrer Majestät zuwenden.«

Schweigen. »Was gäbe es dazu zu sagen?« fragte schließlich ein Mann, der rote Pausbacken hatte wie ein Apfel.

»Vor allem, daß es sehr gefährlich ist, wenn der Hof über keinerlei Geldmittel verfügt, während das Problem der Thronfolge ansteht.« Die Gesichter entlang der Tafel beobachteten ihn mit ungeteilter Aufmerksamkeit, alle zu Mienen unterschiedlich starker Widerspenstigkeit verzogen; als das Kätzchen am Bein seines Stuhls kratzte, streckte er eine Hand hinab und streichelte es. »Die Lage, Ihr Herren, ist so ernst geworden, daß wir die Schwierigkeiten nur mit gänzlich neuartigen Maßnahmen beheben können. Alle üblichen Mittel und Wege sind nunmehr erschöpft. Doch es mangelt uns noch immer an Geld, um Ihrer Majestät Heer den Sold zu zahlen, und dieser Zustand ist nicht allein entehrend, sondern auch gefährlich. Jene, die zu unserem Schutze unter Waffen stehen, könnten zu unseren Gegnern werden.«

Das Gesicht des kleinen Dicken blieb gemütvoll; seine Stimme war es nicht. »Euer Gnaden, unmittelbar unter eines Menschen Auge kann ein Mistkäfer groß wie ein Löwe scheinen. Gibt es Zeugnisse wahrhaftiger Aufsässigkeit?»

Ein Mann mit silbrigen Streifen im Haar und dem Bruststern eines Generals am seidenen Rock nickte mit finsterer Miene. »Ich weiß welche zu nennen. Man hat die Bedeutung der Unruhe unter den Roten Bogenschützen zu Veierelden heruntergespielt. Aber meine Männer haben sich unter der Oberfläche umgetan, und die Unzufriedenheit geht tiefer, als Ihr es glaubt. Namentlich erheben sich Stimmen, die Pavinius wieder als Nachfolger sehen möchten. Wir haben einen seiner Emissäre gehängt, einen Mayerner.«

»Pah!« machte der Rundliche. »Seit seiner Verbannung hat man bei jedem Krawall nach seiner Rückkehr geschrien. Es ist nicht ernst gemeint.«

»Dossola wird niemals einen König dulden, der selbst das Oberhaupt einer Sekte ist, die im Widerspruch zur wahren Religion steht«, versicherte einer der Bischöfe. »Sogar seine einstigen Gefolgsleute amorosischen Glaubens haben sich von ihm abgewandt.«

Florestan hob eine Hand. »Ihr Herren, Ihr schweift ab. Ich habe Euch im Zusammenhang mit dem Finanzproblem rufen lassen, um Euch mitzuteilen, daß es in meiner Macht liegt, die Ihre Königliche Majestät mir mit dem Ministeramt gewährt hat, die neue Form der Steuererhebung, wie unser geschätzter Freund, der Graf Cleudi, sie vorgeschlagen hat, per Dekret zu etablieren. Doch da einige unter Euch so gütig waren, mich davon in Kenntnis zu setzen, daß diese Absicht niemals Wirklichkeit werden könne, richte ich nun die Frage an Euch, welche besseren Vorschläge Ihr zu unterbreiten vermögt.«

»Es handelt sich um einen Plan, um die Adeligen dieses Landes zu bestehlen«, sagte ein Mann mit überaus langem Gesicht unter mühevoller Beherrschung, »und deshalb kann man ihn unmöglich verwirklichen.«

»Das Vermögen der Kirche muß davon selbstverständlich ausgenommen bleiben«, sagte ein Bischof. »Denn es wäre eine Herausforderung des Allerhöchsten, erniedrigte man seine geistlichen Minister zu Steuereintreibern für die weltliche, die staatliche Kasse.«

Kanzler Florestan warf sein Haupt in den Nacken und brach in ein so herzhaftes Gelächter aus, daß es leicht zu begreifen war, wodurch er seinen Spitznamen erhalten hatte. »Dieselben geistlichen Minister«, sagte er, »verspüren wenig Gewissensnöte, wenn sie zum eigenen Vorteil Steuern eintreiben. Nein, ich lehne es ab, die Herren Bischöfe von diesem Plan auszunehmen, und ich erkläre Euch hiermit unverhohlen, daß ich diesen Plan mit jeglicher Gewalt durchzusetzen gedenke, die ich aufbieten kann. Wohlan, Ihr Herren, Ihr vergeudet meine Zeit, die doch der Königin gehört, und dadurch schmälert Ihr Ihrer Majestät Hilfsmittel. Ich frage noch einmal – wer hat einen klügeren Vorschlag als Graf Cleudi?«

Daraufhin fielen die Anwesenden mit einem Stimmengewirr wie ein Rudel bissiger Hunde über ihn her, worauf er kaum zu achten schien; vielmehr lehnte er sich zur Seite hinunter, um das Kätzchen zu tätscheln. Rodvard, der das ruhige, gleichmütige Gesicht beobachtete, vermochte im Kerzenschein und infolge der ständigen Ablenkung und Bewegung die Augen des Kanzlers nie scharf ins Blickfeld zu bekommen. Er sah Tuolén herantreten, um ein geleertes Glas vom Tisch zu nehmen; sein Blick ruhte auf dem Adligen mit dem langen Gesicht, das fast einem Pferdeschädel glich, jenem Mann also, der sich so heftig geäußert hatte. Und da war Rodvard sich sicher: Florestan mußte wissen, daß sich im Saal ein zweiter Blauer Stern befand. Der Kanzler ergriff das Glöckchen und läutete abermals. »Das Wort«, sagte er, »hat der Baron Brunivar.«

Der genannte Adelige wandte sein stattliches Haupt, und obschon er nun in Rodvards Richtung schaute, konnte er hinter den Augen bloß drängende Besorgnis erkennen, jedoch keinen klaren Gedanken. »Euer Gnaden«, sagte er, »als ich erstmals von diesem Plan erfuhr, vermeinte ich, Ihr hättet ihn aufgegriffen, um bessere Vorschläge unterbreitet zu erhalten. Nun aber sehe ich, daß es nicht so ist, und wiewohl ich keine Vorschläge habe, wie wir an mehr Geld gelangen könnten, sondern nur solche, wie sich weniger ausgeben ließe, bitte ich Euch, doch zu erwägen, was geschehen wird, falls Ihr tatsächlich auf der Ausführung des besagten Plans beharrt. Das gemeine Volk kann keine weiteren Abgaben aufbringen. Es wird sich erheben, und dann überschreitet Prinz Pavinius mit einem mayernischen Heer die Grenze.«

Der Lachende Kanzler wandte den Kopf seitwärts zu seinem persönlichen Sekretär, der an einem Nebentisch saß. »Notiert, daß Baron Brunivar von Verrat und Kriegsgefahr im Westen spricht, wo seine Besitztümer liegen.«

Über Brunivars Lider zuckten die Brauen empor und rutschten wieder herab. »So leicht erklärt Ihr mich nicht zum Verräter, Euer Gnaden. Ich habe diesem Pavinius auf dem Schlachtfeld standgehalten, als er in Mancherei Prophet war und alle tritulaccanische Unterstützung genoß, und mancher ergriff damals statt dessen die Flucht.« Sein Blick glitt in die Runde. »Es ist kein Krieg an den Grenzen, den ich fürchte, sondern ein Krieg des dossolanischen Volkes untereinander, und dazu ein Heer, das sich wegen Ausbleiben des Soldes gegen uns wendet.«

»Schreibt auf«, sagte rasch Florestans Stimme, »daß Baron Brunivar die Loyalität des Heeres an Ihrer Majestät bezweifelt.«

Brunivars Gesicht verwandelte sich in eine Grimasse, aber noch ließ er nicht locker. »Ich beschwöre Euch, Euer Gnaden – könnte man am Haushaltsbudget für das Frühlingsfest nicht genug kürzen, um das Heer für geraume Zeit zufriedenzustellen?«

»Schreibt auf, daß Baron Brunivar Ihre Majestät für extravagant erklärt.«

»So sage ich nichts mehr. Ihr habt meine Meinung vernommen.«

»Ich danke Euch, mein edler Brunivar«, sagte Cleudi heiter, »denn Ihr habt den Beweis erbracht, daß sich eben kein anderer als mein Plan bewähren wird.«

Brunivar öffnete den Mund; schloß ihn wieder. »Wir wollen überlegen, ob es nicht doch eine andere Möglichkeit gibt«, sagte ein Bischof. »Mir ist zu Ohren gekommen, daß in einigen Besitztümern, sobald außergewöhnliche Maßnahmen erforderlich sind, eine Steuer aufs Mehl erhoben wird, die gleich in den Mühlen zu entrichten ist. Ein sehr einträgliches Verfahren, da niemand sich dieser Steuer entheben kann, der Brot zu essen wünscht. Könnten wir's hier nicht ebenso einrichten?«

Florestans Lippen zuckten. Brunivar schlug auf den Tisch. »Ich gedachte zu schweigen – aber das übertrifft wahrlich alles! Eminenz, Ihr Herren, im Westen verhält es sich wirklich so, daß das Volk nicht genug Kleingeld zum Erwerb des täglichen Brotes besitzt, und es sind die gegenwärtigen Steuern, die es mit Unzufriedenheit erfüllen. Wollt Ihr diese Menschen nun auch noch hungern lassen?«

»Trotz allem«, sagte der kleine dicke Mann. »Die Einkünfte sind zu niedrig. Also was soll's?«

Allgemeines Gemurmel. Brunivar stand von seinem Platz auf. »Ihr Herren«, sagte er, »ich sehe mich zu diesem Eklat gezwungen. Die Verantwortung liegt nicht beim Hof allein, sondern bei uns allen. Das Volk kann nicht noch mehr zahlen. Wenn wir nun etwas einnehmen wollen, kann es nur aus unserem eigenen Vermögen kommen. So sind die Verhältnisse seit dem tritulaccanischen Krieg und dem Verlust der Besitztümer in der Mancherei, die uns den Luxus gestatten, nun einmal. Wir in den westlichen Provinzen haben zum Wohle unserer Bevölkerung schon mancherlei Opfer gebracht, aus freiem Willen und aus Liebe zur Menschheit. Wir haben keine solche Schwierigkeiten bekommen wie Ihr in Aggermans, Euer Gnaden . . .« Sein Blick fiel auf den Dicken. »Und ohne uns mit Hexereien behelfen zu müssen! Und das, so glaube ich, weil wir jenen ein gewisses Maß an Liebe zeigen, über die wir herrschen.«

Cleudi meldete sich, indem er eine Hand hob, zu Wort, und der Kanzler gewährte es ihm mit einem Wink. »Ich spreche hier allein durch die Großmut Seiner Gnaden des Kanzlers«, sagte er, »denn ich bin ein Fremder und unvertraut mit diesen neuen Religionen, die das uralte Reich Dossolas und seine einstigen Domänen in Übersee in Zwietracht und Spaltung gestürzt haben. Ich wüßte zu gerne, ob Baron Brunivars Worte von Liebe zur Menschheit ihn eher in die Nähe der Amorosier rückt, die sich zur ersten Doktrin des Prinzenpropheten bekennen, oder in die Reihen jener stellt, die sich ganz und gar seinen Lehren verschrieben haben?«

Da Rodvard den Kopf gesenkt hielt, um diese Äußerung zu protokollieren, konnte er bei dieser Anschuldigung nicht in Brunivars Gesicht blicken, doch er hörte das kurze Aufkeuchen, welches sogleich übertönt wurde von Florestans Lachen. »Ihr Herren und Mitbetroffene der Vorwürfe aus dem Munde von Baron Brunivar«, sagte der Kanzler, »ich glaube, dies klärt die Lage auf die allerglücklichste Weise. Ihr seht, wo der wahre Widerstand gegen Graf Cleudis Inkassoplan herrührt und auf welchem Boden er gedeiht. Wollt Ihr Euch mit dieser Haltung einig erklären, die eindeutig nichts anderes ist als die Absicht, Pavinius und seine Form der Hexerei über uns zu erheben?«

Sein Blick wanderte an beiden Seiten der Tafel entlang, und die Adligen und Bischöfe wanden sich auf ihren Sitzen, doch keiner erwiderte ein Wort. »Und nun laßt mich etwas hinzufügen. Dieser Plan hat in Euch Eifersucht wegen Eurer Privilegien erregt, Ihr Herren, und die Furcht, die Regierung wäre allein der Nutznießer. Doch mitnichten – es handelt sich um eine Finanzierungsmethode, die sich letztendlich als für alle von Vorteil erweisen wird. Ihr seid mit dem Einzug der Steuern in Euren Besitztümern beauftragt, ja. Doch indem dies geschieht, schaffen wir eine neue Klasse von Wertpapieren, die man kaufen und verkaufen kann – ich meine die Steuerbescheide, welche der Hof Euch zwecks Eintreibung der Steuergelder ausstellt. Die Regierung Ihrer Majestät wird diese Papiere im Vorzugsangebot an Zigraner und andere Leute vertreiben, die zu spekulieren lieben. Denn es läßt sich damit ganz hübsch spekulieren – zum Beispiel werden die Steuereinnahmen der Provinz Aggermans zweimal so hoch ausfallen wie im vergangenen Jahr? Oder nur halb so hoch? Dabei werden diese Papiere die Besitzer wechseln. Und bei jedem dieser Besitzwechsel erhebt die Regierung darauf eine geringfügige Steuer, gering genug, um Vertrieb und Handel attraktiv bleiben zu lassen. Auf diese Weise nehmen wir umgehend aus dem Kauf und Verkauf der Wertpapiere die uns zufallende Steuer ein, und zugleich haben wir damit eine stetige Einkommensquelle gesichert, wobei Ihr, meine Herren, nichts verliert.«

Der kleine Dicke, welcher sich als der Herzog von Aggermans herausgestellt hatte, ergriff nach diesen Ausführungen zuerst das Wort. »Das klingt alles sehr vernünftig. Aber warum müssen die Edlen des Reiches in Geldscheffler für die Staatskasse verwandelt werden, als besäßen wir Zigranerblut? Wie? Könnt Ihr die Spekulanten nicht genausogut nasführen, indem Ihr ihnen Wertpapiere über direkte Steuern andreht, die man unmittelbar im Namen der Königin erhebt?«

Der Lachende Kanzler winkte ab. »Nun, was Eure erste Frage betrifft, edler Herzog, so kann ich Euch dessen versichern, daß Ihr in Zukunft nicht mehr Steuereintreiber sein werdet als bisher. Nur die Steuerbeamten, die jetzt im Namen Ihrer Majestät ihre Tätigkeit ausüben, werden nach und nach Eurer Amtsaufsicht unterstellt. Ihr werdet davon Euren Nutzen haben, denn viele dieser Steuergelder dürften früh in Eure Kasse fließen, und die Handhabung der betreffenden Summen obliegt Euch, bis Euer von der Regierung vorgelegte Steuerbescheid fällig wird. Auf die zweite Frage lautet meine Antwort, daß wir, wenn wir uns auf das Spekulantentum stützen wollen, zweifellos Papiere mit verschiedenem Nennwert herausgeben müssen, welcher je nach Beschaffenheit des Besitztums höher oder tiefer angesetzt ist, nicht aber solche mit einheitlichem Wert, wie die Regierungsobligationen.«

»Wenn wir das Heer besänftigen wollen«, sagte der General, »müssen die Gelder bald fließen.«

Florestan erhob sich. »Man betrachte die Sitzung als beendet.«

2

Es glich einem schreckhaften Erwachen, vor dem Saal unter Grün und bunte Blumen zu treten. Die Sonne verschwand gerade hinter den flachen grünen Hügeln im Westen, die Vögel sangen ihre Abendlieder, alles lag in restloser Friedfertigkeit da; kein Blatt rührte sich. Tuolén, der Oberhaushofmeister, klopfte Rodvard auf die Schulter, und als sie beide in seinem Gemach waren, holte er eine Flasche kjermanaschischen Cherrys heraus, hielt sie hoch, um gegen das trübe abendliche Licht die rubinrote Farbe zu begutachten, und füllte dann zwei Kristallbecher.

»Fandet Ihr's unterhalsam, Sire Bergelin? Seine Gnade ist äußerst scharfsinnig.«

Rodvard bemerkte, während er trank, daß Tuolén eine Antwort erwartete. »Dann hat er die Versammlung also zu überzeugen vermocht?«

»Wo hattet Ihr Eure Augen? Ach, auf Eurem Schreibzeug. Aber sicherlich habt Ihr genug gesehen, um festzustellen, daß es außerhalb der Absicht Seiner Gnaden war, irgend jemanden überzeugen zu wollen? Die Herren Bischöfe werden niemals davon überzeugt sein. Die Herren Militärs sind es bereits. Habt Ihr Brunivar beobachtet, als Cleudi ihn beschuldigte, ein Gefolgsmann Pavinius' zu sein, sei's als Prinz oder Prophet?«

»Nein, ich habe geschrieben.«

»Es wäre die Mühe wert gewesen. Da war diese Erscheinung, einem goldenen Aufblitzen gleich, die sich immer ergibt, wenn ein Mensch feststellt, daß etwas, das er ganz unschuldig ausgesprochen hat, als das Zeugnis eines schlechten Gewissens ausgelegt werden kann.«

»Schlechtes Gewissen?« Rodvards Überraschung durchdrang die Mauer, welche er um seine Gedanken geschlossen hatte. »Ich bin ein Neuling im Umgang mit diesem Blauen Stern, aber ich habe keine Spur von Schuld gesehen, nur einen ehrlichen Mann, der anderen helfen will.«

Das beharrliche Lächeln des Haushofmeisters hob sich aus seinem Kristallbecher. »Ehrlich? Ehrlich? Ich kann mir vorstellen, daß Brunivar einem solchen Eindruck entspricht. Aber im besten Fall ist es eine Krämereigenschaft – ich suche danach bei den Lieferanten, die den Hof mit Fleisch versorgen. In der großen Politik dagegen wird eine derartige Figur niemals mehr gewinnen als ein Stück kühlen Grundes – und damit wird sich nun auch Brunivar bescheiden müssen.«

Rodvard senkte den Blick. »Dann . . . dann hat Seine Gnaden mit Brunivar ein Spiel getrieben, um . . .«

»Um ihn zu verleiten, daß er dieses öffentliche Bekenntnis ablegt, entweder Amorosier oder Anhänger des Prinzen zu sein – wie Ihr's erlebt habt. Die Bischöfe können das nicht mißachten. Einen Mann mit solchen Meinungen können sie als möglichen Regenten nicht mehr dulden als sie Pavinius zum König haben wollten. Also wird nun eine Anklage erhoben, eine Verhandlung stattfinden, und Brunivar wird den Weg zum Schafott antreten, denn ich bezweifle, daß sie der Auffassung sind, sich seine Verbannung erlauben zu dürfen. Nicht, solange Ihre Majestät darauf besteht, daß der Wille des alten Königs ausgeführt wird, der bestimmt, daß Brunivar um seiner Ehrbarkeit willen Regent ist, falls der Thron leer bleibt. Beachtet die Klugheit Seiner Gnaden, der damit zugleich die Volkspartei ihres besten Führers beraubt. Allerdings glaube ich, daß sich vor dem Frühlingsfest nichts ereignet, denn urteilte man Brunivar jetzt ab, ersparte dies ihm die Strafarten, die nach dem Frühlingsfest statthaft sind.«

Er stieß ein kehliges Lachen aus, leerte seinen Becher, füllte ihn nach und schenkte auch Rodvards Becher bis zum Rand voll; dessen Gedanken wirbelten wild durcheinander. »Der kleine Mann«, fragte er, um davon abzulenken, »der immer lächelte, obwohl er so bittere Worte sprach, war das der Herzog von Aggermans?«

»Ja. Auf ihn muß man achten. Ich habe ihn einmal beim Nachdenken über Pläne ertappt, wie er selber auf den Kanzlersitz gelangen könne. Deshalb steht er gegen Cleudi . . . Sire, was ist Euer Gemüt in so tiefem Aufruhr?«

»Ich . . . ich glaube, es muß etwas mit Baron Brunivar zu tun haben«, sagte Rodvard. Er wagte gar nicht den Versuch, das zu verbergen. »Ich hatte bislang nur Gutes über ihn gehört, daß er ein Mensch sei, der auf den Vorteil anderer mehr sieht als auf den eigenen.«

Das unaufhörliche Lächeln verwandelte sich in ein Kichern. »So einer ist er auch. Und das ist in der Politik die allergefährlichste Art von Mensch. Wenn jemand an das Wohl anderer denkt, wird's sein nächster Schritt sein, sich auszudenken, wie dies Wohl beschaffen sein müsse. Das Recht jedoch steht allein Gott zu. Aber sagt selbst, ist Seine Gnaden nicht überaus scharfsinnig?«

»Und doch erscheint es mir schrecklich, daß ein Mann, der kein Unrecht begangen hat . . .«

»Ach, ich begreife, worauf hinaus Ihr wollt. Sire Bergelin, ein Unrecht liegt nicht allein in der Tat, sonst wäre ja jeder Soldat ein Verbrecher, es besteht auch in der Einstellung, womit man die Tat vollbringt.« Er klopfte gleich oberhalb seines Herzens auf seinen Rock, wo der Blaue Stern hängen mußte, und erstmalig verließ das Lächeln seine Lippen. »Wenn Ihr diesen Klunker erst einmal so lange getragen habt wie ich, dann werdet Ihr etwas gelernt haben – vor allem, daß nur wenige von uns anders sind als der Rest. Einst habe ich in einem Kerker einen Mann gesehen, einen Mörder, dessen Gedanken anständiger waren als die des Diakons, der ihm Trost spendete. Jedenfalls für meine Begriffe. Ihr oder ein anderer hättet sie vielleicht für böse erachtet. Nun beobachtet Euren Baron Brunivar, der auf Euch so erhaben wirkt, weil seine Begriffe auf einer Ebene mit Euren übereinstimmen. Aber Ihr seid nicht sein Zwillingsbruder – beobachtet ihn, das rate ich Euch, und Ihr werdet in anderem Lichte feststellen, daß sein Gold mehr als zur Hälfte Kupfer ist. Unrecht? Recht? Ich weiß nicht, welchen Wert sie für jemanden haben, der den Blauen Stern trägt.«

3

Sollte das Gewissen absterben. Die Stunden wälzten sich zeitlos vorüber, wie es oft ist, wenn in den äußeren Umständen eine so krasse Veränderung eintritt, daß alle Anhaltspunkte schwinden. Das Gewissen sterben lassen – war das richtig? Rodvard gedachte der hohen Ideale des Dienens, mit denen er sich den Söhnen der Neuen Zeit angeschlossen hatte – war ein Zweck so gut oder schlecht wie der andere? Lalette.

Sein Bewußtsein widmete sich plötzlich einer Stimmung der Zärtlichkeit für sie, die aufrichtig begehrte, eine gute Gefährtin zu sein, vielleicht im eigenen Interesse, aber dadurch waren sie immerhin schon zwei gegen die Welt.

Dann kam Mathurin. Als er vernahm, daß man Baron Brunivar wahrscheinlich aburteilen werde, bloß weil er der beste Mann im Lande war und zum künftigen Regenten bestimmt, glühten seine Augen auf wie Kohlen.

»Das ist genau das«, sagte er, »was wir brauchen. Das Volk wird diese Tat nicht hinnehmen. Es wird sich erheben. Dies Wissen ist der erste Gewinn, mein Freund, den wir Eurem Blauen Stern verdanken.« Er lief hinaus, die Nase spitz vor Erregung, seine Augen glommen wie die einer Ratte.

9. Kapitel

Frühlingsfest – Intrige des Grafen Cleudi

1

»Nun die Maske, Mathurin«, sagte Graf Cleudi. Ein Mundwinkel zuckte, während seine schwarzen Augen boshaft glitzerten. Er wirkte so flink und kräftig wie eine jener Bronzestatuen des Vogelmenschen; er stand mit den Knöcheln der Finger auf den Tisch gestützt. Sein Kostüm war von sattem Purpur. Er wandte seinen Blick vom Spiegel und auf Rodvards Gesicht, das nun bis über die Wangen maskiert war; nur die Lippen waren noch entblößt. »Das Kinn sieht ganz ähnlich aus. Dreht Euch um, Bergelin. Langsam, und lagert Euer Gewicht auf den Ballen des rechten Fußes. So.« Er hob seinen rechten Arm, beugte leicht den Oberkörper, ließ die Linke zum Dolchgriff sinken und führte die Bewegung vor. Rodvard versuchte sie nachzuahmen. »Die Linke bewegt Ihr nicht ganz korrekt zum Dolch, Ihr seid zu eckig. Aber Ihr braucht ja keinen Corabando zu tanzen. Seid so gütig und geht durch das Zimmer. Stehenbleiben. Mathurin, Mathurin, wo mangelt es ihm an Ähnlichkeit?«

Der Lakai legte Finger an seine Lippen. »Die Stimme ist fas völlig die gleiche, Euer Gnaden, aber an der Bewegung der Hände ist etwas noch nicht recht . . .«

»Das ist ein Mangel, der von Geburt herrührt«, sagte Cleudi. »Es ist wegen der Ärmelspitzen, er ist an sie nicht gewöhnt. In jeder anderen Beziehung jedoch, Bergelin, seid Ihr als höchst begabter Schauspieler und Schwindler geboren. Erinnert mich daran, daß ich Euch entlasse, ehe sich Euer natürliches Talent gegen mich kehrt. Nun die Instruktion – wiederholt!«

»Sobald die Oper vorbei ist, muß ich mich wenigstens ein Stundenglas vor Mitternacht auf dem Ball einfinden. Das vierte Séparée zur Linken ist Eures. Ich habe beim zweiten Séparée unter die Türkante zu schauen, wo ein Taschentuch stecken muß. Falls es weiß ist, mit Spitze umnäht und mit Honigmoschus parfümiert, muß ich nach unten und mich an den Spieltischen blicken lassen. Ist das Taschentuch aber blau und mit Rosenduft parfümiert, muß ich es entfernen und an seiner Stelle ein anderes hinterlegen und mich dann, ohne mich im Tanzsaal oder bei den Spieltischen sehen zu lassen, sogleich in meines Herrn Séparée begeben, aber die Klappen und Vorhänge geschlossen halten. Schließlich wird jenand kommen und zweimal klopfen, eine Dame. Ich muß sie mit dem Sonett meines Herrn begrüßen und mit ihr speisen. Ich habe ihr meine leidenschaftliche Verehrung zu erklären . . . Euer Gnaden?«

»Ja?«

»Was ist, wenn . . . ich meine . . . es könnte . . .«

Cleudi warf ihm einen scharfen Blick zu, der Erheiterung mit einem kleinen finsteren Schatten von Grausamkeit mischte und den Entschluß enthüllte, ihn mit der Vervollständigung des Gestammels zu beschämen. »Ihr wollt Geld, Schwindlergeselle? Ihr solltet . . .«

»Nein, Euer Gnaden, darum geht's mir nicht, sondern . . .« Der Graf begann mit einem Zeh auf den Boden zu tappen, seine Miene wurde ein Gaffen der Verblüffung, und Rodvard, der die Hitze der Verlegenheit verspürte, platzte mit seinen Bedenken heraus. »Was ist, wenn die Intrige keinen Erfolg hat, das heißt, wenn Ihr nicht zur rechten Zeit erscheint, so daß . . .«

Das Gaffen wich einer Miene des Aufheulens. »Ha – nun, dann müßt Ihr das schreckliche Schicksal erdulden, in einem Séparée allein mit der schönsten und willigsten Weibsperson ganz Dossolas zu sein! Seid Ihr etwa impotent?«

Rodvard öffnete halb den Mund, um in ungelenken Worten zu erwidern, daß er schon einer Frau vergeben sei und es als nicht eben ehrenhaft erachtete, sein Wort zu brechen, aber Mathurin kicherte (Dieser Strom von Haß und Wut aus den schwarzen Augen!), und so entfuhr ihm nur ein unterdrückter Laut.

»Ha!« rief Cleudi erneut. »So wollt Ihr wohl mit mir theologisieren? Sie ist's, die zu beichten hätte, nicht Ihr seid's – das bestimmt die weise Entscheidung der Kirche, die ich erst kürzlich mit dem Bischof von Zenss diskutiert habe. Die unbedeutenden Priester mögen anders reden – aber ihre Meinung ist nur ein Nachhall aus den alten Zeiten vor dem gegenwärtigen Episkopat. Höret, Ihr Bauer – ist es nicht mit aller Deutlichkeit zum Ruhme Gottes, daß Männer der Frauen für die erste und größte Wonne begehren, ganz so, wie den Töchtern das gesamte monetäre Erbe zufallen soll? Ist es nicht auch deutlich, daß die ganze Welt unter der Herrschaft der Frauen stünde, welche neben ihren weiblichen Künsten überdies die Verbotene Kunst aufbieten möchten, erlegte man ihnen nicht gewisse Schranken auf . . .? Ach, gleichwohl! Was predige ich einem verdammniswürdigen Schreiberling wie ein Diakon? Es genügt, daß ich Euch einen Befehl erteilt habe. Von dieser Intrige hängen größere Dinge ab als Ihr ahnt, und Ihr werdet sie gut durchführen, oder ich richte Euch so zu, beim Gottesdienst, daß keine Frau Euch je wieder in Versuchung führt. Jetzt legt diesen Putz ab. Seid pünktlich zwei Stundengläser vor Mitternacht hier, damit Mathurin Euch ankleidet.«

2

»Aber worauf zielt diese Intrige ab?« fragte Rodvard.

»Hat Euer Blauer Stern Euch nicht zum kleinsten Hinweis verholfen?« fragte Mathurin. Sie saßen auf einer grünen Bank hinter der Beratungshalle; bunte Tulpenbeete wogten im leichten Wind. Bedächtig zerfaserte Rodvard, während er antwortete, eines der langen Blätter zu Streifen.

»Nein. Es könnte etwas bezüglich Aggermans sein, aber an den Zweck, der im Mittelpunkt steht, dachte er überhaupt nicht, bloß immer daran, was für ein böser Scherz und eine schöne Rache es sei. Was . . .« Auf seiner Zunge lag die Frage, was er tun sollte, falls er durch die Ungunst der Umstände die Gewalt über den Blauen Stern verlor, aber er verwarf sie. »Was für Maßnahmen habt Ihr veranlaßt, um Baron Brunivar zu retten? Wird es zum Aufstand kommen?«

In den Augen, die sich hoben, um ihn anzusehen, lag eine flüchtige Spur von Argwohn und Überraschung. »Bis jetzt nichts, doch habe ich Remigorius – und mit ihm das Oberste Zentrum – darüber informiert, was bevorsteht. Noch ist ja, wie die Dinge liegen, keine Anklage erhoben. Es nutzte uns nichts, schon jetzt zu verbreiten, daß der Hof gegen ihn konspiriert . . . Dennoch verstehe ich nicht, warum er darauf verzichtet hat, zu fliehen, obwohl es klar ist wie der lichte Sommertag, daß Florestan mit ihm die schlimmsten Absichten hegt.«

»Was ich nicht begreife«, sagte Rodvard, »ist die Tatsache, daß das Oberste Zentrum so ungenügend vorbereitet ist. Wenn Brunivar erst im Kerker sitzt, unter Anklage steht und dauernd von einer Schar Soldaten umgeben, ist es zu spät.«

»Es könnte nie sein . . .« Mathurins Stimme sank herab und verstummte; mit gesenkten Brauen starrte er hinaus über den Rasen, und Rodvard vermochte seine Gedanken nicht zu lesen. »Ich kann das Oberste Zentrum verstehen.«

»Was könnte niemals sein? Ihr seid geheimnisvoller als der Graf, Freund Mathurin, wie Ihr dann und wann Eure dunklen Andeutungen macht.«

Der Lakai wandte ihm Augen voller offenem Zorn zu. »Mein Freund Rodvard Ja-und-Nein, Cleudi hat recht, wenn er Euch einen größeren

Moralisten heißt als jeder Kirchenmann einer ist. Aus welcher Veranlassung befragt Ihr mich dermaßen? Glaubt Ihr, ich gehörte zum Obersten Zentrum? Aber ich will Euch einige der Erwägungen mitteilen. Es könnte nie sein, daß der Kanzler Brunivar hinrichten läßt, um sich später vorwerfen lassen zu müssen, ihm aus persönlichen Gründen dies Schicksal bereitet zu haben. Und nun, da Ihr mich darauf bringt, will ich ebenso sagen, daß es nie sein könnte, daß man von Brunivars Hinrichtung absieht, wenn wir Zeter und Mordio schreien. Wir benötigen einen allgemeinen Aufstand, keine Befreiungstat, in deren Folge viele von unseren Freunden fliehen müßten. Die Menschen werden ihr Leben nicht im Kampf wagen, wenn es nichts gibt, um sie vor dem Verlust zu bewahren.«

Wieder das Gewissen! Rodvard zwang seinen Mund zu einem gleichmütigen Ausdruck. »Wenn man anderen zur Gerechtigkeit verhelfen will, Freund Mathurin, muß man, so scheint's mir, sich selber Gerechtigkeit aneignen, und ich sehe keine Gerechtigkeit darin, tatenlos zuzuschauen, wie man einen anständigen Mann dem Tode ausliefert, während es möglich wäre, ihn zu retten. Ich habe den Baron im Laufe der Beratung aufbegehren hören, und es ist nicht undenkbar, daß er dort noch seine Position verbessert. Aber selbst als Flüchtling in Tritulacca oder bei Prinz Pavinius in Mayern wäre er mehr wert als ohne Kopf.«

Der Lakai stand auf. »Ich gedenke nicht, mit Euch zu argumentieren, ich gebe Euch lediglich einen Rat – seid auf der Hut! Denn Ihr steht unter Befehl, und Euer eigener Wille und Eure persönliche Moral haben nichts zu schaffen mit den Maßnahmen des Obersten Zentrums. Brunivar bedeutet uns nichts. Nieder mit ihm, er ist ein Teil der toten Vergangenheit, deren Herz verfault ist, deren wir uns im Namen der lebendigen Zukunft entledigen müssen. Bis später, Freund Bergelin.«

3

In seinem Gemach stand wie gewöhnlich ein Tablett mit dem Mahl für ihn bereit, aber Rodvard aß kaum etwas, bevor er sich ausstreckte, um reglos auf dem Rücken zu liegen, das Muster aus Licht zu beobachten, das durch die Ritzen der Läden drang, während es langsam über die Wand kroch, und sich mit der Lösung des Problems zu befassen, das ihn bedrückte. Brunivar mit seinen ehrbaren Seiten und seinem sicherlich ehrlichen Sinn. Vom freien Willen und der Liebe zur Menschheit hatte der Baron gesprochen, und das nannte man Anhängerschaft zur Lehre des abtrünnigen Propheten. Doch aus welchen anderen Gründen hatte er sich denn den Söhnen der Neuen Zeit angeschlossen? Was anderes hatte der Baron in seiner westlichen Provinz verwirklicht? Doch da war Mathurin und sagte, Liebe zur Menschheit könne kein Glück bringen, denn andernfalls würde sie einen großen Mann nicht in einen schändlichen Tod stürzen, wenn es sich vermeiden ließe. Nein, vielleicht war auch das nicht die Wahrheit; selbst Barbaren kannten Opfer, bei denen einer sein Leben hingab, damit viele am Leben blieben, obwohl dieser Weg auf nichts beruhte als Aberglaube und eindeutig falsch war . . . aber dieses eine Opfer fragte man wenigstens um das Einverständnis, sagte sich Rodvard, und eine solche Handlung war stets das letzte Mittel. Brunivar dagegen hatte seine Zustimmung nicht erteilt; Bösartigkeit von der einen Seite drängte ihn zum Opfer, und die andere Seite war bereit zur Annahme des unfreiwilligen Geschenks. Lag in dieser Bereitschaft nicht eine gewisse grundsätzliche Selbstsucht? Er entsann sich des merkwürdig ungestalten Gedankens an Verrat, bei dem er Remigorius erwischt hatte, an Mme. Kajas Hinterlist, an Mathurins Fanatismus; und er war froh darum, daß sie in einem der unbedeutenden Zentren der Söhne der Neuen Zeit mit ihm verbunden waren und in keinem anderen. Sobald diese Zeit anbrach . . . aber dann war's zu spät für Brunivar. Ach, gäbe es nur eine Abhilfe, irgendeine Warnung zu übermitteln, die Beachtung fände!

Irgendwo schlug viermal eine Uhr. Rodvard wälzte sich auf dem Bett, mit dem bitteren Gedanken beschäftigt, wie wenig er zu tun vermochte, um bloß sich selbst zu schützen, sollte es dahin kommen, daß man ihn opferte. Mit Hexerei wäre es machbar . . . Lalette . . . Winzige kalte Schweißtropfen begannen sich in seinem Nabel zu sammeln, während er sich die ganze Gefährlichkeit der Intrige vergegenwärtigte, an der er in der folgenden Nacht mitwirken mußte; dies Treiben war gefährlich – und doch reizvoll, eine Mischung aus Vergnügen und Wagnis, so daß die Hälfte seines Bewußtseins aufzuspringen und von diesem verfluchten Ort zu fliehen wünschte, komme da, was wolle, wogegen die andere Hälfte sich danach sehnte, zu bleiben, und obendrein hoffte, Graf Cleudi werde das Rendezvous im Séparée nicht unterbrechen, entgegen seiner Planung, so daß jene Schönheit, welche er im Verlauf der letzten sieben Tage gelegentlich aus der Ferne erblickt hatte, in seinen Armen läge (denn er zweifelte nicht daran, daß die Gräfin Aiella die schöne Maske war, die sich zu ihm ins Séparée gesellen sollte), ganz gleichgültig, welche Übel Lalettes Hexereien ihm aufbürden mochten. War er selbst einer jener Menschen mit argen insgeheimen Zielen, wie der Haushofmeister Tuolén es umschrieben hatte, mit einer inneren Neigung zum Verrat an ihr, der sein Liebesschwur galt? Halt – sein Wort war ihm abgerungen worden, er hatte es unter einem Zwang gegeben, der das Ergebnis einer anderen, ebenfalls unter Zwang ausgeführten Tat war; und nicht anders verhielt es sich jetzt. Vor dem höchsten Gericht will ich beteuern, dachte Rodvard, daß mein Ego, mein innerstes Ich, das noch immer, trotz Mathurin oder Tuolén, Ideale verehrt, an keinerlei Heimtücke teilnahm . . . Und als er das dachte, erkannte er, daß die widersprüchliche Einheit, unter der er an diesem Tummelplatz der Masken litt, eben jenes innerste Ich war, ihm auf immer zugeeignet . . . für ewig minus einen Tag.

Also Flucht. Wohin? Ein Gebrandmarkter ohne einen Kreuzer, der durch die Adelsgüter zu fliehen versucht, nur eine Schreiberseele, die doch gerade der Seßhaftigkeit bedurfte, um sich ihr Brot verdienen zu können. Vielleicht hinderten nicht minder ausweglose Zwänge Brunivar an der Flucht; und an dieser Stelle hatten seine Gedanken einen Kreis geschlossen, diese Einsicht zerstörte ihren gleichmäßigen Fluß, und Rodvard trieb ab in einen unruhigen Schlummer. Er zuckte im Schlaf.

Mit einem Ruck fuhr er auf und war wieder hellwach; im Dunkeln schwang er seine Füße auf den Boden, erhob sich, entzündete ein Licht und stocherte ein wenig, da er mit seiner Selbstbefragung nicht fortzufahren wagte, in den eiskalten Übrigbleibseln seines Mittagessens, während er Spekulationen über Cleudis Intrige anstellte. Aber der Graf hatte die Fäden seines Komplotts auf so verwirrende Weise gesponnen, daß sich daraus keine Schlußfolgerungen ableiten ließen; Rodvard begab sich zu Tuolén, in der Hoffnung, von ihm weitere Kerzen zu erhalten. Die Hoffnung war vergeblich; des Haushofmeisters Gemach lag im Dunkeln, und jedermann, dem er in den Korridoren begegnete, befand sich in großer Eile, alles hastete mit diesen und jenen Gegenständen hin und her, um den großen Ball vorzubereiten. Eine Atmosphäre erwartungsvoller Aufregung herrschte, die sich auf Rodvard übertrug und seine Nervenstränge malträtierte, bis er, um ihr zu entgehen, hinaus in den Frühlingsabend trat.

Draußen war der Abend bereits kühl, und vom Ostmeer wehte ein nieseliger Wind, der Regen noch vor Sonnenaufgang verhieß. Alle Blumen schienen ihre Blätter zum Schutz um sich gefaltet zu haben, und Rodvard hatte den Eindruck, als kehre die Natur ihm den Rücken zu. Er verspürte Verlangen nach dem Klang einer menschlichen Stimme, und als eine schattenhafte Mädchengestalt um eine Biegung des Pfads bog, wünschte er Guten Abend und fragte, ob er beim Tragen helfen könne.

»Ach, nein, das ist nicht erforderlich«, antwortete das Mädchen und wich vor ihm zurück; aus einem Fenster fiel ein Lichtkegel auf sie beide, und da erkannten sie sich gegenseitig – sie war das Kammermädchen, welches ihm das Frühstück zu bringen pflegte und dessen Name Damaris lautete. »Oh, ich erflehe Eure Vergebung, Sire«, sagte es nun. »Das ist sehr gütig von Euch.« Er übernahm die Last; sie war tatsächlich schwer.

»Nanu – das muß Gold sein, Blei oder Rindfleisch«, sagte er, »keine Blumen, die man am Festabend erwartet.«

Sie lachte hell, ehe sie zur Antwort gab, daß es für jene ein Fest sein möge, die als Spangen Kronen oder Federkiele trügen, aber für Leute ihres Standes finde nur eine ganze Nacht voller Arbeit statt. ». . . und es ist kein Gold, sonst wäre ich schon längst damit durchgebrannt, nur eine Doppelflasche arjenischen Likörweins für das Séparée des Grafen Cleudi, dem Ihr dient.«

Sie wandte den Kopf, und im Lichtschein eines anderen Fensters, der über den Weg fiel, sah er das Glitzern ihrer Augen.

Nachdem er sie in der Woche, seit sie ihn mit dem Frühstück versorgte, stets so höflich wie eine Hochgeborene behandelt hatte, war sie ihm nunmehr sehr freundlich gesonnen.

»Werdet Ihr denn gar keine Festlichkeit haben?« erkundigte er sich.

»O doch, morgen nachmittag, wenn der ganze Hof im Schlaf liegt. Am Abend, wenn er aufwacht, beginnen wieder unsere Pflichten.« Sie hatten die große Festhalle erreicht; drinnen befestigten Arbeiter Blumengirlanden an der geschwungenen Estrade, wo die Musiker spielen sollten, von irgendwo auf der Galerie über der Séparée-Reihe ertönte Hämmern, und der Oberhaushofmeister Tuolén wirbelte über das Parkett und erteilte hektisch Anordnungen, dort ein Blumengewinde aufzuhängen, da einen Sessel hinzustellen. Er bewegte sich beinahe mit jener Pfauenhaftigkeit, die Cleudi demonstriert hatte. Das Mädchen sah Rodvard an, und plötzlich verrieten die Augen, daß es ihn gerne etwas fragen würde, er konnte nicht richtig erkennen, was es war, der Blick schweifte zu schnell wieder ab, aber es hing irgendwie mit dem Fest zusammen.

»Für mich«, sagte er, »wird es gar kein Fest werden, falls sich nicht jemand meiner erbarmt.«

Das war es. »Würdet Ihr . . . kommen und mit mir tanzen? Es ist nur ein Gesindeball . . .« Sie fürchtete sich etwas infolge ihrer eigenen Keckheit, diese Frage an jemanden gerichtet zu haben, der so hoch über ihr stand, aber innerlich zitterte sie vor Hoffnung, er möge einverstanden sein.

»Was denn – Ihr habt keinen Begleiter?«

»Mein Freund ist zum Heeresdienst eingezogen worden. Ich habe bereits meine Karte, und Euch würde es nur drei Guineen kosten.«

Irgendwie mußte er an den Betrag gelangen; ein solcher Nachmittag wäre für ihn eine echte Erholung von all den Verstrickungen. »Ihr ehrt mich, Demoiselle Damaris. Wo werde ich Euch antreffen?«

»Oh, ich wecke Euch wie gewöhnlich mit dem Frühstück und warte auf Euch. Hier ist die Tür.«

Das Séparée war größer als man von außerhalb annehmen konnte und bereits mit dem schweren Duft von Blumen erfüllt.

10. Kapitel

Vorspiel zum Gesindeball

1

Unter den bunten Lampen, die in den Bäumen pendelten, waren auf den Seitenwegen bereits fast zwei Dutzend weitere Kutschen vorgefahren. Kutscher standen in Gruppen zusammen und plauderten. Die Türflügel der Halle waren offen, und gegen den Umkreis von Lichtschein hoben sich die Umrisse jener ab, die von der Oper zu Fuß kamen; das Licht verlieh dem weichen Gras einen satteren Grünton. Geigen schluchzten in die Nacht hinaus; als Rodvard sich in die Schlange vor einem Eingang schob, indem er in Cleudis leicht steifer Gangart einherschlenderte, sah er überall Schuhwerk und Juwelen funkeln, während rundum das Durcheinander von Stimmen so schrill klang, daß sich von der Musik nur der Rhythmus vernehmen ließ, und über allem wehte Frauenlachen dahin wie Gischt. Rechts hinter ihm enthüllte ein bärtiger Prophet von Manerei unter einer kunstfertig zerrissenen Seidenrobe überraschend ein schlankes Mädchenbein und warf nach Rodvard einen Rouge-Tupfer, der auf seinem weißen Rock einen Fleck hinterließ; er mußte sich den Weg zum Fuß der Treppe vorbei an einer lustigen Menschentraube erkämpfen, die mit Rauschgoldschwertern einen gepanzerten Kapellan zu attackieren versuchte, und sich danach erst einmal vor einem Schwarm von zwanzig Königinnen verbeugen.

In halber Höhe der Treppe, im Schatten der Balustrade, küßte ein Bogenschütze der Garde, dessen Sternenspange mit Smaragden ausgelegt war, eine Seehexe in fließendem Blau. Als seine Schritte sich näherten, trennten sich die beiden; das Seemädchen sprang auf und warf die Arme um Rodvards Hals. »Schneefürst aus Kjermanasch, ich will Euch zum Schmelzen bringen! Sagte ich Euch nicht, Sire Bogenschütze, daß Hexen höchst unbeständig sind?«

»Aber jene, die um sie kämpfen, zähmen sie«, sagte der Bogenschütze, als Rodvard dem Mädchen den begehrten Kuß gab. (Hinter den Augen saß nichts als reines Vergnügen.) »Edler aus Kjermanasch, ich fordere Euch – wollt Ihr streiten oder sofort für sie sterben?«

»O pfui!« rief das Seemädchen. »Niemals wird jemand mich zähmen!« Damit versetzte es jedem der beiden in einer einzigen Bewegung einen Hieb aufs Ohr und lief leichtfüßig und unter Gelächter die Treppe hinunter, um sich auf den Kapellan zu stürzen, mit dem Schrei, er sei ihr Gefangener.

»Dahin!« rief der Bogenschütze in gespieltem Schmerz. »Dahin! Kommt, mein Fürst, laßt uns ein Bündnis für den Sieg über Hexen schließen, die weniger unstet sind als die des Meeres! Ich liefere die Waffen, Ihr stellt die Kriegskasse und füllt sie aus jenem geheimen Goldbergwerk, das jeder kjermanaschische Fürst hütet.«

»Ach, Sire Bogenschütze, es ist Zaubergold, und bei der Berührung einer Hexe müßte es verschwinden.« Rodvard verneigte sich und setzte den Aufstieg der Treppe fort.

Für die Mehrzahl der Festteilnehmer war es noch zu früh, um sich ins Séparée zurückzuziehen; der Korridor hinter den Zimmern war leer bis auf eine kleine Gruppe Maskierter, die sich unterhielt und lachte. Rodvard verharrte einen Moment lang, während sein Herz wild pochte, wandte sich um und warf einen seiner Schneebälle aus parfümiertem Stoff hinab in die Menge; er vermeinte, von unten riefe jemand: »Cleudi!« – da betraten die Leute am Ende des Korridors ihr Séparée, und er war allein.

Das Taschentuch war vorhanden; um die Farbe mit Gewißheit zu bestimmen, war es zu dunkel, aber es bestand kein Zweifel daran, als er es mit ein wenig Gewalt aus dem Versteck zerrte, daß es Rosenduft verströmte.

Acht Schritte, abgezählt in klammer Nervosität, brachten ihn zur Tür von Cleudis Séparée. Im Innern vernahm er Musik und Stimmengewirr nur gedämpft; es war wie auf einer einsamen Insel, und dies Gefühl verstärkte sich noch durch alles, war er darin sah, denn außer Damaris hatten hier noch andere Dienstmädchen Vorbereitungen getroffen: Der Blumenduft war noch schwerer als vorher, weil sogar die Stühle von Blumengebinden umrankt waren, und der Rauch einer großen parfümierten Kerze links vom Eingang hing als dünnes Gekräusel und Gekringel in der unbewegten Luft; rund um die Kerze waren auf dem Anrichtetisch, worauf sie stand, allerlei Fleischspeisen angehäuft; neben der Anrichte verlockte an der Wand ein Diwan mit Rollen an den Seiten; vor den Klappen der Fenster, die geöffnet und bei aufgezogenen Vorhängen Ausblick über den Tanzsaal boten, warteten zwei Sessel; am Tisch standen zwei Stühle, und es waren Gedecke aufgelegt, doch in der Mitte des Tischs harrte lediglich, bereits entkorkt, die Flasche mit dem Likörwein. Rodvard goß sich davon ein und trank in raschen Zügen; er genoß die anregende Wärme, die durch seine Kehle rann.

Er überlegte, ob er sich einen zweiten Becher genehmigen sollte, entschied sich aber dagegen, da er einen klaren Kopf benötigte, um seine Rolle zu spielen. Ein Scheibchen Schinken, das er verzehrte, machte ihn auf seinen Hunger aufmerksam, doch wiederum enthielt er sich der weiteren Labsal, denn es wäre unhöflich gewesen, das Arrangement der Speisen vor der Ankunft seines Gastes zu zerstören. Langsam trat er zu den Sesseln und setzte sich in einen davon, starrte die langweilige Holztäfelung der Fensterklappen an, wand sich im Sitz, um es sich bequem zu machen; und fand doch keine Ruhe. Von unten durchdrang das hohe Crescendo einer Violine die Wände; er hätte einer jener Götter der antiken Legenden sein können, die auf den Bergen thronten, ihre Häupter über den Wolken, und die Schicksale der Sterblichen lenkten, für die alles drunten nicht mehr war als eben das, was er nun hörte –

Gebrabbel und einen gelegentlichen Wehruf. Ach, der Lenker zu sein statt der Gelenkte ...

Jemand klopfte an die Tür.

Rodvard sprang so überstürzt auf, daß der Sessel umkippte; er stellte ihn wieder hin, verfluchte seine Ungeschicklichkeit, schritt rasch hinüber zur Tür und riß sie auf. Auf der Schwelle stand der Prophet von Mancherei, der ihn mit dem Rouge-Tupfer geneckt hatte. Er verneigte sich tief über die Hand der Frau, zog sie herein und begann, während er noch die Tür schloß, in halbem Flüsterton, aber im Tonfall des Frohlockens und mit einem Lächeln auf den Lippen, wie Cleudi es getan haben mochte, ein Gedicht zu deklamieren, und als die Tür geschlossen war, legte er dabei einen Arm um ihre Schultern; bei alldem hielt er ihre Hand in festem Griff.

»Vorüber ist der Winter, entledigt hat sich die Welt
des Mantels, weiß vom Schnee. Nicht länger der Frost erhellt
das Gras, nicht bedeckt er mit eisiger Schicht
des Stroms Kristall, den See im Silberlicht.
Ein Chor gefiederter Sänger verkündet der Welt,
daß mit Triumph der Frühling Einzug hält.
Den Tälern, Wäldern, Hügeln nun willkommen sei
die Ankunft des so lang ersehnten Monats Mai.
Voll eitel Freude alles, nur meine Liebste nicht,
sogar die starke Kraft von Sonnenlicht
kann schmelzen nicht das Eis, das noch ihr Herz
umfangen hält und taub macht für meinen Schmerz.
Wie kann denn Frühling sein, da ihre Augen zwar
den Juni sehn, ihr Herz jedoch trägt Januar?!

»Ein Edelmann aus dem Norden, der über die Kälte klagt?« meinte sie mit Gräfin Aiellas erregender Stimme. »Und der den Propheten der Liebe die Liebe lehren will? Ich erkenne Euer Recht auf Klage nicht an, bis Ihr Eurem Propheten Eure Liebe bewiesen habt.«

»Ach, das wäre ein Ding für zwei Leutchen zweierlei Geschlechts«, sagte Rodvard. Den Wein spürte er, aber um in ihren Augen die Wahrheit zu erblicken, war es zu dämmrig. »Ihr müßt Euch in ein Frauenzimmer verwandeln, ehe Ihr mich zu Eurer heiligen Liebe bekehren könnt.«

»Oh, Liebe bleibt nicht lange wahre Liebe, sobald ihr Begehren befriedigt ist«, sagte sie. »Deshalb steht die heilige Liebe, die nie befriedigt werden kann, über der profanen Liebe.« Mit anmutigem Spiel der Knöchel trat sie zu einem der Stühle am Tisch. Sie hob die Hände und streifte die Gesichtsmaske ab, und während sie sich setzte, fiel ihr Haar auf die Schultern. »Ich bin ein wenig ermattet, Edler aus Kjermanasch. Gebt mir etwas zu trinken, das mich für Euer winterliches Mütchen erwärmt.« Ihre Finger drehten einen Becher, aber er nahm von seinem Gürtel einen der Festpokale und füllte ihn; dann, als sie trank, entzog er ihn ihrer Hand und leerte ihn selbst, seine Lippen genau an jener Stelle des Rands, wo ihr Mund den Pokal berührt hatte. »Mein Herr, das ist Euer unwürdig. Ist das die versprochene Einzigartigkeit? Geht und erobert Dienstmädchen mit solchen Tricks.«

»O weh«, sagte er im gleichen halben Flüsterton, »leider kennen wahre Liebe und wahres Verlangen keine Tricks, sondern nur die vielfältigste Ausdrucksweise ihrer Lust. Laßt uns Eure Häresie verwerfen, daß befriedigte Begierde das Ende der Liebe sei – denn in der wahren Liebe führt die zeitweilige Linderung allein zu neuem Verlangen.«

Er schenkte ihr aus der Flasche nach und bediente sich selber diesmal des anderen Pokals. Die Funken ihres Augenlichts, die er für einen Moment auffing, enthielten eine schwache Erwartung von Vergnügen, aber wesentlich mehr Überdruß an der Welt. »Ach, wäre es nur so«, sagte sie und wandte ihr liebreizendes Gesicht zur Seite. »Ich bin hungrig, mein Herr.«

Sofort sprang er auf und begann ihr von der Anrichte aufzutragen; unterdessen schwoll drunten der fröhliche Lärm an und erreichte auch den Korridor, und im benachbarten Séparée herrschte Hochstimmung: Dunkle Männerstimmen dröhnten, Frauen kreischten vor Lachen. Sie aßen, sprachen noch ein wenig über die Natur der Liebe und darüber, ob sie von der Befriedigung lebe oder von deren Ausbleiben. Sie trank mehr als er. Frühjahrsgebäck war vorhanden; er stellte ihr welches hin, aber sie kostete nur davon und schob es beiseite. Daraufhin rührte er auch seines nicht an, sondern umrundete den Tisch und legte seine Arme um sie. »Ihr seid die einzige Süßigkeit, deren ich bedarf«, flüsterte er und fühlte sich gleichzeitig stark und schwach; aber sie wich seinem Kuß aus, und als er sie fester in die Arme zu schließen suchte, schüttelte sie ihn ab.

»Nicht. Ach, wir wollen den Abend nicht verderben.«

»Liebliche Aiella, sprecht nicht so, ich flehe Euch an«, rief er und ließ einen Arm hinab um ihre Hüften rutschen, sein Gesicht dicht über dem berauschenden Haar; und nun, mit dem schweren Wein im Blut und in ihrer Nähe, dachte er nicht an Maritzl von Stojenrosek und nicht an Lalette, nicht an die Unterbrechung, die erfolgen mußte, sondern wußte nur um sein Begehren; dann kniete er sich an ihre Seite, sprach kein Wort mehr, sondern zog nur ihre Hände zu sich herab und küßte sie immer wieder. Nach einer Weile löste sie sie aus seiner Umklammerung, hob sanft sein Gesicht und schaute ihm offen in die Augen; der Blick währte für einen langen Atemzug, und in dessen Verlauf drang durch den Boden der zittrige Klang von Blockflöten herauf. Dann erhob die Gräfin Aiella sich ein wenig unsicher auf die Füße, und Rodvard tat desgleichen und hielt sie in seinen Armen.

»Wollen wir uns küssen?« fragte sie. Ihr Gesicht war im Schatten, als ihre vollen Lippen die seinen berührten, aber als er sie von den Beinen riß und zum Diwan trug, öffnete sie die Augen, und in deren tiefen Seen erkannte er, daß sie sich nicht länger zu widersetzen gedachte, nur hoffte, daß er besser sein möge als die anderen. Er fiel halb auf sie, und sie begannen einander mit Fingern und Lippen zu verzehren . . .

Das Knarren der Tür durchbebte jeden Muskel. »Behutsam, mein Herr«, sagte Cleudis kraftvolle Stimme. »Beim Gottesdienst! Was haben wir denn hier?«

Rodvard wälzte sich herum und kam auf die Beine. Die Erinnerung an jene andere unvollendete Vereinigung in Mme. Kajas Dachstube toste wie Trompetenschall durch sein Bewußtsein, und nun war er froh, wirklich froh um das Mißlingen. Er drehte sich um und sah Cleudi in seinem purpurnen Kostüm, den dicklichen Herzog von Aggermans und zwischen beiden einen als Bär verkleideten Mann, der sehr betrunken war: Als das weiße Haupt sich inmitten seines Schwankens aufrichtete, blickte Rodvard in die Augen des Volksfreunds Baron Brunivar, und trotz der trüben Beleuchtung erfüllte ihn, was er darin erkannte, mit Entsetzen, denn der Baron war nicht bloß betrunken, sondern außerdem befand er sich im Bann einer Hexerei. Der Mund klaffte. »Schie'sch mein Schätschen«, sagte Brunivar schwerfällig und löste seinen Arm aus Cleudis Griff, um unbeholfen in die Runde zu weisen. »Bin erfreut, dasch'r schie for misch 'funden habt.« Aggermans ließ seinen anderen Arm los. Der Baron stolperte drei Schritte weit auf Aiella zu, die ihm auswich, und er plumpste auf den Diwan, raffte sich auf und faßte seine Umgebung mit Mühe ins Auge. »Jetsch hab' isch schie – Feschtabend«, rief er. »Nun ade! Ihr Herrn, morgen will isch allesch tun, wasch Ihr wollt.«

Aggermans rundes Gesicht war weinrot angelaufen. »Das vermag ich wohl zu glauben, mein Herr«, sagte er, aber sein fester Blick ruhte nicht auf Brunivar, sondern auf der Gräfin Aiella. »Um so mehr, da ich einmal sicherlich des gleichen Verhaltens fähig war. Aber der Preis ist zu hoch für die zeitweilige Gunst einer *bona roba*.«

Die Gräfin lachte. »Das Vergnügen von Euer Gnaden Gesellschaft war so gering, daß Ihr's mir nicht zum Vorwurf erheben solltet, wenn ich mich andernorts umsehe.« Mit einem gewissen Maß an Würde wandte sie sich an Cleudi. »Was Euch betrifft, mein Herr, so weiß ich, wem ich diese Schmach zu verdanken habe, und glaubt mir, ich werde es nicht vergessen.«

Er verbeugte sich. »Falls die Erinnerung anhält, bis Ihr das nächste Mal über das Versprechen eines Rendezvous lachen könnt, das Ihr nicht einzuhalten beabsichtigt, darf ich mich für meine Mühe entschädigt fühlen.«

»Aha, Euch hat sie auch zum Narren gemacht?« meinte Aggermans und wandte sich Rodvard zu, während Brunivar einen weiteren unbeholfenen Versuch unternahm, die Frau zu umfangen. »Und wer ist das? Ich glaube, ich sollte seiner in aller Huld gedenken.«

»Nun, da dies eines meiner Kostüme ist«, erwiderte Cleudi, »so wird's wohl mein Schreiber sein. Entfernt die Maske, Bergelin.«

Rodvard gehorchte zögernd und wußte nicht, was er sagen sollte, aber die Gräfin Aiella enthob ihn des Aufwands. »Ich verstehe«, sagte sie. »Nicht nur ein Teil, sondern alles war geplant. Doch er besitzt wenigstens ein Herz und ist Euch allen deswegen voraus.« Sie trat zu ihm und hakte sich unter seinen Arm. »Sire, seid Ihr wohl so freundlich und geleitet mich zu meinem Pavillon?«

Cleudi wich zur Seite, um die beiden zur Tür und in den Korridor zu lassen, der zur Treppe führte. »Was denn – bereits demaskiert, teure Gräfin?« rief jemand aus der heiteren Menge am Portal, aber sie drehte nicht den Kopf; das tat sie erst draußen zwischen den Schatten, als sie seinen Arm freigab.

»Nun geht. Geht auf der Stelle.«

Aus dem Saal erscholl das Schluchzen von Geigen.

2

Er erwachte mit pelziger Zunge; in seinem Schädel wirbelte und rauschte der Mahlstrom des Weins, und sein Leib und Geschlecht brannte von unerfüllten Gelüsten. Neben seinem Bett klirrte bereits Silber auf Porzellan, denn das Kammermädchen namens Damaris war soeben mit dem Frühstück erschienen. Es war schon im Kostüm, dem eines Milchmädchens, und es war kein schlechtes; in seinen Füßen und Augen stak Musik. »Oh, woher habt Ihr dies hübsche kjermanaschische Kostüm?« fragte es, während er sich auf den Kissen hochstemmte, und überreichte ihm das Tablett, um danach mit den Fingern liebevoll über die weiße Seide des auf den Stuhl gehängten Kostüms zu streicheln. »Es ist wahrlich wunderschön. Ich freue mich rasend, daß Ihr mein Begleiter seid.«

»Graf Cleudi hat's mir geliehen . . . Damaris . . .?«

»Ja?«

»Nehmt für einen Moment Platz. Ruhig auf dem Stuhl, es ist gleichgültig . . .«

»Ich würde Euer schönes Kostüm zerknittern. Ist es in Kjermanasch hergestellt worden?« Er rückte zur Seite, und sie setzte sich auf die Bettkante und sah ihn an. Der Ausschnitt ihres Milchmädchenkleids war weit genug, um die oberen Rundungen ihrer Brüste und ein Stück der Kluft dazwischen zu zeigen – und der Blaue Stern verriet ihm, daß sie sich dessen vollauf bewußt war und wünschte, daß auch er es bemerke – es war der Tag des Frühlingsfestes, und im jungen Frühling vergaß man alles.

»Damaris . . . dieser Ball . . . ich fürchte, ich kann Euch doch nicht begleiten.«

Statt Ärger spiegelte ihre Miene eine Enttäuschung wider, die sie an den Rand der Tränen brachte. In ihren Gedanken brach eine Welt zusammen. »Ihr wollt Euch mit einem Mädchen aus dem Bediensteten-stande nicht blicken lassen?«

Er streckte einen Arm aus und tätschelte zur Besänftigung ihre Hand. »Mit Euch ginge ich selbstverständlich, Damaris, ganz gewiß ... aber es kostet drei Guineen, habt Ihr gesagt, und ich besitze nicht einmal einen Heller.«

»Oh.« Sie neigte den Kopf und musterte ihn wie ein Vögelchen aus Augen unter hübsch geschwungenen Brauen. »Ich gebe sie Euch ganz einfach.« Als sie seinen Gesichtsausdruck wahrnahm, machte sie eine Einschränkung. »Ihr könnt mir den Betrag wiedergeben, wenn Euer Meister Euch entlohnt.«

In Wirklichkeit verspürte er eigentlich nicht länger den Wunsch, zum Gesindeball zu gehen; Kopfschmerz und der Gedanke an seine Kumpanei mit Cleudi und dem Herzog von Aggermans peinigten ihn, und er vermochte nicht klar zu denken. »Ich ... ich ...«

»Es macht mir tatsächlich nichts aus.«

»Aber ich möchte Euer Geld lieber nicht. Es kann sein, daß ich ... überhaupt keins erhalte.«

Sie überlegte, während sie ihn aus schmalen Lidern scharf betrachtete. »Ich hab's«, sagte sie dann. »Ihr wollt nicht mit mir kommen, weil ich nicht Eure Freundin bin.« Plötzlich beugte sie sich vor, schlang einen Arm um seinen Hals und gab ihm einen stürmischen Kuß; dann warf sie den Kopf zurück und atmete tief ein. »Kommt Ihr nun mit mir?«

»Ich ...«

Sie küßte ihn erneut, diesmal unter Einsatz der Zunge, und als ihre Lippen sich an seinem Mund festsaugten, erbebte ihr Körper, und mit ihrer freien Hand führte sie seine Hand in den V-Ausschnitt ihres Kleids. Ihre Augen bezeugten, daß sie wünschte, er solle jede Zurückhaltung aufgeben, und er tat es. Später, kurz vor dem Höhepunkt, noch ehe er seine ganze aufgestaute Lust in sie verströmte, stellte er fest, daß der Blaue Stern tot war; er vermochte von ihr nicht den allerschwächsten Gedanken zu empfangen.

11. Kapitel

Kazmerga – Zwei gegen eine Welt

1

Mathurin trat nahezu lautlosen Schritts ein und ließ in der Dunkelheit die Tür hinter sich ins Schloß gleiten. »Rodvard?« forschte er gedämpft.

Rodvard, der seine Gedanken durch ein endloses Labyrinth von Gassen hatte streifen lassen, statt regelrecht nachzudenken, richtete sich auf.

»Ich mache Licht.«

»Nein, nicht. Die Gefahr ist groß genug, so daß wir sie nur schneller auf uns ziehen könnten. Sprecht leise.«

»Was ist los?«

»Der Herzog von Aggermans – er hat seine Meuchelmörder ausgeschickt. Keine Zeit. Ich habe es soeben erst vom Grafen erfahren.« Von draußen ertönte das sanfte Geflüster von Regen.

»Muß ich fort?«

»Unverzüglich. Verschwindet nach Süden, begebt Euch nach Sedad Mir. Der Verbindungsmann ist ein Wollhändler namens Stündert und wohnt in der Stadtmitte in der Zweiten Hafenstraße. Könnt Ihr Euch das merken? Tauscht eilends mit mir die Kleidung. Benutzt nicht den Ausgang, man beobachtet ihn, entweicht durchs Fenster und schlagt jenseits der Straße übers Land die südliche Richtung ein.«

Im Finstern begann der Lakai sich zu entkleiden. »Erhalte ich Geld?« erkundigte er sich.

Das Rascheln verstummte. »Ihr solltet Geld brauchen, der Ihr den Blauen Stern besitzt?«

Rodvard spürte, wie er trotz der Dunkelheit errötete. Konnte er's wagen, zu verraten, was sich ergeben hatte? Nein! »Dennoch – ich benötige eine kleine Summe. Ich habe ja nichts.«

Trotz des verhaltenen Tonfalls vermochte Rodvard den Zorn in Mathurins Stimme herauszuhören. »Ah, Ihr verdient es, daß man Euch die Knochen bricht!«

»Ich weiß – wie auch immer, bekomme ich Geld?« Rodvard fummelte an den ungewohnten Bändern des Spitzenzeugs.

Mathurin knurrte, drückte ihm jedoch einige Münzen in die Hand. »Betrachtet dies als eine Leihgabe. Es stammt von Cleudi.«

»Ach? Ihr habt bisher nicht erwähnt, daß er meine Flucht begünstigt.«

»Er möchte, daß Ihr in den Süden nach Tritulacca geht, und er hat mir einen Brief übergeben, den Ihr mitnehmen sollt – den ich freilich dem Obersten Zentrum übermitteln werde.« Das leise Scharren an der Tür hätte von einem Mädchen herrühren können. »Hinweg mit Euch«, stieß Mathurin heftig hervor.

Rodvard ließ das Fenster weit aufschwingen und spürte Regen im Gesicht, und als er sprang und aufkam, hörte er die feuchte Erde des Blumenbeets unter Mathurins weichen Schuhen schmatzen. Über ihm im Gemach flammte ein Lichtschein auf; er fing zu laufen an, Zweige peitschten seinen Körper, während er über die Terrassen hastete. Er floh im Zickzack, um der Lanze aus Licht zu entgehen. Durch den Regen brüllte ihm eine Stimme hinterdrein, und er sah nun in Mathurin einen unerhört kühnen Burschen, da er allein den gedungenen Schurken des Herzogs von Aggermans entgegentrat. Er erreichte eine Hecke; ein weiterer Schrei erscholl, und von links, wohin die Hecke sich erstreckte, näherte sich das Klatschen von Füßen. Eine Umkehr war ausgeschlossen. Er stolperte über eine Wurzel, fiel vornüber – und rollte sich unter das Gewucher der Hecke, plötzlich von der Eingebung erfaßt, daß Tarnung womöglich hilfreicher war als Schnelligkeit. So war es auch; die Zurufe antworteten einander im Ton der Ratlosigkeit, Schritte eilten vorüber, doch offenbar führte niemand ein Licht mit, und ehe man eines brachte, kroch Rodvard aus seiner Deckung und begann sich geduckt und mit äußerster Vorsicht zum Ende der Hecke zu schleichen. Sie machte einen Knick, wohinter sich ein kleines viereckiges Stück Garten befand, welches sie umschloß, aber es besaß ein Tor. Es war zwar verschlossen, jedoch so niedrig, daß er es mühelos zu überklettern vermochte. Auf der anderen Seite verlief ein Kiesweg – und er nahm wie durch ein Wunder keinen gewundenen Verlauf wie die anderen, woraus er folgerte, daß er auswärts zur Hauptstraße führen mußte. Der Weg bot die einzige verläßliche Möglichkeit zur Orientierung, denn mittlerweile war die Festbeleuchtung erloschen, die Villa und die Bäume schirmten den nächtlichen Schimmer der Bucht ab, und der Abhang lieferte, da alles so gleichartig gepflegt war, keinerlei Anhaltspunkte. Behutsam tastete Rodvard sich vorwärts; endlich erkannte er an den Wagenspuren, die er unter seinen Füßen spürte, daß sein Gefühl ihn nicht getrogen hatte, und er verharrte, um zu überlegen, ob er der Straße folgen oder sie nur überqueren solle. Er entschied sich für das Letztere. Wenn Aggermans es so bitter ernst meinte, würden seine Leute ihre Anstrengungen nicht allzu schnell aufgeben, sondern auch die Straße absuchen.

An der anderen Straßenseite war keine Hecke, nur ein schmaler Graben, in dessen Schlamm Rodvard mit einem Bein bis dicht unters Knie einsank und dabei fast der Länge nach hineinstürzte. Jenseits des Grabens erhob sich ein Hang, worüber er in ein junges Gehölz mit niedrigem Unterholz gelangte. Da er keinen Mantel trug, war er zu diesem Zeitpunkt schon so durchnäßt, daß es keine Rolle spielte, gegen dünne Stämme zu taumeln und vom Laub über seinem Kopf mit einem Schauer dicker Tropfen überschüttet zu werden, doch war diese Behelligung so unerfreulich, daß sie ihn alsbald in eine Stimmung der Verzweiflung versetzte, die vertieft wurde durch die Mühseligkeiten des gestrigen Tages und der Nacht, und er begann sich die Frage zu stellen, ob denn jede Freude letztlich mit irgendeiner Art von Flucht enden müsse. In dieser Verfassung folgte er blindlings dem Gefälle der Rückseite des Hügels, ohne einen Gedanken darauf zu verwenden, wohin er gelangte, vielmehr beschäftigte er sich damit, wie er sich doch auf irgendeine Weise im Bannkreis der Benachteiligung befände, die nicht allein eine Sache menschlicher Gerechtigkeit sein könne, wie die Söhne der Neuen Zeit das behaupteten, denn keine menschliche Gerechtigkeit würde Menschen um die Erfüllung ihrer feurigen Leidenschaft betrügen.

Hinter einer flachen Bodenwelle lag eine Senke, und Rodvard stieß sich das Knie an einer niedrigen Mauer aus aufgeschichteten Steinen wund. Im Feld, das sich dahinter erstreckte, spürte er unter seinen Füßen die Stoppeln, welche nach der letztjährigen Getreideernte zurückgeblieben waren; ihm war übel vor Müdigkeit und Furcht, und er hatte mit ständigem Niesen begonnen. In der ganzen Welt schien es weder Licht noch Leben zu geben. Welche Richtung? Ohne sich eines besonderen Grunds bewußt zu sein, marschierte er an dem Mäuerchen entlang, und nach kurzer Frist kam er schließlich an einen vom Regen durchtränkten Strohschober, dessen verkrustete Oberseite seinen Fingern gerade weit genug nachgab, daß er seinen Oberkörper hineinschieben und hinabsinken konnte in einen unglückseligen Schlaf.

2

Ihn quälte ein Kopfschmerz oberhalb seiner Wirbelsäule, als er aufwachte, der sich in seinem Schädel verzweigte und am stärksten über den Augen wummerte; seine Nase fühlte sich an, als habe man sie ihm mit einem hölzernen Stöpsel verschlossen. Mathurins gediegen schwarze Livree war scheußlich besudelt und zerrissen. In der Richtung, woher er gekommen war – er befand sich, wie er nun im Morgenlicht erkennen konnte, gar nicht weit von der Stelle entfernt, wo er die Mauer überquert hatte –, verliefen seine Fußspuren, fingertief in den weichen Untergrund gedrückt. Sofort bedrängte ihn die Erkenntnis, daß man seinen Weg von der Villa bis hierher nur zu leicht verfolgen konnte, und obendrein mußte er mit Tuoléns Hexe rechnen; seine Furcht besiegte die Krankheit, und er erstieg den Steinwall, um den Weg darauf fortzusetzen und somit keine Spuren mehr zu hinterlassen. Nach dem Regen waren Himmel und Luft klar, und auf der wilden Seite des Mäuerchens sah er Veilchen; aber in seinem Elend hatte er keine Freude an ihnen. Die Steine scheuerten in seine lediglich fürs Parkett geeigneten feinen Lakaienschuhe sehr rasch Löcher, und er mußte wieder herunter von der Mauer, wonach er erneut nachdachte.

Nicht weit voraus erhob sich über den Steinwall eine vormalige Hecke, die Mangel an Pflege zu einem niedrigen, struppigen Dickicht hatte verwuchern lassen; zur Linken stand es immer niedriger, und daran schloß sich eine Lücke an, die Zugang zum Feld gewährte. Jenseits desselben stieg gemächlich eine dünne Rauchfahne in die Höhe und verkündete die Zubereitung eines Frühstücks. Rodvard, indem er sich in die Lage eines Jägers statt des Gejagten versetzte, kam zu dem Schluß, daß er es als unwahrscheinlich einschätzen würde, daß ein Verfolgter so nahe bei der Villa Unterschlupf suchte. Er kletterte wiederum über die Mauer und putzte sich seine Nase, die mächtig lief, mit dem Blatt einer Klette, dessen bitterer Saft auf seinen Lippen brannte. Während er verharrte, stellte er fest, daß er auf dieser Seite weniger deutliche Spuren hinterließ, und daraufhin mied er die andere. Die emporgewucherte Hecke säumte im weiteren Verlauf einen tief eingefurchten Wagenpfad, der sich in einer Richtung hinab zur Landstraße jenseits der Villa wand. Hinter dem Pfad lag ein regelrechter Wald mit uralten Bäumen und dichtem Unterholz. Dies war sicherlich ein ausgezeichneter Ort, um hier Zuflucht zu suchen, doch Rodvard wußte nicht, wie tief er war oder wohin er nach der Durchquerung gelangen würde, und da die Krankheit in seinem Blut kreiste, fühlte er sich veranlaßt, so schnell wie möglich einen Zufluchtsort zu finden; und daher, während er halblaut zu sich murmelte, daß er ebensogut in hitzigem Streit sterben konnte wie an einer Erkältung, betrat er den Pfad und nahm seinen Weg dorthin, wo der Rauch aus dem Schornstein quoll.

Das Gebäude machte einen wohlgestellteren Eindruck als die meisten im Lande; es besaß eine angebaute Scheune und zwei ordentliche Fenster unterm Torfdach. Auf sein Klopfen hin rührte sich nichts; er öffnete die Tür und vernahm aus einem Rollbett zur Rechten ein aufreizend gleichförmiges Kinderplärren, und links am Tisch vorm Kamin, wo sie irgend etwas verrichtet hatte, drehte bei seinem Eindringen eine Frau den Kopf. Sie war gebückt und schmutzig, ihr Gesicht älter als ihre Gestalt. »Was wollt Ihr?« fragte sie.

»Einen Winkel zum Rasten, wenn's geht«, sagte Rodvard, »und vielleicht etwas zu essen.« Er schritt durch den Raum und setzte sich mit matten Knien auf einen Stuhl am Kamin.

Das faltige Gesicht spiegelte nicht das leiseste Mitgefühl wider, während ihr Blick über die Einzelheiten seiner zerrissenen, von Erde verdreckten Kleidung glitt und kurz auf der Bedienstetenspange an seiner Brust verharrte. »Dies ist kein Gasthof«, sagte sie mißmutig.

»Madame, ich bin nicht wohlauf. Ich kann Euch entgelten.« Er tastete nach der Börse am Gürtel.

»Dies ist kein Gasthof«, wiederholte sie, wandte sich auf dem Absatz um, tat ein paar rasche Schritte zum Bett, worin das Kind heulte, und gab dem armen Geschöpf einen vernehmlichen Hieb an den Kopf. »Wirst du wohl ruhig sein?« Das Heulen sank herab zu einem Wimmern. Sie kam herüber zu Rodvard und starrte auf ihn herab. »Ich kenne Euresgleichen«, sagte sie. »Ihr seid zu faul zum Arbeiten, deshalb lauft Ihr einem noblen Herrn drüben in der Villa fort und beraubt ihn möglichst zuvor, und das auch noch zum Frühjahrsfest, weil er dann getrunken hat, und dann erwartet Ihr von ehrlichen Landleuten wie uns, die für alles Notwendige schwer arbeiten müssen, daß wir Euch vor den Profosen verstecken. Mein Gemahl und ich, wir müssen in der Dämmerung aufstehen und den ganzen Tag lang unermüdlich arbeiten, wir sind nie fertig, ehe die Sonne sinkt, Winter oder Sommer, während Ihr Diener hinter den Rücken Eurer Herrn stehlt und sauft.« All das rasselte sie in einem eintönigen Redeschwall heraus, als sei es ein Satz, und zum Schluß hob sie einen Arm, als schwinge sie eine Waffe. »Und nun hinaus mit Euch!«

Zu müde und zu krank, um bloß eine Antwort zu erteilen, während ihm der Rotz aus der Nase lief, den er gar nicht zu verbergen versuchte, gehorchte Rodvard; er kehrte zurück nach draußen in den Frühlingsmorgen und auf den Pfad. Vor einer Biegung, die einen westwärts gelegenen Hügel umrundete, fühlte er sich plötzlich beobachtet und wandte sich um. Die Frau hatte das Haus verlassen, sie stand am einen Ende und blickte ihm nach; in der Luft hing verweht das halsstarrige Weinen des Kindes. Rodvard empfand eine Aufwallung erbitterten Zorns. Es gab eine Benachteiligung im Leben, jede Unze der Freude mußte man mit dem doppelten Gewicht an Kummer bezahlen, und zum Trost durften jene, die am Boden krochen, sich ehrliche Menschen nennen. Nun, wenn es sich so verhielt, so mußte die Freude ein Übel sein, und bei Gott selbst mußte es sich um einen Bösewicht handeln, allem zum Trotz, das die Priester redeten. Aber in seinem Kopf herrschte eine zu tiefe Dumpfheit, um irgendeinem Kaninchen der Logik ins Loch folgen zu können; also trottete er für eine Weile dahin und dachte dabei an gar nichts, bis er das Knarren eines Wagens vernahm – aus der Richtung von Sedad Vix kam ein Karren mit einem vorgespannten Maulesel. Der Fuhrmann murmelte einen mürrischen Gruß.

Rodvard fragte ihn, ob er ihn mitnehmen könne, und als der Mann antwortete, er sei unterwegs nach Kazmerga, versicherte er ohne zu zögern, das sei auch sein Ziel, obwohl er von diesem Ort noch nie gehört und nicht die geringste Ahnung hatte, wo er liegen mochte. Der Mann stieß ein Grunzen aus und ließ ihn aufsteigen; eine Zeitlang schwieg er, während Rodvard nieste und schnaufte, dann sah er darin wohl einen Grund zur Bemerkung, das sei ein schwerer Schnupfen, man könne ihn jedoch durch einen Trank aus Löwenzahnwurzeln und gewissen Arzneien kurieren, wie seine Alte einen braue, und zwar so gut, daß man sie häufig bezichtige, sie sei eine Hexe. » . . . aber die Arzneien sind heutzutage teuer.« Offenbar wollte er zum Ausgleich für seine Gefälligkeit schwatzen, doch als diese Absicht – abgesehen von Rodvards Äußerung, er sei jede Menge von Arzneien zu bezahlen bereit, um diese Erkältung loszuwerden – schließlich fehlschlug, schwieg er wieder einige Minuten lang; dann aber lehnte er sich zu Rodvard herüber, tippte an die Bedienstetenspange und regte von neuem sein Mundwerk. »Abgehauen, hnnn? Was war denn los, hnnn? In der Festnacht bei der falschen Frau gelegen? Ach, es kommt oft vor, daß eine hohe Familie neun Monate nach dem Frühlingsfest plötzlich eine Tochter hat, die rechtmäßige Erbin sein müßte, aber im Namen Gottes, junger Freund, rennt deshalb nicht fort! Ich sage Euch, daß Damen alles verzeihen und man ihnen alles vergeben sollte, was in jener Nacht geschieht, wenn alles erlaubt ist, und ich gebe Euch den Rat, kehrt zurück zu Eurem Herrn.« Er kicherte und wedelte mit seinem Stachelstock. »Ich erinnere mich, als ich so ein junger Spund war, nicht älter als Ihr, meine ich, o ja, ich erinnere mich, wie ich eines Abends den ganzen Weg nach Masjou zurücklegte, um auf dem Marktplatz am Frühlingsfest teilzunehmen, und dort ein kleines Kätzchen kennenlernte, das so heiß war wie eine Esse, und dann verzogen wir uns beiseite zu einem stürmischen Schäferstündchen, hnnn! Und als ich meine Unterkunft aufsuchte, bei einem Freund, was finde ich da? Seine Schwester in meinem Bett! Jawohl – Phideria, so hieß sie. Es sei ihr Bett, hätte sie geglaubt, sagte sie zu mir, und sie trug nicht mehr am Leib als ein Fisch, aber sonst hatte sie nichts von einem Fisch an sich. Junge, Junge, hnnn! Das waren zwei in einer Nacht, so ging's mir nun einmal, hihihi, und so ist's immer am Frühlingsfest, und ich denke mir, so könnte's auch mit Euch gewesen sein.«

Er musterte Rodvard, und der war erstmals darum froh, daß der Blaue Stern über seinem Herzen erloschen war, denn überm schlecht rasierten Kinn des Lüstlings hing ein Tropfen Seiber an der Unterlippe, den wegzuwischen oder einzusaugen er sich nicht die Mühe machte. »Es war nichts dergleichen«, sagte er; und fügte eine Frage hinzu, um dagegen vorzubeugen, daß der alte Bock ihn noch tiefer in den Sumpf seiner Vorstellungen lockte. »Habt Ihr schon vernommen, daß man Baron Brunivar wahrscheinlich unter Anklage stellt?«

»Ja, ja – die im Westen sind halbe Mayern. Das wird ein trauriger Tag sein, wenn von Ihrer Majestät Haupt der Schnee schmilzt und nur die Regenten zwischen dem Thron und diesem verrückten Pavinius stehen und kein weiblicher Erbe da! Ja, ja . . . Wir sind hier auf dem Besitz des Marquis von Deschera. Für Euch Bedienstete ist das Dasein leicht, Euresgleichen verteilt auf dem Tisch die Teller und hat stets einen Scuderius zur Hand, aber wir Landleute können mit all den Steuern . . .«

Ich bin kein Diener, hätte Rodvard am liebsten geschrien, sondern ein Kommis, der sich den Unterhalt auch sauer verdienen muß, und Euer Stand ist's, dem wir am meisten zu helfen wünschen! Doch er riß sich zusammen. »Gibt es in Kazmerga ein Gasthaus?« erkundigte er sich statt dessen. »Ich benötige etwas zu essen, denn ich habe noch keinen Bissen gefrühstückt, und ein Lager, um in Ruhe meine verfluchte Erkältung zu kurieren.«

»Wir haben keine Taverne in . . .« Der Mann verstummte, und die Miene über seinem borstigen Schnauzbart war plötzlich listig, so daß Rodvard nunmehr gerne noch über den Vorzug des Blauen Sterns verfügt hätte. »Ihr würdet einen Wirt bezahlen?«

»Ja, gewiß. Ich habe ein wenig Geld.«

»Dann laßt mich Euch zu mir nach Hause bringen. Meine Alte wird Euren Schnupfen mit ihrem Gebräu im Handumdrehen heilen, wenn ihr die Auslagen für die Arzneien ersetzt, und Euch mit allem anderen ebenfalls versorgen, und es kostet Euch bloß die Hälfte dessen, was ein Wirt verlangt. Ei, und kreuzen Profosen auf – wir wissen auf dumme Fragen dumme Antworten. Vorwärts, Mironelle!«

Er beugte sich vor und hackte dem Maulesel den Stachel in die Kruppe; das Tier wackelte mit den Ohren, tänzelte kurz mit den Hinterbeinen und verfiel ruckartig in einen Trott, so daß ein heftiger Schmerz Rodvards Schädel durchzuckte. Sie erreichten eine Biegung.

Der Pfad verbreiterte sich, Felder kamen in Sicht, in einem Graben suhlten sich genüßlich Schweine, und die Bäume wichen auseinander und gaben den Blick frei auf eine Kirche mit dem Halbmond auf der Dachspitze; die Kirche bildete den Mittelpunkt von Häuserreihen, die nach allen Seiten führten wie Speichen rund um eine Radnabe.

»Kazmerga«, sagte der Landmann. »Ich wohne auf der anderen Seite.«

3

Sie war fett und schielte, doch Rodvard befand sich in einem Zustand, der ihn selbst dann gleichmütig gelassen hätte, wäre auf ihrer Stirn das Zeichen des Bösen zu sehen gewesen. Er sank auf das Strohlager. Es gab nur ein Fenster am anderen Ende des Raums; darunter flüsterte das Ehepaar miteinander. Dann setzte die Frau einen Topf aufs Feuer. Rodvard sah neben dem Strohlager eine große gestreifte Katze hin und her schleichen, hin und her; ihr Verhalten flößte ihm namenloses Unbehagen ein. Die Frau schenkte ihm keine Beachtung, sondern rührte nur im Topf, warf eine Handvoll Kräuter hinein und murmelte vor sich hin.

Schwere Vorhänge schienen sich auf seine Augen zu senken; er lag in einer Art Abwesenheit da, während der Dampf aus dem Topf den gesamten Raum auszufüllen schien. Lange Zeit verstrich; dann mußte das Gebräu fertig geworden sein, denn Rodvard sah die Frau auf eine irgendwie absonderliche Weise heranschlurfen. Doch erst, als sie an seinem Lager angekommen war und seinen Kopf in ihre Armbeuge stützte, begriff sein ermüdeter Verstand, daß er sie aus dieser Lage eigentlich überhaupt nicht sehen dürfte. Dieser Umstand blieb ein Rätsel. Das Gesicht, welches über ihm schwebte, öffnete einen Mund mit etlichen Zahnlücken. »So, mein Jüngelchen, nun trink . . . nur zu.«

Die Flüssigkeit war heiß und schmeckte auf seinen Lippen sehr bitter. Als die ersten Tropfen über Rodvards Zunge rannen, stieß im Hintergrund die Katze einen markerschütternden Schrei aus, der wie das Kreischen einer rostigen Säge klang. Die Frau zuckte spürbar zusammen und verschüttete ihre Brühe, so daß sie ihm das Kinn und die Brust verbrühte. Sie fuhr herum und krächzte dem Tier etwas zu, das sich anhörte wie ›Potzekschas!‹. Rodvard rang wie in einem Alptraum darum, sich bewegen zu können, aber seine Muskeln rührten sich so wenig, als wäre er aus Stein gehauen, und da erkannte er voller Entsetzen, daß jemand ihn verhext hatte. Er wollte sich übergeben und konnte es nicht; die Frau wandte sich mit nicht eben freundlicher Miene wieder ihm zu. Ihre schmierigen Hände zitterten leicht. Sie brummte leise, während sie, wie er spürte, seine Börse mit seinem ganzen Geld vom Gürtel nestelte und dann von seinen Füßen die Schuhe zog. Danach kam der Rock an die Reihe; doch als sie die oberen Schnürbänder öffnete, wobei sie grunzte und schnaufte, berührte ihre Hand die Kette, woran der Blaue Stern hing, und sie holte das Juwel zum Vorschein. In all seiner Unbeweglichkeit war Rodvards Gesichtssinn so qualvoll scharf geworden wie die Kanten von zerbrochenem Eis. Er dachte, sie bekäme einen Anfall, ihre Gesichtszüge schienen inmitten ihrer Zukkungen unaufhörlich ineinander zu verschmelzen, ihre Hand ließ den Stein fahren wie eine glutrote Kohle. »O nein-nein-nein«, kreischte sie und wich zurück. »Nein, nein, nein! Ach, du hattest recht, mich zu hindern, Tigrette, du hattest recht!«

Die Katze machte einen Buckel und strich an ihr entlang. Als habe dies unerhebliche Verhalten in ihr die Spannung einer Feder gelöst, entfernte die Frau sich ans unsichtbare andere Ende des Raums; Rodvard hörte von dort Holz auf Steingut klappern, dann einen dunklen, dumpfen Gesang, den die Frau erhob. Schließlich war er hellwach und spürte kaum länger etwas von seiner Krankheit; er bemerkte, wie der Dunst im Raum sich ein wenig klärte, dann hörte er die Tür knarren und die Stimme des Mannes. »Hast du's endlich erledigt, hnnn?«

»Nicht ich, du alter Narr, du Rattenaas, du Hundsfott!«

»Selber alte Närrin.« Rodvard vernahm das Klatschen einer Maulschelle. »Mich einen alten Narren schimpfen! Mit dem letzten Kerl warst du nicht so zimperlich. Dieser hübsche Bursche gefällt dir wohl, was? Und jetzt drauf und dran, oder ich schneide ihm den Hals durch, mich stört das Blut nicht. Was macht das schon, ein entlaufener Diener mehr oder weniger, hnnn? Das ist richtiges Geld, hartes Geld, mehr als du je gesehen hast.«

Sie winselte nun. »Und doch, ich sage dir, du bist ein Trottel. Er hat einen Blauen Stern, einen Blauen Stern, und seine Hexe wird alles merken, das wir mit ihm anstellen und es uns zwei- und dreifach heimzahlen! Würmer werden unter deiner Haut hausen und nicht ruhen, bis du daran verreckt bist! All das Geld ist's nicht wert.«

Schritte. Das wüste Gesicht blickte auf Rodvard herab; er fühlte, wie der Mann den Stein in die Hand nahm. »Ein Blauer Stern, hnnn? Ach, Unfug, das ist ein Stück Glas.« Doch seine Stimme verriet deutlichen Mangel an Überzeugung.

»Es ist ein Blauer Stern und nichts anderes, der zweite, den ich unter die Augen bekomme. Diese Leute sind vermählt durch die Große Hochzeit und darin vereint.«

Der Mann drehte sich um, und obschon Rodvards Kopf sich nicht drehte, nahm er wahr, daß sein Gesicht wieder jenen listigen Ausdruck angenommen hatte. »Blauer Stern, so? Nun, dann verhexe ihn, Hexe, verhexe ihn, so daß er ihm nicht länger nutzt. Du kannst alles verhexen. Dann schaffe ich ihn von hier fort.«

Das Gewinsel wich einem Rotzen. »Ich hexe . . ., ach . . .« sie murmelte Unverständliches. Rodvard hörte, wie sie sich in ihrem sonderbaren Schlurfen durch den Raum bewegte, dahin und dorthin; das fette Gesicht zeigte sich erneut über ihm, nun ölig eingesalbt und voller winziger Schweißtropfen. Sie stierte ihn aus der Nähe an. »Hinaus, Alter«, schnauzte sie über die Schulter, »laß uns allein. Es gibt Dinge, die zu sehen wäre nicht gut für dich.« Sie begann an ihrer Kleidung zu zerren, um sich derselben zu entledigen, und im letzten Moment warf sie Rodvard einen Zipfel einer stinkigen Decke über die Augen. Seine geschärften Sinne erlauschten das Rascheln von Kleidungsstücken, die auf den Boden sanken; aromatischer Duft breitete sich aus und überlagerte alsbald alle anderen Gerüche. Ihre Finger ertasteten unter der Decke sein Kinn und verrieben darauf Salbe, die den Schmerz linderte. Wieder vernahm er ihre Stimme, ohne daß sich ein einziges Wort verstehen ließ. Die Katze raste in dem schmalen Häuschen vom einen ins andere Ende zurück und schrie wie am Spieß. Er wäre gerne vor Erleichterung zerflossen, als die Finger auch auf seine Brust kühle Salbe rieben, aber in diesem Moment tauchte vor seinem geistigen Auge plötzlich ein Bild Lalettes auf, wie sie im Alter diesem Weib ähneln müßte, und wäre er bereits wieder dazu imstande gewesen, sich zu bewegen, er wäre erschauert. Das besänftigende Murmeln verstummte; zugleich ließ die Hexe von ihm ab. Stille folgte, nur von leisen Geräuschen gelegentlich durchbrochen, darunter wiederholt schrilles Gemaunze der Katze. Er hörte die Frau ihren Mann zur Tür hereinholen; dann unterhielten sich die beiden in stimmlosen Zischlauten, ein Zank entspann sich, der endete, indem sich des Mannes starke Arme um Rodvard legten und ihn anhoben wie einen Mehlsack.

Frischluft drang unter die Decke; er wurde hinausgetragen und mit einem Knurren auf eine harte Fläche geworfen; es mußte die Ladefläche des Karrens sein. Einen Moment der Ruhe; die Decke wurde von seinem Kopf gezogen, und er blickte auf in die schielenden Augen der Frau. »Braver Junge, guter Junge«, sagte sie. »Erzähl deiner Hexe, daß ich nett zu dir war, sag ihr, daß ich die Große Hochzeit in Ehren halte. Er nicht – er rückt dein gutes Geld nicht heraus.«

Sie tätschelte seinen noch immer starren Hals, eine Berührung, die seine Sinne durch ein Kribbeln anregte; und der Blaue Stern auf seinem Herzen war plötzlich entsetzlich kalt. Er spürte deutlich, daß schreckliche Furcht die Frau beherrschte, daß sie aber auch jene zugeneigte Freundlichkeit hegte, die zwei verband, die allein gegen eine bewaffnete Welt standen.

Von vorn, wo der Mann den Maulesel einspannte, ertönte seine Stimme. »Frau, bring die Spange, die wir dem letzten abgenommen haben, dem Handwerker. Eins sage ich dir, spute dich.«

12. Kapitel

Netznegon – Ein Zigranerfest

1

Nachdem Rodvard gegangen war, weinte Lalette ein bißchen, doch die Witwe gab vor, sie bemerke es nicht, während sie sich mit Näharbeiten an einem Festkostüm beschäftigte, eine Aufgabe, wobei das Mädchen ihr dann nach besten Fähigkeiten Unterstützung erwies, denn es war mit der Nadel keine große Künstlerin und wünschte auch gar keine zu sein. Als sie wieder miteinander zu plaudern anfingen, galt ihr Gespräch dem Gewand, woran sie arbeiteten; es bestand aus grauem Seidensamt und war an einigen Stellen kunstvoll zerrissen, um Zerlumptheit vorzutäuschen, und feuerrote Einsätze betonten die Rißstellen noch stärker. Lalette strich mit den Händen über den herrlichen Stoff. In einem solchen Gewand zu glänzen und umworben zu werden, danach verlangte es auch sie, obwohl es soviel Bein freiließ, daß sie sich zumindest ein wenig geschämt hätte, es zu tragen. Für wen wurde es angefertigt?

»Für die Gräfin Aiella von Arjen, sie braucht's für den Festball in Sedad Vix. Die jüngere Gräfin, die unverheiratete, meine ich. Ich habe das Kostüm für sie besonders entworfen. Dort ist die Maske.« Sie nickte hinüber.

Die Maske hing an einem Ständer; Mund und Augen fehlten, aber niemand konnte die Herkunft der Nase mit dem hohen Rücken und den hohen Wangenknochen, von denen der zerzauste Vollbart herabhing, auch nur im mindesten übersehen. »Ei, das ist Prinz Pavinius«, sagte Lalette, »als er in Mancherei als Prophet wirkte. Aber ich dachte, Ihr . . .« Sie verstummte.

»Wir sind Amorosier, dachtet Ihr?« Die Witwe lächelte. »Ich bin eine Anhängerin dieser Lehre, aber nicht ohne Fehl darin bewandert. Doch entgegen allem, was man Euch erzählt hat, ist sie keine Lehre bloß düsterer Demut. Sie verbietet nicht die Freude, sie kehrt uns nicht einmal von der Welt ab, nur erklärt sie, daß die Freuden der Welt nichtig sind im Vergleich zu jenen, die wir kennenlernen, wenn wir begreifen, wie sehr das Fleisch uns betrügt. Ihr, die Ihr eine Jungvermählte seid, erfahrt nun die eine Art von Liebe, so daß Ihr nicht verstehen könnt, was ich rede, doch am Ende werdet Ihr dahin kommen, diese Art von Liebe als Sünde zu betrachten.«

»Ich bin nicht vermählt«, sagte Lalette und ließ die Nadel sinken. Sie bezweifelte, daß ihre Gefühle für Rodvard wirklich jene Liebe war, welche die Dichter priesen und von der Domina Domijaiek sprach. »Außer in der Weise, die wir, die Beherrscher der Verbotenen Kunst, die Große Hochzeit nennen.«

»Ich sollte Euch so etwas wohl nicht sagen«, meinte die Witwe, »aber in unserer Kirche lehrt man, daß Liebe zu einem Menschen zugleich Liebe zur Welt ist, und dabei handelt es sich um eine Täuschung durch den Gott des Bösen.«

2

Rodvard kam am Abend nicht zurück und nicht am nächsten Tag, und es traf auch keine Nachricht von ihm ein. Lalette war unglücklich und fühlte sich nach so langem Aufenthalt zwischen vier Wänden sehr träge; oben hörte sie dann und wann Mme. Kajas Schritte kommen und gehen, und bisweilen, wenn man die Tür öffnete, den Gesang einer ihrer Schülerinnen, zumeist ziemlich mies und häufiger unmusikalisch als anders. Ladius, der Junge, hatte bald kaum mehr Zeit für sie, zumal er, da das Frühlingsfest nun heranrückte, sogar vorübergehend nicht zur Schule brauchte, um für seine Mutter, die nun täglich bis spät in die Nacht arbeitete, Botengänge erledigen zu können. Die Witwe berichtete, daß der Hof nach Sedad Vix abgereist sei, die zusätzlichen Wachen an den Stadttoren hatte man wieder abgezogen, und die Profosen begannen bei der Suche nach dem Mädchen in ihrem Eifer nachzulassen.

Es wäre nicht länger so gefährlich gewesen, ihren Unterschlupf zu räumen, hätte sie nur gewußt, wohin sie gehen sollte. Gewiß konnte sie nicht zu ihrer Mutter, die sicherlich, wenn schon nicht von anderen, noch von Ohm Bontembi, dem Priester, beobachtet wurde, und Lalette war der Meinung, daß kein Freund oder Bekannter in ihrem Alter ihr nahe genug stand, um vertrauenswürdig zu sein, da nun die ganze Welt sie als Hexe kannte. Sie war gleichsam eingemauert. Für eine Zeitlang vermochte sie für Unterkunft und Speise zu entgelten, indem sie an den Festkostümen mitarbeitete, doch damit war es bald vorbei. Wo mochte Rodvard sein – verhindert oder treulos? Sie wünschte ihn herbei, um Auskunft von ihm zu erhalten, die ihr zugleich Aufschluß über ihren weiteren Lebenslauf gab; gleichzeitig stellte sie sich die Frage, warum eine Partnerschaft von einer halben Stunde Dauer, obendrein ihrerseits nicht ganz freiwillig eingegangen, sie fürs gesamte Leben binden solle. Ihn im Zaum halten zu können, das glaubte sie; und obwohl sie die Abhängigkeit verabscheute, in die sie geriet, obschon ihr das Bündnis mißfiel, das Abhängigkeit zu ihrer einzigen Zuflucht machte, blieb ihr keine andere Wahl, als Dr. Remigorius aufzusuchen – sich dessen bewußt, daß der Mann sie haßte –, nur um durch ihn ihren Liebhaber wiederzufinden. O könnte sie nur sich ganz allein gehören, wünschte sie sich, weder ihrer Mutter noch ihm! Und wiewohl sie keine ihrer Überlegungen in Worte faßte, schien die Witwe bereits alle ihre Gedanken zu kennen, als Lalette äußerte, sie erachte es als lohnend, am Festabend auszugehen, um Neuigkeiten in Erfahrung zu bringen.

»Natürlich. Und Ihr möchtet sicher das Kostüm der kjermanaschischen Prinzessin, die Laduis Sunimaa nennt. Ich bin damit einverstanden, daß Ihr's benutzt.«

Mehr darüber sprachen sie weder bei dieser Gelegenheit noch am Nachmittag vorm Festabend selber, als in den Straßen schon Hörner und Pfeifen lärmten, obzwar die Sonne noch nicht in die Arme des Frühlings gesunken war und die Witwe ihr in das mit Pelzen besetzte Gewand half, um sie anschließend von allen Seiten zu begutachten; dann wünschte sie ihr mit einem Lächeln Ade (Lalette hielt das Lächeln für ein wenig traurig). »Sollte nicht alles nach Euren Vorstellungen verlaufen, kehrt hierher zurück. Im Namen des Gottes der Liebe könnt ihr jederzeit kommen.«

Die Dämmerung sank herab, als Lalette wieder Pflastersteine unter den Füßen spürte und tief die köstliche Frühlingsluft einatmete. Über'm Zugang zur Cossaostraße hatte jemand zwei bunte Laternen aufgehängt, eine davon mit einer zerbrochenen Scheibe, und aus dieser Seite der Laterne fiel helles Licht auf eine Gruppe von drei oder vier frühzeitigen Zechbrüdern, die sich um eine Flasche scharten. Sie begrüßten Lalette mit großmächtigem Krakeel und schickten sich an, ihr zudringlich und auf unsicheren Beinen in den Boulevard zu folgen, verwarfen dies Vorhaben jedoch, als sie einer Droschke winkte und rief, die unbesetzt vorüberratterte, so daß es wirkte, als wolle sie einsteigen. Der Droschkenkutscher bedachte sie mit einem Fluch, als sie sein Gefährt dann doch nicht nahm, aber ihr blieb nichts anderes übrig, da sie zum Zahlen kein Geld besaß.

Auf dem Marktplatz waren Tische und Bänke aufgereiht, und auf einem von Blumen und grünen Zweigen rundum geschmückten Podium spielten Musikanten bereits die Volalelle, doch tanzten nur drei oder vier Paare. Von jenen, die an Tischen saßen, erklang beifälliges Gemurmel über Lalettes Kostüm; niemand rief sie oder vollführte eine Geste. Dies war ein armes Viertel, und sie wußte, daß sie mindestens um die Hälfte zu herrschaftlich aussah, aber das war ihr durchaus recht.

Ein Stück weiter kam ein Zug von Maskierten hinter einer großen Trommel aus einer Nebenstraße gezogen, und die Teilnehmer bedrängten sie unter Gelächter, sie möge sich einreihen, doch sie entwand sich. Glockenläuten begann den verworrenen Tumult von Lustbarkeiten, der sich aus der Stadt erhob, zu übertönen, und Lalette, die sich mehr denn je zuvor schutzlos und allein fühlte, schritt eiliger aus. Die Straße, worin Remigorius seine Dreckapotheke führte, war breiter als sie sie in Erinnerung hatte. Um den Nacken der ausgestopften Echse hatte jemand eine Halskrause aus grünem Papier gelegt und ihr damit ein groteskes Aussehen verliehen, doch anscheinend war im Innern alles dunkel.

Nichts rührte sich, nachdem Lalette die Türglocke geschlagen hatte. Ihr Herz sank in einen schauderhaften Abgrund: ach, was sollte sie tun ohne Geld, wenn er nicht hier war und auch sonst niemand? Sie mochte nicht zu jener Frau mit ihren seltsamen Gottheiten zurückkehren, nein! Sie läutete erneut, gleich zweimal, um ihre Hartnäckigkeit zu bekunden, und als in der Nachbarschaft jemand unter lauten Willkommensrufen Gäste begrüßte, tat die Tür sich um eine Spaltbreite auf, und eine Stimme erklärte, der Doktor sei nicht anzutreffen, er sei gar nicht in Netznegon, aber gleich um die Ecke wohne im zweiten Obergeschoß noch ein Arzt.

»Oh, ich komme nicht um einer Behandlung willen«, sagte Lalette. »Ich befinde mich auf der Suche nach einem gemeinsamen Freund – Rodvard Bergelin.«

Ihr Gesprächspartner öffnete die Tür zur Gänze. Im Abendlicht, das rasch entschwand, sah das Mädchen sich einem jungen Mann gegenüber, dessen Kinn und schräge Augen seine zigranische Abstammung bezeugten. Wie stets bei Leuten seiner Art war sein Lächeln Ausdruck des Speichelleckertums, doch in diesem Fall machte es zugleich einen unangenehmen Eindruck. »Seid Ihr . . .?«

»Lalette Asterhax, ja.«

»Demoiselle, tretet ein. Der Doktor hat mich gebeten, zur Wahrnehmung aller Angelegenheiten der Söhne der Neuen Zeit hier an seinem Wohnsitz in Bereitschaft zu bleiben, da die Entwicklung, wie wir anläßlich der Beratung des Hofadels entdeckt haben, einer solchen Krisis zusteuert.« Lalette folgte ihm hinein, während plötzlich die furchtbare Gewißheit ihr Herz umklammerte, daß sie offenbar bislang eines nicht begriffen hatte: Wenn es sich um solche Angelegenheiten drehte, mußte Rodvard ein Busenfreund dieser mordlustigen Verschwörer sein – und ebenso die anderen, die sich hier tummelten. In der Apotheke deutete der Zigraner auf einen Stuhl und entzündete Licht. »Erlaubt mir, daß ich mich vorstelle. Ich bin Gaidu Pyax. Um Rodvard solltet Ihr Euch nicht sorgen. Er leistet gute Arbeit, das Oberste Zentrum hat uns ein großes Lob seines Wirkens übermittelt.«

Ich bin um Planetenfernen und Jahrhunderte von dem Mann getrennt, der mich gewählt hat, dachte sie. Wie könnte ich das sagen? Welche Fragen soll ich stellen? »Ich habe keinerlei Bescheid erhalten.«

Der Zigraner runzelte die Stirn. »Der Leiter unseres lokalen Zentrums hat Euch doch gewiß vom Komplott gegen Baron Brunivar, dem künftigen Regenten, Kenntnis gegeben? Rodvard war's, der es entdeckte.«

»Oh . . .« Die Unterhaltung drohte zu enden. »Ich dachte«, rief sie verzweifelt, »er würde zum Fest wieder bei mir sein!«

»Und ein so entzückendes Kostüm habt Ihr, Demoiselle. Die Pflichten lasten schwer auf uns.« Sein Lächeln wich einem kehligen Lachen. »Doch seid getrost, was ihn angeht . . . er wird sich in Sedad Vix mit dem Hofe zur Genüge amüsieren können.« Gaidu Pyax' Zunge glitt aus dem Mund und dann in einer Kreisbewegung über die Lippen; er schaute hinüber zur Wanduhr und richtete seinen Blick hastig wieder auf Lalette. »Ich werde Euch heimbringen . . . oder, wenn Ihr wollt . . .

ich meine . . . das heißt . . . würde es Euch interessieren, zu erleben, wie wir Zigraner das Fest feiern?«

Draußen war es inzwischen fast völlig dunkel, die Glocken schallten und hallten im schönsten Einklang; und Rodvard war in Sedad Vix. Ich habe kein Daheim, dachte sie, und er hat mich nicht benachrichtigt. »Daran hätte ich großen Spaß.« Irgend etwas mußte sie ja tun.

Pyax sprang auf, den Mund aus lauter Begeisterung verzerrt. »So kommt, laßt uns sogleich aufbrechen. Ich möchte nicht zu spät zur Erleuchtung kommen.« Unbeholfen trampelte und schlitterte er ins Hinterzimmer. Lalette hörte ihn poltern, dann vernahm sie – als der Straßenlärm für einen Moment herabsank – aus dem hinteren Raum eine Stimme, die ihn erbost ausschalt. Remigorius ist doch hier, dachte sie, und vielleicht auch Rodvard. Diese Menschen belügen mich. »Es ist mir gleich«, sagte daraufhin Pyax' schrille Stimme, »daß sie eine Hexe ist. Sie wird . . .« Den Rest übertönte das gedehnte Blöken eines Horns aus der Nähe des Hauses, und schon kam er wieder, im Gesicht einen etwas verlegenen Ausdruck.

Er verriegelte die Haustür nicht. Auf den Straßen war das Festtreiben inzwischen in vollem Gange, Lichter strahlten und glänzten, zum anhaltenden Glockendröhnen bliesen Hörner aus jedem Fenster. Gaidu Pyax trug lediglich eine einfache Larve. Seine Stimme überschlug sich fast vor Erregung. Lalette wußte den Grund: seine versammelte Sippschaft würde damit zu prahlen imstande sein, daß am Festabend ein richtiges dossolanisches Mädchen bei ihr zu Gast war. »Ich habe Euch so verstanden«, sagte sie, »daß Dr. Remigorius verreist sei.«

Im unruhigen Lichtschein schielten seine Augen sie verstohlen an. »In der Tat, Demoiselle – er ist's wahrhaftig.«

»War das nicht seine Stimme, die ich aus dem rückwärtigen Raum vernommen habe?«

»O nein, das war einer unserer Männer, nach dem die Profosen fahnden, und die Schuld daran tragt in gewissem Sinne Ihr, denn ihm fiel die Aufgabe zu, den Hausmeister von Rodvards Wohnsitz zu beseitigen, der Euch ja leider erkannt hatte . . .« Wie weit er in seiner vergeblichen Lügenhaftigkeit noch gegangen wäre, blieb Lalette verborgen – und es fand auch nicht ihr Interesse –, denn in diesem Moment warf ihm aus einer im Vorüberziehen begriffenen Horde ein Mädchen ein Parfümkissen ins Gesicht.

3

In der hohen Vorhalle standen Polsterstühle, deren hölzerne Bestandteile greulich schraubenartig gewunden waren, und zwei riesenhafte silberne Kerzenleuchter, geformt wie Rhinanthussträucher. Ein respektvoller Pförtner kam, um ihr die Pelze abzunehmen, aber sie waren bloß Kostümimitationen ohne merkliches Gewicht, und daher behielt sie sie bei sich. »Auf unserem Fest tragen wir im Haus keine Masken«, sagte Pyax; also entblößte sie ihr Haupt und handelte sich von ihm einen Blick tiefster Bewunderung ein, als er ihr dunkles Haar auf das Weiß fallen sah. Jemand öffnete die Innentür, und heraus trat ein Mann mittleren Alters mit würdevollem freundlichem Gesicht, der in der roten Weste eines Generals auf eine leicht lächerliche Weise putzig wirkte. Pyax machte vor ihm eine tiefe Verbeugung. »Vater, dies ist Demoiselle Asterhax, die an unserem Frühlingsfest teilzunehmen wünscht.«

Ein wenig unsicher darin, was in einem zigranischen Haus als höflich galt, wollte sie einen Knicks machen, aber Gaidu Piax' Vater nahm, ohne durch irgend etwas anzuzeigen, daß er ihren Namen kannte, ihre Hand. »Meines Sohnes Freunde sind stets willkommen.« Er führte sie hinein. Hinter der Innentür lag ein schmaler Flur mit aufgehängten Glypten; sie wandten sich nach rechts und traten durch eine weitere Tür, wohinter er ihre Hand freigab, um in beide Hände zu klatschen. »Dies ist Demoiselle Asterhax.«

Ein Dutzend oder mehr Personen, die in dem Raum saßen, der so düster war, daß sich nur ihre Umrisse erkennen ließen, erhoben sich nunmehr und riefen ihr einstimmig einen Gruß entgegen. »Ihr seid willkommen!« Dann setzten sich wieder alle unter vernehmlichem Rascheln von Seide. Der alte Pyax ergriff von neuem Lalettes Hand und geleitete sie durch die Düsternis zu einem Sessel; er verneigte sich und legte einen Finger auf die Lippen. Gaidu Pyax nahm den benachbarten Platz ein. Niemand sprach. Der gesamte Raum war von jenem sonderbaren, fast modrigen Geruch erfüllt, der Zigraner immer umgibt; das Lärmen des Frohsinns in der Stadt vermochte nicht hereinzudringen.

Lalette spürte, daß die Armlehnen ihres Sessels vorn zu Tierköpfen geschnitzt waren, als sie sich setzte; dann wandte sie ihre Aufmerksamkeit dem Mittelpunkt des Raums zu, wo auf einem Tisch von beinahe Augenhöhe, auf dem außerdem äußerst schwach ein vereinzelter Wachsstock glomm, eine bronzene Armillarkugel aus ineinander verwobenem Maßwerk stand. Ein Uhrwerk drehte die Kugel; ihre Teile schimmerten matt. Die Stimme des alten Pyax durchbrach das dumpfe Schweigen; sie klang dunkel und nahezu unheilvoll. »Vater, aus der Finsternis rufen wir, die wir lange geharrt und lange gehofft haben – wende dein Antlitz nicht von den Kindern deiner Schöpfung, vereitle nicht die Hoffnung auf deine Glorie, sondern schenke uns Licht, Licht, damit wir uns im Gebet um deinen Thron versammeln mögen . . .« Im Dunkeln schluchzte jemand; mit einem Seitenblick bemerkte Lalette flüchtig, daß Gaidu Pyax sein Gesicht in den Händen vergraben hatte. Für sie gestaltete das Ritual, wie rührselig es andere Leute auch stimmen mochte, sich ständig peinlicher und lachhafter, während der alte Pyax unerbittlich in seinem Sermon fortfuhr – erwachsene Menschen ergaben sich wie unwissende Kinder einer Spiegelfechterei, vergossen Tränen vor einem Mechanismus, der unfehlbar zum Ergebnis hinwirkte, für welches man ihn konstruiert hatte; und unterdessen blieben die wirklichen Belange von Leben und Tod und Liebe unbeachtet. Indem sie das beharrliche, eintönige Aufblinken der Kugel verfolgte, entschwebte sie in Träumerei, bis endlich Kugel und Wachsstock zum Geräusch eines scharfen Einatmens der Anwesenden ins angestrebte Zusammenspiel traten. Über den Sockel der Kugel huschte ein winziges Flammengezüngel, das Innere der Kugel schien zu zerplatzen, wurde ausgefüllt von einem grellen Feuerball, der den ganzen Raum in Helligkeit und Farben tauchte. Augenblicklich sprangen die Versammelten auf und schrien los. »Licht! Licht! Gott sieht uns an!« Sie begannen einander zu umarmen und zu beglückwünschen; indessen eilten Diener herein, um hohe Kerzen zu entzünden. Lalette befand sich unerwartet in der Umarmung einer Frau mit einem haarigem Muttermal am Kinn, deren überaus fülliger Leib in ein den Rittersagen entlehntes Kostüm eingeschnürt stak. Die Frau hüpfte auf der Stelle, während sie auf Lalette einschwatzte.

»Ist es nicht wundervoll?« rief sie mit hoher Stimme. »Wir sind ja so hocherfreut, daß Ihr gekommen seid! Sire Pyax läßt sich das Frühlingsfest niemals weniger als hundert Scudi kosten. Ihr seid jene Person, die Graf Cleudi behext hat, nicht wahr? Die beiden anderen Pyax-Junioren waren nicht zu kommen in der Lage, und Schwestern haben sie nicht, müßt Ihr wissen. Gott ist ohne Makel, aber leider nicht die Welt. Ihr müßt von unserem zigranischen Wein kosten.«

An Lalettes Seite verharrte ein Diener, der ein großes silbernes Tablett mit einem großen Silberflakon voll von jenem Wein präsentierte, und Gaidu Pyax bot ihr einen von seinem Paar absonderlich geformter Festpokale an, der so schwer wog, daß er aus purem Gold bestehen mußte. »Meine Tante Zanzanna«, sagte er. »Als sie ein Kind war, hat ein Hund sie gebissen, und seither vermochte sie nie wieder ihre Zunge zu zügeln.«

»Ich selber werde dich beißen«, bemerkte die Frau mit dem Muttermal, »damit du noch viel verrückter wirst als ich's bin.« Über den Rand ihres Pokals voller stark geharztem Wein blickte Lalette rundum. Jeder redete zusammenhanglos nach allen Seiten zugleich. Der Raum war etwas kleiner, als er im Dunkeln gewirkt hatte, doch geräumig genug; vor allen Fenstern hingen schwere Gobelinvorhänge, und jede Handbreit Wand dazwischen war von Bildern bedeckt. Der Sessel, worin der alte Pyax sich niedergelassen hatte, war am oberen Ende der Lehne mit Edelsteinen verziert. An einer Seite des Raums begannen nun Musikanten ihre Instrumente zu stimmen. Die Mehrzahl der Anwesenden war den mittleren Jahren zumindest nahegerückt und eindeutig zigranischer Herkunft, doch es bewegte sich auch ein Mädchen von staunenswertem Liebreiz unter ihnen, so blond, daß es aus Kjermanasch sein mußte; der Mann in ihrer Begleitung wirkte ebenfalls nicht wie ein Zigraner.

Nun spielten die Musikanten auf, und alles fing an zu tanzen, sogar eine ziemlich alte Frau in einer Ecke, die keinen Partner besaß: sie wakkelte die Tanzschritte allein herunter. Die Paare folgten keiner ersichtlichen Ordnung, sondern ein jedes bemühte sich auf eigene Verantwortung, im Einherwirbeln andere Tänzer nicht anzurempeln, bis zuletzt der Takt endete, alle Teilnehmer einen Kreis bildeten und die Partner einander mit den Festpokalen zutranken und dabei riefen: »Licht! Licht!« Gaidu Pyax tanzte gut, er schwang Lalette auf berückende Weise dahin, sobald die Musik von neuem einsetzte. Später trug man Speisen herein, und von Zeit zu Zeit holte ein Diener den alten Pyax hinaus, wonach er jedesmal alsbald mit einem neuen Gast wiederkehrte und in die Hände klatschte, so daß jedermann in seinem Tun verhielt und alle riefen, wie Lalette es auch bei ihrer Ankunft erlebt hatte: »Ihr seid willkommen!« Im Anschluß daran tranken sich alle erneut zu.

Lalette begann sich leichtsinnig und wohl zu fühlen, es störte sie nicht länger, daß alle diese Leute anscheinend nur darüber redeten, wie schrecklich teuer alles sei, oder sie über die Schultern anstarrten, als wäre sie eine berühmte Schauspielerin. Sie glaubte nicht, daß jemand von ihnen sie den Profosen verriet; offensichtlich bemühten sich die Frauen, zu ihr freundlich zu sein. Die Vorstellung, was Domina Leonalda sagen würde, wenn sie wüßte, wo ihre Tochter sich aufhielt, fand sie sehr komisch, und sie setzte sich und lachte leise; plötzlich stand Tante Zanzanna über sie gebeugt. »Möchtet Ihr Euch für ein Weilchen in Eurem Zimmer hinlegen? Wir haben ein so nettes Zimmerchen für Euch.«

Am Arm der älteren Frau fiel das Gehen ihr leichter. Das Zimmer befand sich zwei Stockwerke höher und war mit schweren Wandbehängen gemütlich drapiert, und Lalette vermeinte Moschusduft zu bemerken, als sie sich in aller Kleidung auf das bequeme Bett hinstreckte. Das Kostüm bedrückte sie schließlich und flößte ihr Übelkeit ein; und sie mußte sich erbrechen. Als sie aus dem nebenliegenden Kämmerchen zurückkehrte, was sie so schwach, daß sie sich wieder hinlegen mußte, aber die Melodie der Volalelle, welche man unten tanzte, ließ ihr keine Ruhe, sie kreiste fortgesetzt in ihrem Kopf um und um, während sie durch schlaftrunkenes Wachsein in einen ruhelosen Schlaf voller Träume abtrieb. Es mußte fast Tag sein, als sie einmal erwachte; sie fühlte sich steif. Von unten erklang noch das Kreischen von Violinen; eine Zeitlang spielte sie mit dem Gedanken, sich wieder zur Festlichkeit zu gesellen, doch dann streifte sie die Kleider ab und schlüpfte unter die Bettdecken.

4

Als sie wiederum erwachte, sah sie an der Wand ein fleckiges Muster aus hellem Sonnenlicht, und im ersten, noch schläfrigen Moment wußte sie nicht, wo sie sich befand. Ein Schritt hatte sie geweckt; sie drehte den Kopf und sah Gaidu Pyax auf sie herabblicken. Sein Kostüm war besudelt. »Empfangt meinen Morgengruß«, sagte er. »Es ist Frühling.«

»Oh . . .« Mehr brachte Lalette zunächst nicht heraus; sie zog die Decken bis unters Kinn. »Ja, meinen Gruß.«

Das Lächeln, welches sie zuerst als recht angenehm empfunden hatte, verhärtete sich. »Ich bin gekommen, um mit Euch den Frühling zu begehen.« Er senkte eine Hand an den Rand der Decken. »Ihr seid meine Festtagsgefährtin.«

»Nein. Dabei nicht. Nein.«

»Ihr müßt, denn es ist Festtagsmorgen.«

»Nein. Was würde Rodvard sagen?«

Sein Lachen wies einen Unterton von Gehässigkeit auf. »Er dürfte jetzt auch in irgendwelchen Kissen liegen. Ich kenne ihn. Warum solltet Ihr Euch versagen, was er sich herausnimmt?« Er griff zu und begann gegen ihren Widerstand am Bettzeug zu ziehen; der Schrei, womit sie Alarm schlagen wollte, gelang infolge der dicken, schweren Gobelins im obendrein abgelegenen Zimmer nur zu einem Quietschlaut, und dann warf er sich auf sie, packte ihr Handgelenk und versuchte es umzudrehen. »Hexe, Hexe, ich werde dich zähmen«, rief er, »oder dir alle Knochen brechen!«

Sie biß in die Hand, die ihr Gesicht berührte, und gab ihm mit ihrem freien Arm einen weit ausgeholten Hieb, der ihn am Hals traf. Plötzlich stand er wieder neben dem Bett. »Wenn Ihr mich zwingt«, sagte sie leise und durch Zornestränen, »bringe ich mich um und Euch ebenso, das schwöre ich beim Gottesdienst.«

Gaidu Pyax schob die Lippen nach vorn wie ein trotziger kleiner Junge; langsam sank er auf ein Knie, eine Hand tastete übers Bettzeug. »Ach, ich wußte, es könnte nie wahr sein«, sagte er und hob ihr eine Miene stummen Elends entgegen.

Für einen langen Moment sah sie ihn an, all ihre Aufgebrachtheit und Entschlossenheit schmolzen angesichts dieses unglücklichen Verlangens dahin. Sie empfand keinen Funken von Zuneigung für diesen Jüngling. Und was, wenn ich's täte? dachte sie nur. Es möchte mich sonst doch niemand, alles war eine Täuschung, um mich auszunutzen, und ich könnte wenigstens diesen Kummer heilen. Und sie regte sich unter den Decken, um ihn an sich zu ziehen und ihn zu trösten . . .

. . . als ein Zucken von Blitzen mit feurigen Buchstaben ins Innere ihres Bewußtseins das Wort schrieb: *Kommt Ihr nun mit mir?* Und obwohl sie den Sinn nicht verstand, begriff sie doch sofort, daß das Wort die Treulosigkeit ihres Geliebten anzeigte.

Sie tätschelte Pyax' Hand. »Es tut mir leid«, sagte sie. »Vielleicht war es mein Fehler. Ich hätte Euch sagen sollen . . . Ob andere es auch tun mögen, ich konnte dergleichen noch nie. Aber ich danke Euch für das schöne Fest.«

13. Kapitel

Abschied und Aufbruch

1

Zurück zum Hort der Masken, durch Straßen, die übersät waren mit den abscheulichen Abfällen des Festtreibens, in denen mürrische Straßenkehrer einherschlurften. Nach dem Zwischenfall hatte Lalette keinen Wert darauf gelegt, dem alten Pyax oder Tante Zanzanna Ade zu sagen. Die Mundwinkel des Hausmeisters zuckten, als er sie und Gaidu Pyax nach draußen ließ; sie gestattete es Pyax nicht, sie weiter als bis zum Marktplatz zu geleiten, denn mit dem Morgen war ihre ganze Besorgnis zurückgekehrt, die sie wegen des ausgesetzten Kopfgeldes empfand. Etwas verächtlich bemerkte er, er könne es verstehen, daß sie von ihren Verwandten nicht gesehen werden wolle, wie ein Zigraner sie nach Hause brachte.

Auf ihr Klopfen öffnete ihr Laduis; anscheinend freute er sich aufrichtig über ihre Ankunft. Die Witwe war beim Lebensmittelhändler. Lalette tauschte das Kostüm der Prinzessin Sunimaa gegen ihre abgetragene Kleidung aus und war damit soeben fertig, als die Witwe wiederkam. Sie aßen, sprachen jedoch wenig dabei und zudem nur über Belanglosigkeiten. Nach dem Essen schickte Domina Domijaiek den Knaben hinaus.

»Habt Ihr ihn gefunden?« erkundigte sie sich, als seine Schritte im Treppenhaus verklangen.

»Er ist in Sedad Vix.« Ihr Mund sträubte sich ein wenig, doch unter dem ruhigen Blick von Domina Domijaieks Augen konnte sie es nicht verschweigen. »Er ist mir untreu geworden.«

»Ich verstehe nicht, woher Ihr das wissen wollt.«

»In den Hexenfamilien können wir die unverzügliche Kenntnis . . .«

»Aha, dann ist's ein durch Falschheit und Hexenwerk und nicht durch den Gott der Liebe errungenes Wissen, und deshalb wird's zu keinem guten Ende führen.«

»Ich bin unglücklich«, vermochte Lalette bloß zu flüstern. Sie begriff nicht, was die Frau zum Ausdruck zu bringen versuchte.

»Das rührt daher, daß Ihr diesen Mann als Euer persönliches Gut betrachtet. Man muß Liebe mit allen teilen.«

Lalette fand, daß an dieser Auffassung irgend etwas ganz und gar nicht stimmte, doch aufgrund ihrer Reue, der Nachwirkungen des am Vorabend genossenen Weins und der am Morgen gewonnenen Kenntnis war ihr Gemütszustand zu schlecht, um die Fehlerhaftigkeit erforschen zu können. Sie begann leise zu weinen.

»Laßt uns überlegen«, sagte die Witwe nach einigen Minuten. »Wenn Ihr ihm nicht weniger schuldet als all Eure Liebe, dann schuldet er Euch das gleiche, und indem er Euren Seelenfrieden zerstört hat, ist er seiner Schuldigkeit nicht gerecht geworden. Liebt Ihr ihn noch immer, nicht wie wir alle lieben müssen, sondern wie in der materiellen Welt, ganz für Euch?«

Es schien Lalette, als säße in ihrer Brust an der Stelle des Herzens ein Etwas, das groß und dunkel und schwer war, und sie vermochte keinen klaren Gedanken zu fassen. »Ich habe . . . ach, ich weiß es nicht . . . ich habe nur ihn.«

»Ihr habt eine Mutter, Kind.«

»Eine Mutter, die mich zu verkaufen beabsichtigte! Und sie täte es noch immer, fände sie mich.«

»Weil sie Euch vor Übeln bewahren will, die sie erfahren mußte. Auch das, so glaube ich, geschieht aus Liebe.«

»Dann entsage ich aller Liebe!« schrie Lalette und hob zornig das Gesicht. In ihren Wimpern glitzerten Tränen. »Ich werde hassen und hassen und *hassen*!«

Zwei kleine rote Flecken erschienen auf Domina Domijaieks Wangen. »Ich glaube, so etwas solltet Ihr in diesem Haus lieber nicht noch einmal aussprechen«, sagte sie. »Ich habe ein Arrangement zu erledigen, werde jedoch vorm Abend heimkommen. Richtet das Laduis aus.«

Sie ging und ließ Lalette allein, die aber nicht einmal mit sich selber zurechtkam, und anzufangen wußte sie auch nichts; in ihrem Kopf drehte sich alles unaufhörlich um den furchtbaren Grund von Rodvards Verrat und die Tatsache, daß er zu den Söhnen der Neuen Zeit zählte. Träte er jetzt unter ihre Augen, sie würde ihn abweisen, er hatte das Buch mit eigener Hand geschlossen. Als Laduis sich wieder einfand, ließ sie sich durch ihn von ihrem Gram ablenken, so daß die beiden, als die Witwe heimkam, in nahezu lustiger Stimmung waren. Doch fast sank schon die Nacht herab, ehe der Schlaf an sie rührte.

2

Sie erwachte mit einem Ruck und dem Gefühl, daß sich etwas Entsetzliches ereignet hatte. Es mußte spät am Morgen sein; die Witwe hatte die andere Hälfte des Bettes verlassen, und Laduis' Hängematte war leer, seine Decke zusammengelegt. Da war . . .

Urplötzlich verfestigte sich der Wirbel im Hintergrund ihres Bewußtseins zu einer Wahrnehmung. Sie enthielt zweierlei, ein Abbild eines seltsamen Raums, worin sich vor einem Feuer Menschen unterhielten, während ein Meer an eine felsige Küste rollte, und einen Hilferuf, der das Abbild durchdrang wie ein fadenscheiniges Gebilde, so nackt und verzweifelt, daß sie sofort auf die Füße sprang – wortlos sprach ein Bewußtsein zum anderen und teilte ihr mit, daß der Träger ihres Blauen Sterns verhext und auf den Tod lag.

Sie fand keinen Wein; es war unglaublich schwierig, das Zeichen für die Kontre-Hexerei in Wasser auszuführen, selbst mit Hilfe von etwas Staub aus einer Ecke, und die Anstrengung der Projektion ermüdete und erschütterte sie in solchem Umfang, daß sie nach vollbrachtem Werk in dem Hemd, das ihr als Nachtgewand diente, aufs Bett zusammenbrach und nicht einmal Domina Domijaiek eintreten hörte.

»Also habt Ihr's gewagt«, sagte deren Stimme, und Lalette glaubte, noch nie eine von solcher Kälte gezeichnete Stimme vernommen zu haben.

Lalette hob den Kopf. Die Frau sah nicht sie an, sondern nur das Muster, das noch ganz leicht waberte. »Ich erbitte Eure Vergebung«, sagte sie. »Ich mußte es aus Not tun, ich hatte erfahren . . .«

»Was immer Ihr auch redet, nichts vermag die Tatsache zu ändern, daß Ihr Hexerei in mein Heim gebracht habt.«

Lalette raffte sich auf. »Nun, dann werde ich gehen.«

»Ja«, antwortete die Kostümschneiderin, »ich glaube, Ihr müßt gehen. Ihr habt auf mein Haupt und das meines Sohnes weit schlimmere Gefahren herabbeschworen, als Ihr bloß zu träumen wagtet. Ihr müßt fort. Als Ihr gestern von Haß gesprochen habt, dachte ich mir, daß es so kommen könne, aber ich war so dumm, daß mein Mitgefühl über meinen Verstand siegte.« Oben begann Mme. Kaja ein Musikstück zu spielen und sang mit entsetzlich falschem Einsatz die Brautarie aus ›Die Enterbten‹. Lalette schaute zu Boden; Tränen standen ihr in den Augen. »Doch Ihr kamt um Hilfe zu mir«, sprach die Witwe weiter, »und Hilfe will ich Euch geben, wenn Ihr sie annehmen wollt. Ich glaube, es gibt in der ganzen Welt nur eine Chance für Euch – nämlich, daß Ihr nach Mancherei geht und Euch der Herrschaft des Propheten unterwerft.«

»Aber ich besitze kein Geld, um irgendwohin reisen zu können, ich habe überhaupt kein Geld, und was sollte ich dort tun?« rief Lalette, die sich jetzt darüber ärgerte, nur um des scheinheiligen Rodvard willen nun auch noch zwischen ihr selber und der Witwe einen Graben gezogen zu haben, und durchaus die Bereitschaft hegte, dem ausgesprochenen Rat zu folgen, hätte sie bloß gewußt, wie es machbar sei.

»Liebe findet immer und jederzeit einen Weg, um jene auf den Schauplatz zu rufen, deren sie gerade bedarf. Es gibt einen Fond für die Aufwendungen der Menschen, die ins Land des Propheten möchten, und auf Geheiß desselben hat man dort die Häuser eingerichtet, die man Myonessische Heimstätten nennt, worin solche Mädchen wie Ihr, die dessen bedürfen, Unterkunft und einträgliche Arbeit finden.«

»Ich . . . ich glaube doch nicht an diese Religion, und . . . ich bin eine Hexe.«

»Am Anfang glauben wenige, sie wenden sich unserer Lehre nur zu, um angesichts der Verhältnisse in der Welt Trost zu suchen. Diese Hexerei ist's, der Ihr entsagen müßt.«

Lalette tat einen schweren Seufzer. Sie litt nun an Kopfschmerzen.

Und hatte dieser Kampf um Freiheit und Eigenständigkeit überhaupt einen Sinn? Das Netz zog sich enger, sie besaß keine größere Wahl als eine Marionette. »Nun gut. Doch Ihr müßt mir erklären, was ich zu tun habe.«

3

Die Versammlung wurde im rückwärtigen Lager eines Warenhausees abgehalten; die Teilnehmer saßen auf Wollballen oder dagegen gelehnt. Zum Schutz gegen die Profosen hatte man an den Zugängen Wachen postiert. Jemand, den man den Eingeweihten hieß, befleißigte sich einer weitschweifigen Abhandlung, wovon Lalette kaum ein Wort verstand, da sie sich um lauter weltfremde Dinge drehte. Sie konnte kaum verhindern, daß ihr die Augen zufielen; das ständige Einnicken und Aufschrecken entwickelte sich zur Folter. Auf dem Ballen neben ihr saß ein vertrocknetes Weibsbild, das durch die Nase röchelte; als der Vortrag gnädig schloß, nahm sie Lalettes Hand in beide eigene Hände, eine erstaunlich wirkende Geste, bis sie feststellte, daß alle Versammelten sich ebenso betrugen. Zu Lalettes Überraschung schienen die meisten wohlanständige Bürger zu sein, die sich um eine nahezu verbissene Wohlgelauntheit bemühten, als hätten sie diese Wohlgestimmtheit mit dem Verlust irgendeiner anderen angenehmen Eigenschaft erkauft.

Die hagere Frau plapperte noch immer auf sie ein, als ein Mann, der ein versteinertes Lächeln zur Schau trug, Lalettes Arm berührte; er sagte, der Eingeweihte hätte gerne mit ihr gesprochen. Das Gesicht des Mannes, der sich den Eingeweihten nennen durfte, war reglos wie aus Stein gehauen. Er fragte sie, ob sie verheiratet sei. Habe sie das Erste Buch des Propheten gelesen? Tränke sie scharfen Alkohol? Übe sie die Verbotene Kunst aus? Er starrte sie an, als müsse sein Blick bis in ihr Innerstes vordringen, als sie auf die letzte Frage zur Antwort gab, daß sie das in der Tat getan hatte, aber nie wieder tun wolle. Daraufhin mißhandelte er ihren Verstand mit einer Belehrung, die mindestens ebenso unbegreiflich war wie jene, die er zuvor der Versammlung erteilt hatte, und ließ sie in die Empfehlung münden, sie müsse in reinster Liebe wiedergeboren werden. Nach dieser tiefgründigen Lächerlichkeit sah er beiliebe keinen Grund, um sich in seinen kindischen Taschenspielereien zu mäßigen, sondern versicherte, er habe ihr ins Herz geschaut und ihre Aufrichtigkeit gesehen, doch müsse sie mit aller Sorgfalt das Erste Buch des Propheten studieren. Er händigte ihr einen Brief an den Frachtmeister eines zur Zeit im Hafen verankerten Schiffs aus; das genannte Erste Buch, versprach er, werde ihr an Bord selbigen Schiffs der Dritte Maat überreichen. Domina Domijaiek habe sich zu ihrer Bürgin erklärt; ihr Schutz aber werde allein die Liebe sein. Er küßte sie auf die Stirn, und die Versammelten begaben sich hinaus in die herabsinkende Dämmerung, die ein dem Frühjahr gemäßer Nieselregen vertiefte.

Am Kai versuchte man gerade zum Stampfen von Hufen und wirrem Geschrei ein widerspenstiges Pferd an Bord zu schaffen. Lalette drängte sich so dicht wie möglich in den Schatten der Witwe Domijaiek und musterte die Masten, die hoch empor ins Grau ragten, zerschnitten vom Geflecht aus Strickleitern und Wanten. Ein breiter Laufsteg führte hinüber zu einer Bresche in der Reling; nunmehr, da sie des Pferdes Herr geworden waren, hatten die Seeleute sich irgendeiner Umladetätigkeit am anderen Ende des Schiffs gewidmet, und daher schenkte niemand den beiden Frauen Beachtung, die das Deck betraten und dort auf unsicheren Beinen verharrten.

Schließlich löste sich ein Mann aus der Gruppe, rief heiter »Alsdann!« und kam übers Deck herüber, auf dem Kopf eine Mütze; er kaute an einem Kanten Brot. Er wäre nach einem kurzen Blick durch die vielschichtige Düsternis vorbeigegangen, hätte die Witwe ihn nicht mit ausgestrecktem Arm aufgehalten und gefragt, wo der Frachtaufseher sei. Er blieb mit offenem Mund und von zerkautem Brot aufgeblähten Wangen stehen. »Am Lazarett«, antwortete er und entschwand hinter einem Holzaufbau, der sich aus den Planken erhob. Ein paar Windstöße fegten Regen herab. Lalette duckte sich sogar unterm Mantel und fragte sich, ob wohl auf ihrer Stirn ›Hexe‹ geschrieben stehe, so daß vor ihr selbst jene zurückscheuten, vor denen alle anderen zurückschraken, namentlich Amorosier und Zigraner. Endlich verstummte das Stimmengewirr, die Gruppe trennte sich, und drei oder vier Männer zugleich kamen in die Richtung des Laufstegs, hauptsächlich Frachtleute, erkennbar an ihren Eisenhaken. Die einzige Ausnahme darunter besaß breite, aber krumme Schultern, ein Mannsbild mit fast grauem Bart und einer Laterne, die nicht brannte, in der Faust. Ihm stellte Domina Domijaiek sich vor und fragte, wo man das Lazarett finden könnte.

Er winkte mit einer Hand. »Links hinter dem Dreimast.« Dann fiel sein Blick auf Lalette, und er trat näher und starrte ihr so zudringlich ins Gesicht, daß sie zurückwich. »Zu Sire Brog, Schätzchen?« meinte er und wandte sich an die ältere Frau. »Hört, alte Schnalle, Euch habe ich noch nie in diesem Hafen gesehen. Wenn Ihr bei Sire Brog zu Rande seid, meldet Euch bei mir, vielleicht kommen wir ins Geschäft, hä? Man trifft mich bei Casaldo.« Die übrigen Männer lachten, und einer machte mit spitzen Lippen ein obszönes Geräusch, so daß Lalette ihr Unternehmen bereits bereute.

Hinter der Tür forderte eine Stimme sie zum Eintreten auf; die Stimme gehörte einem hochgewachsenen Mann mit weißem Haar, dessen struppige schwarze Brauen emporrutschten, als er aufgrund der Tatsache, daß Frauen ihn besuchten, ein langes Gesicht zog. Er blieb sitzen und warf nur einen halb kummervollen Blick auf ein Blatt voller Zahlenwerk, das auf einem herabgeklappten Wandbrett ruhte. Das

Empfehlungsschreiben hielt er am Anfang in beträchtlichem Abstand von seinen Augen in die Höhe, als sei es ein Plakat mit einer Proklamation; als er den Inhalt begriffen und die Unterschrift gesehen hatte, erhob er sich mit vollendeter Höflichkeit. »Zu Befehl!« rief er. »Hände waschen, das Gesicht. Ich hoffe, es geht Sire Kimred gut? Wollt Ihr einen Schluck Wein?«

Domina Domijaiek entschuldigte sich, da sie heim zu ihrem Kind müsse, doch als sie Lalette zum Abschied umarmte, drückte sie dem Mädchen eine kleine, aus Tuch gefertigte Börse voller Münzen in die Hand und stand plötzlich dicht vor einem Weinkrampf. Als sie sich abwandte, hatte Sire Brog soeben zwei Zinnbecher abgestellt und entkorkte eine Weinflasche. Er wies Lalette in den einzigen Sessel und nahm selber mit der Kante des Klappbettes vorlieb, das so von Wandschränken eingekeilt war, daß er sogar im Sitzen den Kopf einziehen mußte. »Übers Meer wünscht Ihr also zu fahren, Demoiselle Issensteg?« meinte er. Das war der Name, den ihr das Empfehlungsschreiben zugeeignet hatte. »Seid Ihr verwandt mit jenen inländischen Issenstegs in Veierelden? Ich habe von Ärgernissen in jenem Gebiet erzählen gehört.« Versuchte er, sie zu Indiskretionen zu verlocken? Wieviel wußte er tatsächlich über ihre wirkliche Herkunft und wahre Absicht? Sie erwiderte, sie entstamme nicht der Veiereldener Linie und ließ es dabei bewenden. Höflich fragte er, ob sie ein angenehmes Frühjahrsfest verlebt habe und ob sie eine gute Seefahrerin sei. Auf ihre Entgegnung, daß sie noch nie eine Seereise unternommen hatte, nahm sein Gesicht einen etwas besorgten Ausdruck an, und er äußerte sein Bedauern darüber, daß des Kapitäns Gemahlin, anders als gewöhnlich, diesmal nicht mit ihnen segle; er werde ihr jedoch eine Glocke zur Verfügung stellen, womit sie im Bedarfsfall jemanden rufen könne. »Ich bin der festen Überzeugung, daß Ihr nicht behelligt werdet, Demoiselle, aber immerhin . . . ich sage Euch, der Dritte Maat ist so sonderbar wie . . . wie ein Hund mit zwei Köpfen.«

Mit diesem Hinweis leerte Sire Brog seinen Becher und stand auf, um ihr mit einem Licht den Weg in ein Quartier zu weisen, das so gut wie aufs Haar seiner eigenen winzigen Kabine glich. Sie entschied, daß sie seine Befragung zu schlecht ausgelegt hatte: er war lediglich interessiert am Freund eines Freundes. Es war angenehm, sich nicht länger fürchten zu müssen. Ungefähr eine Stunde später, als sie zusammengekauert, aber noch bekleidet auf ihrem Bett hockte, stellte sie fest, wie gut Abmorosier für die ihrigen vorzusorgen verstanden. Nach einem Pochen an die Tür kam ein Seemann herein und setzte einen sorgsam umgürteten Überseekoffer ab, säuberlich bemalt mit ihrem angeblichen Namen; er enthielt ein Sortiment Wäsche, Schuhe und ein Kleid, alles in ihrer Größe sowie neu und von anerkennenswerter Güte.

4

Das rhythmische Stampfen von Füßen und entferntes Geschrei weckten sie; an der Tür pendelte langsam ein großer runder Fleck aus Helligkeit. Noch am gestrigen Abend hatte sie unter dem Klappbrett, das als Schreibfläche diente, ein Becken und einen Krug entdeckt, aber das Wasser war so kalt, daß sie eine Gäsehaut bekam. Das neue Kleid bedurfte der Anpassung in den Schultern, so daß sie, nachdem sie es anprobiert hatte, ihr altes Gewand überstreifte, ehe sie durch einen Korridor, worin es drei weitere Türen gleich ihrer Kabinentür gab, an Deck trat. Nach den Anweisungen eines Offiziers mit grüner Kappe schoben und zogen zwei Männer mittels zweier Jochs einen Balken um seinen Drehpunkt, um das Schiff zu steuern, wie Lalette glaubte; einer davon war der Krausbärtige, der am Abend zuvor Domina Domijaiek ein Geschäft angeboten hatte. Er hob zum Gruß eine Hand an die Stirn und war immerhin so offen, nun ein dummes Gesicht zu machen. Der Offizier beachtete sie kaum; er musterte die Masten, die beiderseits des Schiffs emporragten, und die kleinen Boote rundum, denn sie hatten das Hafengebiet schon weit hinter sich gelassen und schwammen zwischen ankernden Schiffen zügig stromabwärts, obwohl die Segel so schlaff herabhingen, daß so gut wie gar kein Wind hineinzublasen schien.

Lalette ging an den Männern vorüber an die Reling, um das Vorbeiziehen der Uferlandschaft zu beobachten; nach einer Weile hörte sie Schritte sich nähern: das war Sire Brog. Er tippte an seine Mütze und lud sie zum Frühstück ein; dazu führte er sie eine steile Treppe hinunter und durch einen anderen Korridor in eine Räumlichkeit im Heck des Schiffs. Ein schräges Fenster warf gedämpften Schimmer auf eine für fünf Personen gedeckte Tafel; das Essen war bereits aufgetragen. Ein Mann stand bereits an der Tafel; Sire Brog stellte ihn als den Zweiten Maat vor, und während er das tat, kam ein hochgewachsener Offizier mit strengem Kinn und dicken Tränensäcken unter den Augen mit einem Gebaren großer Eile herein und setzte sich ohne Umschweife. Das war der Kapitän, Sire Mülvedo; er erhob sich um einen knappen Fingerbreit von seinem Platz, als Sire Brog seinen Namen nannte, und begann zu essen, während die übrigen Anwesenden sich setzten. Lalette fand diese Höflichkeit etwas sonderlich für jemanden, der eine Standesspange hohen Ansehens trug, aber es erregte ihre noch größere Verwunderung, als ein junger Offizier eintrat und der Kapitän ihn mit barschen Worten augenblicklich wieder hinauswies. »Sie haben sich verspätet. Die Ordnung an Bord dieses Schiffs ist Ihnen bekannt. Nehmen Sie Ihre Mahlzeit mit der Mannschaft ein.«

Mißmutig tat der junge Offizier wie geheißen, doch bevor er ging, erkannte Lalette in ihm jenen Mann, der ihnen den Weg zum Lazarett gezeigt hatte. Die Mahlzeit fand in Schweigen statt; als der Kapitän aufstand, taten das auch die anderen, und Sire Brog nahm Lalettes

Arm, um sie zurück an Deck zu geleiten. Die Frühlingsluft war herrlich; die Flußufer lagen in sanftem Grün. Lalette schaute umher. Sie verspürte einen Schauder von Behagen darüber, daß es nun wirklich Frühling für sie war, denn sie hatte sich vom alten Leben befreit und sich ein neues Leben erschlossen. So bemerkte zuerst gar nicht, daß Sire Brog zu ihr sprach. »Verzeiht«, sagte sie. »Ich habe geträumt.«

»Nun, das ist recht, denn Träume erhalten uns das, worüber wir hinausgewachsen sind. Ich habe mir die Bemerkung erlaubt, daß Ihr unserer Abfahrt Glück und gutes Wetter gebracht habt – außer für Tegval.«

»Den jungen Mann, den der Kapitän des Frühstücks verwiesen hat?«

»Ja.« Der Frachtmeister lachte. »Unser Dritter Maat ist ein bewundernswerter junger Bursche, doch besitzt er einen Fehler – ihm ist aufgefallen, wie bewundernswert er ist, und seitdem verhehlt er nicht seine Bewunderung für sich selbst.«

Der Dritte Maat sollte ihr das Buch geben. Lalettes Blick ruhte auf einer großen ungestrichenen Scheune ohne ein einziges Fenster, die am Ufer allmählich zurückblieb. »Aber ich fand«, sagte sie indessen, »daß Euer Kapitän für ein so unwichtiges Vergehen sich zu streng zu ihm verhielt.«

»Ach, das ist nun einmal so auf See und unter Seeleuten. Auf einem Schiff lernt man sehr früh, daß es in der Welt nicht so etwas wie Nachgiebigkeit gegenüber den eigenen Neigungen geben kann. Alles ist eine Pyramide der Befehlsgewalt.«

»Ihr sprecht aus Bitterkeit.«

»Nein, ich sehe bloß die Wirklichkeit, wie sie ist.« Er machte weitere Äußerungen, auf die sie anscheinend antwortete, denn er lächelte und redete immer weiter, doch insgeheim war sie weit fort; sie fragte sich, ob sie Rodvard jemals wiedersehen oder ihren Blauen Stern zurückerlangen werde; sie war an Bord eines Schiffs, das übers Meer in See stach, und die Schuld trug er, da er das Angebot ihrer Freundschaft und die Aufgabe ihrer Mutter mit nichts belohnt hatte als Untreue und Abwendung – und nun staunte sie selber darüber, daß sie jene Kontre-Hexerei vollzogen hatte, ohne sich nur einen Moment lang zu fragen, ob diese Hilfe überhaupt angebracht sei; sie spürte Tränen in den Augen und hoffte, daß er sich unterdessen darauf besonnen haben möge, welchen Hort an Treue und Gutem er an ihr verloren hatte. Nein, dachte sie dann, ich lasse niemals wieder jemanden meine Freuden mit mir teilen.

Irgendwer stieß in eine Pfeife; Männer liefen übers Deck; Tegval gesellte sich zu ihnen, seine Kappe keck schräg an den Kopf gedrückt. Er hatte jenen Blick mit dem Ausdruck inneren Friedens, welchen sie bereits bei den Amorosiern feststellen konnte, die an der Zusammenkunft teilgenommen hatten, damit vermischt ein gewisses Maß an Forschheit und Unbekümmertheit.

14. Kapitel

Die Ostsee – Des Kapitäns Erzählung

1

Während sie sich unterhielten, hatte sich über den Himmel ein zerfranstes Weiß gebreitet. Lalette suchte ihre Kabine auf, welche der runde Aufbau umfaßte, der sich auf Deck erhob, und widmete sich dem Gebrauch der Nadel. Es fiel ihr schwer, das neue Kleid ihrer Figur anzupassen, da sie sich bislang in kaum etwas anderem als Stickerei geübt hatte, und das Anpassen und Feststecken beanspruchte sie in solchem Maße, daß sie den Ablauf der Zeit kaum bemerkte; schließlich fühlte sie sich ermattet und legte sich nieder, worauf sie lag, bis ein Pochen an die Tür sie weckte.

Der Störenfried war Tegval, der Dritte Maat. »Darf ich Euch zur Mittagstafel geleiten?« Das Schiff war völlig bewegungslos, als sie unter den freien Himmel traten; es lag inmitten einer blaubraunen Ebbe: flache Uferbänke erstreckten sich beiderseits hinauf zum Grün. Tegval half ihr geschickt die Treppe hinab, und diesmal hatte er für Pünktlichkeit gesorgt, so daß alle schon warteten, als Kapitän Mülvedo hereinstürzte; der war sichtlich befriedigt, als er alle vollzählig versammelt sah, und verzerrte sein Gesicht zu einem Lalette zugedachten Lächeln, gab sich alle Mühe, mit ihr über Leute zu klatschen, die eine wohlgebildete Demoiselle kennen sollte; ein paar davon kannte sie in der Tat, doch mußte sie alle solche Äußerungen meiden, welche zu ihrem Decknamen nicht gepaßt hätten. Nach dem Essen bot Tegval ihr galant den Arm und zeigte ihr das Deck bis hin zum Dreimast, wobei er über die Eigenschaften des Schiffes referierte sowie über die Schönheiten des Meeres. Als sie ihm Fragen über Brog, den Kapitän und andere Personen stellte, gab er nur kurze Antworten; und sobald der Abend mit einer Andeutung von Kühle sich anzukündigen begann, gab sie zu wissen, daß sie sich in ihre Kabine zurückzuziehen beabsichtige. Er neigte sich nahe zu ihr herab, als er ihr die Tür öffnete, und verhieß mit leiser Stimme, daß er in der Nacht um vier Glasen mit einem Buch kommen werde, dann legte er einen Finger auf die Lippen, um irgendwelchen Fragen vorzubeugen, und da begriff sie, daß es selbst auf einem Schiff mit Kurs auf Mancherei nicht allzu zuträglich war, ein Amorosier zu sein.

Sie streckte sich auf dem Bett aus, ohne wirklich Wert auf festen Schlaf zu legen, und bemühte sich, die ihr aufgebürdeten Rätsel zu lösen. Wie kam es, daß ihr Sinn nach Rodvard stand, wiewohl sie bisher so wenig mit seiner Nähe vertraut zu werden vermochte? Er hatte einen höchst gelinden Geruch nach Leder, Männlichkeit und Behagen an sich gehabt. Es verwirrte sie ein wenig, daß sie diesen Geruch vermißte, und sie verwandte ihre Grübeleien auf andere Ärgernisse, bis sie im Dunkeln lag und in stummer Wut schwelte; das Schiff setzte sich in spürbare Bewegung. Diese Veränderung ihrer Umwelt erinnerte sie mit aller Deutlichkeit an ihr Tun; sie begann um ihrer eigenen Probleme willen zu weinen, die Tränen versickerten, wo ihr Gesicht im Kissen ruhte, bald vom Gedanken gepackt, daß Rodvard womöglich recht gehandelt habe, aus der Nähe einer so hysterischen Hexe zu entweichen.

An der Decke stak in einem Drehgehänge eine Lampe. Sie erhob sich, um sie zu entzünden, doch mußte sie unablässig den Zunder schlagen, bis ein brauchbarer Funke entstand; unterdessen verspürte sie im Magen ein höchst merkwürdiges Übelsein, von dem sie nicht wußte, ob es vom überreichlichen Mittagessen herrührte oder von der berüchtigten Seekrankheit. Während ihr Kranksein sich immer ernstlicher bemerkbar machte, vernahm sie durch das winzige Fenster ihrer Kabine rhythmisches Füßestapfen und Geschrei; ihr war elendig zumute, ihr Bewußtsein fühlte sich gefangen wie eine Ratte in einer Falle, bis man schließlich viermal in eine Pfeife blies und jemand an die Tür klopfte.

Natürlich war es Tegval; er trug einen Überrock, dessen Saum mit der Bewegung des Schiffs schauckelte, wegen welcher der Maat unter der Tür breitbeinig stehen mußte. »Wir segeln unter steifem Wind, und er nimmt sogar zu«, sagte er in wohlgelauntem Tonfall. »Wir haben Glück. Bereitet die See Euch Unbehagen, Demoiselle?«

»Ich bin . . . krank.« Es mißfiel ihr, das zugeben zu müssen.

»Das ist nicht ernst. Gebt mir Eure Hand.« Er umschloß sie auf sonderbar unpersönliche Weise mit beiden eigenen Händen und schloß die Augen; seine Lippen bewegten sich. Seine Augen waren, wie sie sah, als er sie wieder aufschlug, von hellem Blau. »Ihr werdet wohlauf sein«, sagte er und setzte sich auf den Stuhl, von dem Lalette erst bei dieser Gelegenheit feststellte, daß man ihn am Boden festgeschraubt hatte.

Sie glaubte ihm nicht; das Pendeln der Lampe verursachte ihr ein Schwindelgefühl, und nun spürte sie, daß seine Persönlichkeit mit einer nahezu körperlichen Anstrengung nach ihr tastete, und sie schämte sich ihrer zuvorigen Gereiztheit genug, um in ihre Stimme etwas von ihrer Menschenfreundlichkeit einfließen zu lassen. »Ihr seid zu gütig. Es war die Rede davon, daß ich von Euch ein Buch erhalte.«

Er löste Bänder und holte aus seinem Rock einen großen, flachen, ganz in blaues Leder gehüllten Band, den das königliche Wappenschild Dossolas schmückte, um auf den Verfasser hinzudeuten. »Ihr solltet es unter niemandes Augen geraten lassen«, empfahl er. »Unser Frachtmeister nimmt die Gesetze so ernst, daß er seinen besten Freund denunzieren würde – und der bin ich nicht.«

»Ihr könnt meiner gewiß sein.« Ihre Finger berührten sich, als er ihr das Buch aushändigte; er wirkte nicht länger unpersönlich, und sie ließ die Berührung für einen kurzen Moment andauern, bevor sie Seiten umzublättern begann. Sie waren mit fetten Buchstaben bedruckt; die Initialien waren rot. »Was für ein schönes Buch«, sagte sie.

»Es enthält das Wort von der Liebe«, sagte er. »Eine wahre, eine gute Kunde . . .« Er verstummte so plötzlich, als sei es unklug, mehr zu verraten.

»Ich werde es lesen.« Sie wollte nicht, daß er bereits wieder ging, und deshalb suchte sie nach irgendwelchen Worten. »Weiß Gott, ich habe im Irrgarten des Lebens dringlich Hilfe nötig.«

»Wir machen einen Unterschied zwischen dem Gott des Bösen und dem Gott der Liebe, in dessen Armen wir geschützt vor dem Tollwütigkeiten ruhen mögen, die diese Welt verpesten«, sagte er. »O Unmenschlichkeit! Heute verfing sich ein Regenpfeifer in der Takelage, und was mußten sie tun? Ihn fangen, damit der Kapitän ihn verzehren konnte! Beim Gedanken daran bekam ich kaum mein Essen herunter.«

Lalette stutzte. »Diese Seite Eurer Lehre verstehe ich nicht recht. Wenn man so denkt, dürfte man ziemlich oft Hunger leiden, glaube ich. Leben wir nicht alle durch den Tod anderer Geschöpfe, leidet nicht auch die Pflanze, wenn wir sie verzehren?«

Tegval stand auf. »In der wahren Liebe, so werdet Ihr lernen, ist alles Teil eines Körpers, und alle müssen geben, was ein anderer zur Erhaltung braucht. Lest das Buch und schlaft gut, Demoiselle.«

Dann war er fort; und mit ihm – zu Lalettes Überraschung – ihre Übelkeit.

2

Es war ein seltsames Buch, verfaßt in Form einer wundersamen Geschichte über einen jungen Mann, der in die mannigfaltigsten Erschwernisse geriet, und das nur, weil er bestrebt war, in seinen Handlungen jeden Schritt durch den Verstand zu lenken, wie man es ihn gelehrt hatte; es schien, daß sein Verstand ihn allzeit trog, denn stets ergab sich ein Umstand, den seine Philosophie nicht vorauszusehen vermochte, der aus den natürlichen Gegebenheiten einer mit Mängeln behafteten Welt erwuchs. Auf diese Weise führte die Vernunft ihn endlich immer auf den Pfad des Bösen, den er jedesmal nur verlassen konnte, indem die Vernunft opferte und gegen Zuneigung für seine Mitmenschen austauschte. Für den Fall, daß dem Leser ein Gedanke entgehen sollte, schweifte der Verfasser bisweilen von seinem Roman ab, um ein Moral zu ziehen, zum Beispiel: ›Niemand vermag sich von der Nichtswürdigkeit zur Tugend zu erheben, der nicht das Dogma der Akademien abgestreift hat, welches da lautet: Beharrung sei eine Tugend.‹ Lalette empfand diese Einschübe als Ärgernis, aber sie verzieh die meisten um der Schönheit des geschriebenen Wortes willen, das war wie Musik; von herrlicher Pracht waren die Beschreibungen von Wolken, Bäumen, sternenhellen Nächten, aller jener Dinge, die ein Mensch mit allen anderen teilen solle, da er sie beschmutze (sagte der

Verfasser), wolle er etwas davon für sich allein. Doch die Art des Buches machte es zu einer schweren Lektüre, und das Pendeln der Lampe erschwerte das Lesen; so löschte Lalette nach einer gewissen Zeit das Licht und ließ sich in den Schlaf sinken.

Am Morgen schnitt das Schiff unter grauem Himmel durch steile Wogen, alle Segel prall voller Wind. Es kostete Mühe, die Speisen auf dem Tisch zu halten; während des Frühstücks war Kapitän Mülvedo in fröhlicher Stimmung und neckte Lalette, sie sei ein so guter Seemann, daß er sie zum Tauezurren auf die Mastspitze schicken könne. Brog lächelte ihr väterlich zu; der Erste Maat, dessen Ohren über den Enden seines langen Kinns sich beim Kauen bewegten, erlaubte sich, ihr die Handhabung der Ruderpinne beizubringen. Auf Deck fühlte sie sich wie eine Prinzessin, beglückt darüber, daß dies Abenteuer einen guten Verlauf nahm, und froh, weil sie nun mit diesem gehetzten Rodvard fertig war. Das Haar umwehte ihr Gesicht, und auf ihren Lippen schmeckte die salzige Feuchtigkeit ihr köstlich. Die Wasser des Meeres boten einen hinreißenden Anblick von Gleichheit und Wechsel. Als sie sich schließlich von der Reling abwandte, sah sie Tegval, der ein wenig balancierte, den Blick zum Bug gerichtet, eine durch und durch forsche Erscheinung.

»Ich wüßte gerne, welche Hexerei Ihr angewendet habt«, sagte Lalette, »um meine Beschwerden so schnell zu kurieren.«

»Keine Hexerei, Demoiselle«, antwortete er, ohne den Kopf zu wenden, »sondern die eigentümliche Kraft der Liebe, die Elend in Freude verwandelt. Und nun sprecht nicht weiter von so etwas.«

Das Schiff bäumte sich auf; sie hätte ihr Gleichgewicht verloren, wäre er nicht herbeigesprungen, um sie mit einer Hand zu stützen. »Tegval!« donnerte da die Stimme des Kapitäns. »Ich wäre Euch dankbar, würdet Ihr Euch darauf besinnen, daß es die Offizierspflicht ist, das Schiff unter Obacht zu haben und nicht die schönen Damen. Begebt Euch lieber zum Vorderdeck.« Unbemerkt hatte er sich den beiden genähert; nun tippte er, während der Dritte Maat eine Bestätigung schnarrte, an seine Mütze. »Soll keine Unehrerbietigkeit Euch gegenüber sein, Demoiselle. Kennt Ihr diese alte Seefahrerlegende, ha ha, von den Seehexen mit dem grünen Haar, die zum Geist eines Schiffs reden und ihm ein Verhängnis anhexen, das der Mannschaft doch wie die allerhöchste Verzückung vorkommt? Seid bedacht im Umgang mit meinen Männern – denn auf See verfüge ich über alle Rechte und kann Euch auf Wasser und Brot setzen.« Er schüttelte einen Finger und plusterte sich auf wie ein Hahn, wobei er lachte, bis alle losen Muskeln seines Gesichts sich zu Rundungen verkrampft hatten.

»Aber mein Haar ist nicht grün«, entgegnete sie und ging aus lauter Freude am Morgen auf seine Redensarten ein, obschon sie insgeheim im Hintergrund ihres Bewußtseins dachte: Wenn er nun wüßte, daß ich eine Hexe bin? Jener kann nichts für mich tun. Warum bin ich hier?

»Ich kannte einmal einen Maat an Bord der alten *Quinada*«, sagte er, »damals zur Zeit des Tritulaccanischen Krieges, an den Ihr Euch nicht erinnern könnt, da Ihr zu jung seid, Demoiselle.« Er zog den Kopf zu einer Art von Verneigung ein, um das Kompliment zu betonen. »Ja, was war das für eine Zeit damals, stets mußten wir uns vom einen zum anderen Hafen wie Diebe schleichen, in ständiger Furcht, es könne uns ein Rebellensegler überfallen oder eines der tritulaccanischen Schiffe, so daß wir unsere Jahre in den Ruderbänken eines Küstengeschwaders unter der Peitsche beschließen müßten. Eine gefährliche Zeit, eine schwere Zeit – und dennoch, Ihr vermögt Euch nicht die Faulheit mancher Seeleute vorzustellen, Demoiselle, die ein solches Maß annehmen kann, daß sie lieber das eigene Leben fortwerfen als aufmerksam Wache halten. Ich erinnere mich, wie ich einen, als wir am hellichten Tag die Grünen Inseln ansteuerten, im schönsten Schlaf vorfand, im Bugkrähennest zusammengerollt, wo er doch als Ausguck auf der Hut sein sollte – und zwischen den Grünen Inseln, so müßt Ihr bedenken, lagen bewaffnete Schiffe auf der Lauer, um sich auf die Unsrigen zu stürzen. Aber Ihr dürft nicht glauben, Demoiselle, es sei eine aufregende Zeit gewesen, denn es ist eine Tatsache, die nie jemand glauben will, daß man im Krieg stets warten und abermals warten muß, dem Tod mit dem Frühstück vorbeugt und nichts und wieder nichts geschieht, so daß man zuletzt Erleichterung verspürt, wenn's ums Leben geht. Dieser Mann nun – wie hieß er doch gleich? Man rief ihn immer Rotfuchs, den Grund dafür habe ich jedoch nie herausgefuunden, er war überhaupt kein bißchen rot, er war dunkel wie Ihr – also, diesem Maat Rotfuchs konnte man kaum ein gutes Aussehen nachsagen, aber er war munter und lustig und besaß eine flinke Zunge. Pausenlos erzählte er Geschichten von diesen und jenen Ereignissen, von denen die Hälfte andere Leute erlebt hatten, obwohl er sie von sich erzählte. Doch getrost, es störte niemanden, denn er beschrieb alles so vortrefflich. Ich weiß noch, das er eines Abends, als wir im Haus von Sire Lipon weilten, unserem Kommissionär, die Geschichte von der Eisbärenjagd im Eis jenseits von Kjermanasch kolportierte – erst am Tag zuvor hatte er sie von mir vernommen, und nun gab er sie weiter, als habe niemand anderes als er persönlich im Mittelpunkt des Geschehens gestanden! Ich saß mit offenem Mund dabei, sagte jedoch nichts dazu, weil ich die Geschichte nämlich auch nicht selber erlebt hatte, und außerdem hatten die Lipons eine Tochter, ein süßes kleines Ding mit Namen Belella, das anscheinend ebenso in Rotfuchs vernarrt war wie er in selbiges liebe Kind, und es war nicht meine Sache, ihm übel mitzuspielen; ich war ohnehin längst vergeben, versteht Ihr? Er erzählte also die Geschichte von der Eisbärenjagd, und es dauerte nicht lange, da hockten die beiden abseits in einem Winkel des Salons – und denkt Euch, zwei Wochen später waren sie getraut!«

Brog trat zu ihnen; er berührte seine Kappe. »Eure Vergebung, Kapitän«, sagte er. »Es hat sich ein Ärgernis mit den Wollballen ergeben.

Ich kann nur sechs finden, die auf Euer Konto gehen, wogegen es dreimal soviel sein müßten.«

Mülvedo zog ein finsteres Gesicht. »Ach, Pest und Hölle, ich bin hier beschäftigt.« Er drückte Lalettes Arm fester unter dem seinen. »Wendet Euch später nochmals an mich, Brog.« Sie taten einige Schritte, wobei der Kapitän sie stützte, damit der Seegang sie nicht von den Beinen hob. »Jetzt weiß ich seinen Namen wieder, er hieß Piansky, aber warum man ihn Rotfuchs nannte, habe ich nie begriffen. Sie vermählten sich also, wie ich schon sagte – das war das Ergebnis einer jener windesschnellen Werbungen, auf die wir Seeleute angewiesen sind, da wir für etwas anderes keine Zeit haben, und die beiden zogen in ein großes Haus am Candovariaplatz, das der Alte gebaut hatte, und manche sagten, ein so großes Haus für nur zwei Leutchen sei eine greuliche Verschwendung, doch habe ich diese Rede nie einsehen können, denn sie war die einzige Tochter und hätte beizeiten sowieso alles geerbt, so daß sie nichts anderes tat als sich das nehmen, das ihr zustand. Rotfuchs versäumte eine Seereise, während die beiden sich ihr Nest einrichteten, aber danach kehrte er zu uns zurück, froh und heiter wie ein Kaninchen, und er besaß ja dazu auch allen Grund, er hatte eine liebreizende Frau, ein anständiges Zuhause und war obendrein zu Wohlstand gelangt. Das war ungefähr zur Zeit, als meine Frau starb. Wenn das Schiff dann vor Anker lag und auf die neue Ladung wartete, nahm Rotfuchs mich mit zu sich heim. Domina Belella hatte stets guten Wein im Haus und eine Menge Leute, immer andere, denen Rotfuchs ständig seine Geschichten erzählen mußte. Über die komischen Seiten lachte sie, und sah ihn unverwandt voller Stolz an. Sie waren beide sehr lustige Menschen – jedenfalls bis zur Zeit des Tritulaccanischen Krieges, den ich erwähnt habe. Ich erinnere mich, daß es nach der zweiten oder dritten Seereise nach Kriegsausbruch war, als ich das Haus von neuem betrat, es war wieder eine gefährliche Passage gewesen, wir segelten mit Wolle südwärts und mit Nachschub fürs Heer zurück, aber unser Kapitän hatte anscheinend gerochen, wo die Tritulaccan sich herumtrieben, wir sahen nicht eines ihrer Segel. Das war jene Fahrt durch die Grünen Inseln, wovon ich schon gesprochen habe. Wir erreichten das Haus am späten Abend, der Salon war voller Menschen, die rund ums Feuer saßen und tranken, und Domina Belella stolperte, als sie sich erhob, um Rotfuchs zu umarmen, woraus Ihr schließen könnt, wieviel sie bereits geladen hatte, ha ha! Sie ließ ihn sich auf ihren Platz setzen und rutschte auf seinen Schoß, indem sie zu uns sagte, wir sollten still sein und lauschen, denn hier sei Fähnrich Glaverth von den Roten Teufeln, der an einem Vorstoß über die Rauhen Berge teilgenommen habe und soeben mitten darin, der Gesellschaft davon zu berichten. Ich fand an alldem nichts abwegig, dieser Glaverth saß am Boden, den Rücken an ein rotes Lederpolster gelehnt, und nebenbei, er war einer jener Glaverths aus Ainsedel, diese Familie, die man die Glaverths vom Berge nennt, um sie von der herzoglichen Linie unterscheiden zu können. Er erzählte, wie er in einem tritulaccanischen Bauernhaus ein Bett requirierte, wo es auch eine Tochter gab, und da er selbige mit in jenes Bett nahm, verriet sie ihm von einem Hinterhalt, den man den Roten gelegt hatte. Wie gesagt, ich ahnte nicht im geringsten, daß Rotfuchs den Erzähler übel aufnehmen könne, doch plötzlich unterbrach er dessen Worte, indem er seinen Becher ins Feuer warf und rief, er wolle nicht mehr von dem südlichen Roten, den er Stutenpisse und Schweinewasser für Verräter nannte, sondern vom ehrbaren, feurigen Trank des Nordens. Zwei oder drei Anwesende lachten, und Domina Belella legte einen Finger auf ihre Lippen, befahl dem Diener, den Likörwein zu bringen und bat dann diesen Galverth recht eindringlich, er möge in seiner Erzählung fortfahren. Nachdem er das getan hatte und Gemurmel herrschte, da man ihm viele Fragen stellte, stieß Rotfuchs sein Weib von seinen Knien, als sei's ein Sack Mehl, und baute sich mit seinem Becher am Kamin auf. ›Ihr Sauen von Soldaten‹, rief er – ich erflehe Eure Nachsicht Demoiselle, aber an jenem Abend befleißigte er eben solcher Wendungen, wie Ihr sie nun vernehmt –, ›Ihr Sauen von Soldaten prahlt mit den Gefahren, denen Ihr ausgesetzt wäret, doch ich sage, das sind keine wirklichen Gefahren, es sind Kinkerlitzchen, wie sie jedem auf jeder Straße widerfahren können und die man mit einem kräftigen Griff oder einigen couragierten Worten aus dem Wege zu räumen vermag, oder . . .‹ Ach, ich will vor Euch nicht wiederholen, was er noch sagte, Demoiselle, aber es war etwas, das dafür sorgte, daß alle Anwesenden nach Luft schnappten, und wenigstens ein Drittel davon trug die Krönchenspange. ›Jawohl!‹ rief Rotfuchs des weiteren. ›Eure tritulaccanischen Schandmetzen! Was Schlimmeres könnten sie Euch antun als Euch beim Suff den Korkenzieher in den Buckel zu bohren, so daß Ihr zum Ruhme Dossolas und mit dem Segen der Kirche gen Himmel fahrt? Aber die alten Vetteln, deren wir Seeleute uns erwehren müssen, sie können einen Mann die Seele kosten und ihn in die ewige Pein stürzen. Vielleicht bin ich schon ein Verlorener – ein Verlorener!‹ Ich weiß noch genau, in welcher Haltung er diesen Klageruf ausstieß, er schlug sich mit einem Aufschluchzen beide Hände vors Gesicht, und jemandem entfiel wahrlich ein Becher. Fast alle dachten wohl, man werde sehen, der Wein habe seinem Kopf Hirngespinste eingeflößt, und ich dachte keineswegs anders, aber dann begann er eine ausgedehnte Erzählung vorzutragen, und seine Stimme wies nicht den leisesten Anklang von Weinseligkeit auf. Er schilderte unsere gesamte Fahrt nach Süden durch die Grünen Inseln, aber ich schwöre Euch, Demoiselle, hätte ich ihn gehört, bevor das Schiff in See stach, ich wäre gar nicht an Bord gegangen, so gräßlich war sein Reisebericht, der fürchterliche Stürme und tritulaccanische Attacken einschloß, dieselben jedoch nur zur kurzweiligen Einleitung, ehe er, wie er sagte, von jenem grauenhaften Ereignis erzähle, das sich zwischen den Grünen Inseln zugetragen habe, als das Schiff sich eines Nachts unter einer Flaute befunden habe. Er behauptete, einen Laut wie fernen Gesang vernommen zu haben, und zugleich hätte sich das Schiff ohne den schwächsten Wind zu bewegen begonnen. Am Bug, so sagte er, habe er im Wasser so etwas wie Strudel grünen Feuers gesehen und sofort erkannt, daß das Schiff in der Gewalt von Seehexen sei, die es fortschleppten. Er hätte den Notanker setzen wollen, das hätte er gewollt, doch wären alle Männer an der Reling gestanden, um über Bord zu starren, und ihre Neigung, ihm zu gehorchen, sei so gering gewesen, daß sie gar seine Hand abschüttelten. Der Gesang sei alsbald bis in sein eigenes Herz gedrungen, und da habe er gewußt, daß das Schiff in kurzer Frist dem Verderben anheimfallen müsse – doch da sei er zum Bug zurückgekehrt und habe gerufen, zu einem Teil noch seines Willens mächtig, sie könnten ihn als williges Opfer bekommen, falls sie die restlichen Männer aus ihrem Bann entließen. Damit wären die Seehexen, so versicherte er, einverstanden gewesen. Eine der Dämoninnen habe über das Tauwerk das Schiff erklommen und mit ihm die ganze Nacht zugebracht, und am Morgen ihm mit dem Wort Lebewohl gewünscht, er müsse unbedingt wiederkommen. Ich sage Euch, Demoiselle, ich hatte noch nie ein besseres Seemannsgarn von Rotfuchs gehört. Doch als er geendet hatte, ergriff Fähnrich Glaverth die Hand Domina Belellas, wünschte ihr eine Gute Nacht und versprach, er werde einmal seinen jungen Vetter mitbringen, damit derselbige auch in den Genuß einiger solcher Anekdoten komme, und alle anderen Gäste begannen sich ebenfalls zu verabschieden. Nachdem alle das Haus verlassen hatten, ließ Domina Belella sich auf das Polster nieder, wo zuvor der Fähnrich saß, und starrte eine Zeitlang ins Feuer. ›Wirst du niemals ein Mann sein?‹ fragte sie ihren Gemahl, als er sie anrühren wollte. Ein wenig verwundert sah er sie an. ›Habe ich etwas Unangebrachtes gesagt?‹ fragte er, und war das nicht eine sonderbare Frage? ›Etwas Unangebrachtes, ja‹, gab sie zur Antwort und starrte fortgesetzt ins Feuer, ohne nur im geringsten den Kopf zu wenden. ›Es könnte mir nicht gefallen, selbst wenn's nicht wahr wäre.‹ Ich erinnere mich haargenau an diesen Satz, weil ich ihn nicht verstand und noch heute nicht verstehe. Er sagte nichts weiter darauf, aber ich bemerkte, daß während unseres diesmaligen Aufenthalts im Hafen nicht länger so häufig Gäste ins Haus kamen wie früher, und als wir uns das nächste Mal auf See befanden, verkaufte Domina Belella das Haus und zog in die Westprovinz. Deshalb denke ich manchmal, daß es ein großes Glück war, als mir meine Frau verstarb, obschon es mir derzeitig großen Kummer bereitete, denn Menschen ändern sich, sie wachsen nicht zusammen, sondern entwachsen einander.«

Ein Wellenkamm schäumte übers Schanzkleid und näßte ein wenig Lalettes Saum, so daß sie zurückwich und sich enger an den hilfreichen Arm des Kapitäns drückte.

»Aber sie muß doch gewußt haben«, sagte sie, insgeheim verwundert darüber, wieso er ihr diese Geschichte erzählt hatte, »daß er sich die Seehexen nur ausgedacht hatte.«

»Fürwahr, das könnte sein, das könnte sein. Möglicherweise zürnte sie ihm, weil er so häßliche Worte zum Fähnrich Glaverth gesprochen hatte, der doch die Krönchenspange trug. Aber ich sehe den wahrscheinlicheren Grund darin, daß ein jeder von uns dann und wann nach einem neuen Bettgenossen trachtet, und sie konnte es nicht ertragen, daß er eher als sie daran gedacht hatte.«

15. Kapitel

Charalkis – Die Tür fällt zu

1

Brog lehnte sich zurück und hob seinen Becher. »Während der Mensch altert«, sagte er, »wandert der jeweilis wichtigste Körperteil allmählich von Organ zu Organ nach Norden, angefangen bei den Füßen, denen nämlich, wie sich leicht beobachten läßt, eines Säuglings ganze Aufmerksamkeit gehört, und der Greis sitzt am Ende still und ergibt sich den Gedanken, die ihm durch den Kopf gehen. Was mich betrifft, so habe ich nunmehr den höchst behaglichen Lebensabschnitt des Magens erreicht, worauf ich dankbar trinken möchte.«

»Danach müßte man Sire Tegval«, meinte der Erste Maat mit vollem Mund, »ein Stück tiefer einordnen.«

»Ein wenig tiefer, ja.« Brog richtete seinen Blick auf Lalette. »Doch sorgt Euch nicht, Demoiselle. In meiner Eigenschaft als Frachtmeister bin ich dafür verantwortlich, daß jede Ladung so wohlbehalten in den Hafen einläuft wie sie in See gestochen ist.« Ein Lächeln verzerrte sein Gesicht, bis es einer Landkarte mit einer von Flußtälern und Schluchten durchfurchten Gebirgskette glich. Lalettes Kopf fuhr herum; sie sah Blenau Tegval fest an.

Der Erste Maat schluckte mühsam. »Vorbehaltlich der Befehle des Kapitäns, Sire Frachtmeister – auf hoher See besitzt der Kapitän die ungeteilte Gewalt.«

Lalette erhob sich und schwankte im Pendelrhythmus der über ihren Köpfen aufgehängten Lampe, während sie um die Erlaubnis ersuchte, sich von der Tafel entfernen zu dürfen; man hatte ihr nahegelegt, wie die anderen jedesmal erst das Einverständnis einzuholen. Das Gelächter begann, ehe sie das Deck erreichte; Brogs trockenes Glucksen lieferte den Takt zum Aufjohlen des Ersten Maats. Ihr Widerwille gegen ihre Bemerkungen und gegen die Vorstellung, daß man ihr nachspionierte, hatte sich so wenig verringert, als Tegval am Abend an ihre Tür pochte, daß sie ihm durchs Holz zurief, er solle sich davonscheren. Aber kaum hatte sie dies gesagt, packte sie das Entsetzen vor einsamen Stunden, und sie sprang auf, entriegelte die Tür und rief, er möge hereinkommen, sie benötige seinen Rat. Doch auch das war voreilig getan, denn sofort erhob sich die Frage, welcher Art derselbe denn sein solle; und nach ein bis zwei bedeutungslosen Sätzen fiel ihr nichts Besseres ein als die Frage, was denn das Buch des Propheten damit meine, den Verstand zu leugnen, da sie den Eindruck habe, daß nur ein vernünftiger Mensch sich überhaupt anschicken möchte, es zu lesen. »Ach, nein, so ist's nicht«, sagte der Dritte Maat, setzte sich und nahm ihre Hand, die sie ihm nicht verweigerte. »Es ist vielmehr die Unzulänglichkeit der menschlichen Vernunft und der menschlichen Liebe, die uns den Antrieb dazu verleiht, nach der höheren Liebe zu streben.«

Obwohl sie fand, daß dies in ihrem besonderen Fall wahr sein konnte, da sie dem neuen Leben in Mancherei immerhin mit einem Mindestmaß an aufgeregter Erwartung entgegensehen durfte, gestand sie siese Auffassung nicht ein, um das Gespräch auszudehnen. »Aber wie kann diese höhere Liebe unseren Kummer entgelten?« fragte sie daher.

Daraufhin wollte er etwas unerwartet wissen, ob sie an ein anderes Leben als das in der sichtbaren Welt glaube, und ihr lag bereits die Erwiderung auf den Lippen, daß sie das als Hexe wohl müsse, doch er ersparte ihr die Antwort. »Nun, und jenes andere Leben selbst muß für uns Liebe sein, weil wir ja seine Kinder sind«, erklärte er. »Und da dies so ist, wird es uns für alles schadlos halten, was wir verloren haben, ja, uns mit Schönerem entschädigen, wie man's mit einem Kind hält. Wenn Ihr einen Geliebten verloren habt – wie's Euch geschehen sein muß, glaube ich, denn andernfalls befändet Ihr Euch nicht unterwegs in die Obhut der Myonessae –, so nur, um einen besseren Liebhaber zu finden.«

Lalette sah darin nicht einmal soviel wie eine Halbwahrheit, und als Trost für ein verwundetes Herz war sein Wort so wertvoll wie ein kalter Wickel. Sie wollte eine Entgegnung äußern, doch in diesem Augenblick pochte jemand an die Tür; es war Brog, der mit seinem Lächeln sämtliche Zähne entblößte. »Ach, ich gedachte Euch die Zurückgezogenheit mit ein wenig Kurzweil aufzuheitern, doch wie ich sehe, war meine Sorge unbegründet.« Er lehnte sich an eine Wand und sprach viel, zuweilen sogar witzig, offenbar vergnügt über Tegvals mißmutige Miene, welche auch Lalette heimlichen Spaß bereitete, so daß sie sich über Brogs Geplauder belustigte, das sich Fragen widmete wie: könne ein Fisch rückwärts schwimmen? Der junge Mann wirkte immer erboster; schließlich erhob er sich mit der Bemerkung, er müsse nun schlafen, um während der Nachtwachen seiner Offizierspflicht genügen zu können. Kurz nach ihm ging auch Brog.

Die Nacht war noch jung; Lalette lehnte sich in ihre Kissen und las wieder im Buch, aber nach der Aufbesserung ihrer Laune, wozu die Unterhaltung ihr verholfen hatte, fand sie es auf die denkbarste Weise trübsinnig und langweilig.

Während sie sich fragte, wie sich ihr Leben in Mancherei gestalten möge, wenn dort alles nach den Gedanken dieses Buches eingerichtet war, und die Verzweiflung eines Vogels empfand, der sich die Schwingen im Käfig ungünstiger Umstände wundschlug, verwarf sie die Hoffnung auf Glück als trügerisch. Dieser oder jener Ausweg ging ihr durch den Kopf, doch stets war es ein Traum oder Wachtraum; und als der anschwellende Wind das Schiff zu schaukeln begann, schlief sie ein.

Ihr Erwachen erfolgte mit dem Erstaunen, daß ein Knarren sie geweckt haben sollte, wiewohl das stark beanspruchte Schiff unentwegt knarrte und ächzte; dann klärten sich alle ihre Sinne, und sie erkannte den Grund: dies besondere Knarren war von ihrer Kabinentür gekommen. Ihre Lampe war mittlerweile erloschen. »Was ist Euer Begehr?« fragte sie in erhobenem Tonfall und hörte in der Finsternis drei Wellen gegen das Schiff krachen, ehe sie einen Atemzug vernahm und eine Antwort erhielt, die nicht lauter klang als ein Flüstern.

»Liebste Lalette . . . Ich bin gekommen, um Euer Geliebter zu werden.« Tegval!

»Nein«, sagte sie. »Das wünsche ich nicht.«

Er war nahe. »Aber Ihr müßt's – das Geschenk der Liebe verweigern, das heißt, sie völlig verlieren. Ihr gehört den Myonessae.«

O Gott über alle Götter, dachte sie, und von neuem! Wollen Männer denn nichts als meinen Körper? Sie verspürte und überwand die flüchtige Versuchung ihren Körper ihm hinzugeben und sich selbst ins Innerste ihrer Seele zu entziehen.

»Nein, habe ich gesagt. Ich schreie.« Sie wich vor seiner Berührung zurück, doch er ertastete sie erneut, da ihre Bewegungsfreiheit gering war; sein Arm drückte sie nieder, und er senkte sein Haupt auf ihren Busen.

»Aber Ihr müßt, Ihr müßt«, wiederholte er heiser. »Ich bin Diakon, und ich habe Euch auserwählt. So werde ich auch in Mancherei berichten.«

Sein Zugriff war so stark, daß er sie lähmte, doch versuchte er vorerst keine ärgeren Zudringlichkeiten. Schreien? Würde jemand sie durch das Brausen des Windes und der Wogen vernehmen? »Nein«, sagte sie, »nicht. Sire Brog wird mich hören . . . der Kapitän.«

»Dies ist die Wache vor Morgengrauen. Niemand an Bord wird je davon erfahren.«

»Nein, nein, ich will nicht«, antwortete Lalette, die fühlte, wie all ihre Kraft dahinschmolz, obwohl er keine Anstrengungen unternahm, ihre Hände festzuhalten oder ihr irgendwelche Widrigkeiten aufzuzwingen, er bestand nur auf dieser etwas rührseligen, warmen Nähe ihrer Leiber; und doch war irgendwie diese Nähe auf fast unerträgliche Art köstlich – alles, alles war ihr lieber als dieses wortlose Ringen! Kein Wasser. Aus ihren zur Seite gewandten Lippen ließ sie ein wenig Feuchtigkeit in eine Handfläche sickern, dann benetzte sie den Zeigefinger der anderen und zog das Zeichen über einem Ohr in sein Haar, sie wußte nicht, ob gut oder schlecht. »Geht!« sagte sie heftig, aber mit gedämpfter Stimme, während sie bemerkte, als sei es etwas, woran sie keinen Anteil hatte, wie das grüne Feuer durch sein Haar rann und sich in seinen Kopf fraß. »Geht und kehrt nicht wieder!«

Sein Atem beruhigte sich, sein Gewicht verschwand von Lalette. Sie hörte seine Füße zur Tür schlurfen und erneut deren leises Knarren; dann erst begriff sie und sprang geschwind wie ein Vogel an Deck, obwohl sie nichts außer ihrem Nachtzeug trug. Zu spät: noch von der Kabinentür aus sah sie den schwachen Widerschein einer Laterne auf Tegvals Rücken, als er die letzten unsicheren Schritte zur Reling tat, sie erklomm und in einer weißen Schaumkrone untertauchte.

Ein Pfiff. »Mann über Bord!« brüllte jemand; und Lalette war augenblicklich entsetzlich seekrank.

2

»Ich möchte Euch unumwunden sagen, Demoiselle«, meinte Kapitän Mülvedo, »daß ich äußerst skeptisch wäre, spräche Sire Brogs Beobachtung, wie dieser junge Mann ohne Euer Zutun zur Reling und über Bord ging, Euch nicht von jeder unmittelbaren Einwirkung frei. Was andersgeartete Einflüsse betrifft, etwa die Ausübung der Verbotenen Kunst, so sind sie eine Angelegenheit des Gerichts der Diakone, und da Ihr auf dem Wege nach Mancherei seid, werdet Ihr dessen Rechtsprechung entzogen bleiben.« Düster starrte er sie an. »Als Kapitän dieses Schiffs und im Vollbesitz der Befehlsgewalt muß ich Euch leider auffordern, Eure Kabine nicht wieder zu verlassen, ehe wir in den Hafen eingelaufen sind.«

Lalettes Blick erfaßte das unaufhörliche Zucken am Hals des Ersten Maats, der neben dem Kapitän an ihrem Bett stand, und auch von diesem Anblick schien ihr bloß noch übler werden zu wollen. »Fürwahr«, sagte Brogs Stimme so brüchig wie ein verrostetes Zahnrad, »ich gebe mein Wort – diese kleine Demoiselle hat keine Hand an ihn gelegt, als er über Bord ging. Aber er kam aus ihrer Kabine.«

»Wir wollen uns nicht wiederholen«, sagte Mülvedo ungeduldig. »Wir wissen alles außer jenem, das sie uns nicht sagen wird.« Lalettes Körper schmerzte vom Ruhigliegen in stets der gleichen Stellung.

»Zu Befehl.« Wieder Brogs Stimme. »Gestern war er noch quicklebendig, vielleicht ein wenig leichtfertig, aber ein freundlicher, hilfsbereiter junger Mann . . . und nun wühlen die Fische in seinen Eingeweiden.« Sie wandte ihr Gesicht ab und begann zu würgen, aber aus ihrem Schlund kam nichts als ein Mundvoll Magensäure, die ekelhaft scharf und bitter schmeckte. Brogs Miene, wozu er sein Gesicht verzerrte, hätte ein Lächeln sein können, wäre darin eine Spur von Frohsinn gewesen. »Keine schöne Vorstellung, gewiß«, fügte er hinzu, »aber dennoch angenehmer als die Seele, welche dem armen Burschen ein solches

Ende beschert hat, denn sie kann nichts anderes sein als ein wahrhaftiger schwarzer Höllenpfuhl voller Gestank.«

Der Vogel von Lalettes Bewußtsein fühlte die Gitterstäbe des Käfigs näherrücken. Sie wollte schreien und um sich schlagen.

»Sire Brog«, sagte Kapitän Mülvedo, »ich habe die Demoiselle einer direkten Einwirkung entlastet. Ihr werdet Euch mir fügen und nicht länger disputieren, als wäre die Entscheidung erst noch zu fällen. Falls hier die Verbotene Kunst eine Rolle spielte, dann steht uns ohnehin kein Urteil zu.«

»Ihr seid mein Kapitän, und ich stehe unter Eurem Befehl«, erwiderte Brog, und seine schmalen Lippen verkniffen sich, wenn er sie schloß, »sogar während der Tätigkeit dieses Bordgerichts. Aber ich bin der Frachtmeister, mir obliegt die Verantwortung für die Ladung, deren sie ein Teil ist, und es ist meine Aufgabe, genau zu wissen, welche Sorte von Gütern ich befördere.«

Lalette hatte den Eindruck, ohne es tatsächlich zu sehen, daß der Kerzenleuchter zweimal herumschwang, als sie zu den drei Männern aufblickte und dachte: Die Wahrheit? Doch wie sollte sie alles erklären – was Tegval getan, wie er die süßeste Frucht der Liebe gefordert hatte, als sei sie ein unwichtiges Ding wie ein Glas Wasser, auf das er wie selbstverständlich Anspruch habe. Wie er sie tätlich nötigen wollte? »Ach, nein«, sagte sie mit ihrer unendlich schwachen Stimme, schluckte und richtete ihren jammervollen Blick auf den Kapitän.

Er schnitt ein finsteres Gesicht, und sie wußte, daß seine Miene einer zu ihren Gunsten geneigten Stimmung entsprang, doch sie kannte auch deren Grund und verabscheute den Kapitän und sich selbst dafür. »Sire Brog«, sagte er, »ich erkläre die Verhandlung des Bordgerichts für beendet. Diese Demoiselle ist keine Fracht, sondern ein Mensch.«

Die Falten in Brogs Gesicht schienen sich zu vertiefen. Die drei Männer verließen die Kabine; zuletzt ging der Kapitän, und zuvor tätschelte er ihre Hand, die matt auf der Bettdecke lag. Auflehnung gegen diese Freundlichkeit aus falschem Grunde, die schlimmer war als Haß oder Zorn, durchwallte ihre Adern; er kannte kein Verständnis, dieser Seemann, der nur darauf sann, gelegentlich die Bettgefährtinnen zu wechseln: sie schwamm auf einem Meer von Begierden.

Das Tageslicht wandelte sich von Staubgrau zu tiefer Düsternis. Jemand klopfte: es war jene zwerghafte Kreatur, die dem Kapitän als Steward diente, und sie bot Lalette eine Schüssel mit Fleischbrühe an. Die Bewegung des Schiffs hatte sich ein wenig gelindert, und sie war dazu in der Lage, ein bißchen zu essen und es im Leib zu behalten, wiewohl auf ihrem Bewußtsein ein Schatten lastete. Ich will nichts bereuen! rief sie im Innern; dann spielte sich eine Hälfte ihres Gewissens zum Kritiker der anderen Hälfte auf und rief: Wehe, ist des Übels kein Ende?! Die Stunden glitten vorüber wie ein lautloser Strom, und sie war allein.

3

Schließlich kam jede Bewegung zum Stillstand. Das Unwohlsein floh sie wie ein Schleier im Sturm, und sofort schwoll in ihrem Herzen eine solche Freude, wie Lalette sie bis dahin kaum jemals empfunden hatte, und sie hätte ein Lied aus ihrer Kehle schmettern können; sie sprang fast mit einem Riesensatz aus dem Bett, um in ihr neues Kleid zu schlüpfen. Es gab in der Kabine keinen Spiegel, und sie mußte ihre Haarsträhnen nach dem Gefühl zu Knoten einer Demoiselle flechten, in der Hoffnung, daß das Ergebnis nicht allzu zügellos wild aussah. Von Deck tönten Geschrei und Stimmengewirr, Füße trampelten in strammem Gleichschritt vorüber, aber niemand kam, bis längst alles in ihren kleinen Überseekoffer gepackt war, ganz unten das Buch, das Tegval ihr gegeben hatte. Dann klopfte jemand; diesmal Brog, in dessen Begleitung sich ein Mann befand, einen roten Spitzhut mit Pelzohrenklappen und in seiner Hand eine Merkrolle trug.

»Dies ist Demoiselle Issensteg«, sagte Brog, und Lalette stellte unverzüglich fest, daß es schwerfiel, unter den Augen der Liederlichkeit den Eindruck von Melancholie zu erwecken. »Ich übergebe Sie an Euch. Hier ist eine Empfehlung von Sire Kimred, Kanonikus in Netznegon.« Er händigte dem Mann mit dem Hut den zusammengefalteten Brief aus. »Es ist meine Pflicht, Euch zur Warnung mitzuteilen, daß sie an Bord in den Verdacht des Mordes durch Hexerei geraten ist. Daheim hätte ich sie dem Gericht der Diakone ausgeliefert.«

Der Hafenvogt verneigte sich, wobei er so wenig lächelte wie Brog, dann berührte er mit seiner Rolle, indem er sie wie einen Feldherrnstab benutzte, zuerst Lalette und danach ihren Koffer. »Wir sind hier nicht in Dossola, sondern in Mancherei«, sagte er. »Nach Maßgabe des manchereinischen Reichsgesetzes und gemäß den Regeln der Gemeinschaft der Myonessae erklären wir uns mit ihrer Einbringung samt Gepäck einverstanden.« Daraufhin wandte er sich an Lalette. »Im Namen des Gottes der Liebe, folgt mir!«

Obwohl sie von diesen Myonessae kaum mehr wußte als den Namen, legte sie keinen Wert darauf, irgendwelche Fragen zu stellen, bevor sie über diese Brücke, die so schmal war wie ein Rasiermesser scharf, in Sicherheit gelangt war. Lalette sagte nichts, lächelte nur und wandte sich zur Tür. Ein Laufsteg führte vom Schiff auf die Uferstraße. Die Sonne schien gelblich auf eine Reihe Häuser, die sie säumten und deren Ziegel wirkten, als habe Nässe sie mit einem Streifenmuster durchzogen. An zahlreichen Fenstern hing Flaggentuch, als sei für eine Festlichkeit geschmückt, aber vieles davon war verblichen, verfärbt oder zerrissen. Während sie die Häuser musterte, stieß sie gegen eine ihr entgegengestreckte Hand, die nun enttäuscht zu sinken begann. Kapitän Mülvedo.

»Verzeiht«, sagte sie und ergriff die Hand.

»Lebt wohl, Demoiselle. Ich glaube nicht an Eure Schuld. Sollte man

Euch hier nicht angemessen aufnehmen, bin ich . . . ich meine . . .« Er schien dicht den Tränen nahe; eine sonderbare Sache.

»Meinen Dank. Ich werde mich stets Eurer Güte entsinnen.« Brog stand am Heck und starrte ihr unverwandt nach, und die schlimme Ahnung befiel sie, daß es ihn, sobald sie fort war, keine große Mühe kostete, um den Kapitän von seiner Meinung über sie zu überzeugen. Dies war ein Abschied von allem Gestrigen. Sie betrat den Laufsteg und dann das Ufer.

Dort herrschte ein dichtes Gedränge von Menschen, die Männer trugen weite, lockere Hosen, die ihnen bis über die Schuhe fielen, und alle Leute schritten so schnell wie möglich aus und schoben nach Kräften. Sie wirkten grundlos aufgeregt, als sei dies ein Tag der Krisis; hier bemerkte Lalette kaum einen Anflug jener ruhigen Gefaßtheit, welche in ihrer Heimat die Amorosier auszeichnete. Leute starrten Lalette an, umso mehr, als auf einen Befehl des Hafenvogts zwei Wachen, die auf der anderen Seite des Laufstegs gewartet hatten, in den Fäusten Hellebarden, auf den Rücken die ›städtisch‹ kleinen Armbrüste, sie in die Mitte nahmen und hinüber zu einem Haus mit niedriger Pforte eskortierten, über der ein dick mit Farbe beschmiertes Schild hing, das etwas darstellte, was einem Paar gefalteter Hände auf blauem Feld ähnelte.

Rechts führte der Flur zu einer Tür, und dahinter hockte ein kleiner Mann an einem Tisch und schrieb eifrig, die Zunge in die Backe gedrückt, als durch das Öffnen der Tür Licht über seine Schulter fiel. Die Wachen wiesen Lalette in den Raum; der Mann sprang auf und warf so heftig seine Feder beiseite, daß er auf das Papier einen Fleck spritzte. Sie bemerkte Speisereste auf seinem Rock. »Ihr dürft mich nicht stören«, rief er, »Ihr dürft mich wirklich nicht andauernd unangemeldet stören, zu so etwas seid Ihr nicht befugt. Ich bin Protokollant.«

Seine großen Froschaugen mit leicht bläulichem Weiß schienen ihm aus dem Kopf fallen zu wollen, als er Lalette sah. Eine der Wachen legte ein Papier auf den Tisch. »Eine Kandidatin für die Myonessae vom eingelaufenen Schiff aus Dossola. Befehl des Vogtes.«

»Ach, aha!« Der Protokollant war nicht größer als Lalette. In wichtigtuerischem Gehabe kam er um seinen Tisch getrippelt, schob ihr einen Stuhl um eine Fingerlänge näher und kehrte an seinen Platz zurück. Der Text auf dem Papier veranlaßte ihn zu einer betrübten Miene. »Aha, aha, Verdacht auf Ausübung der Verbotenen Kunst. So etwas kommt heutzutage selten vor, aber Ihr habt großes Glück, Demoiselle, daß Ihr hier seid und nicht in Dossola. Äh . . . habt Ihr das Erste Buch unseres großartigen Führers und Propheten gelesen? Antwortet mir – der unglückselige Verlust des väterlichen Erbteils, warum ereilte er ihn nach Eurer Auffassung?«

»Nun, Sire, ich . . .«, begann Lalette, nicht ganz dessen sicher, ob er den Protagonisten des Buches meinte oder den Verlust Dossolas, der den Propheten getroffen hatte. »Ich glaube, weil er es auf so einnehmliche Weise zu vermehren trachtete.«

»Bewundernswert, bewundernswert! Wogegen es sich für ihn in hohem Maße ausgezahlt haben würde, hätte er davon freigebig der alten Tante überlassen. Woraus wir lernen, Demoiselle?«

Diese Phrasen waren abscheulich, aber sie antwortete. »Daraus lernen wir, daß wir liebevoll alles geben müssen, was wir haben«, sagte Lalette, indem sie sich auf die Moral dieser Episode besann.

Ungeduldig schaukelte der Protokollant auf seinem Sitz auf und nieder und plapperte ihr schließlich die Antworten vor, so daß es letztendlich kaum eine Bedeutung besaß, wieviel oder wie wenig sie von diesem berühmten Ersten Buch gelesen hatte. Inmitten der Befragung kam ein Träger hereingepolter, der an einem Haken ihren Koffer über der Schulter trug. Dadurch erfuhr die Examinierung eine Unterbrechung; der Protokollant fuchtelte mit den Händen, machte noch zwei- oder dreimal »Aha, aha!« und wandte sich dann an die Wachen. »Ihr könnt gehen.« Während die beiden sich entfernten, holte er aus seinem Tisch eine breite Hilfsleiste und einen Bogen blauen Papiers, tauchte seine Feder ein und begann in einem Atemzug aufzusagen: »Ihr-schwört-daß-Ihr-welche-Mittel-der-Verbotenen-Kunst-Ihr-in-der-Vergangenheit-auch-angewandt-haben-mögt-mit-der-Aufnahme-in-den-hohen-Orden-der-Myonessae-allen-weltlichen-Eitelkeiten-entsagt.« Danach nahm seine Stimme wieder einen gestrengen amtlichen Tonfall an. »Euer Name lautet . . .?«

»Lalette . . .« Sollte sie behaupten: Issensteg?

»Ah, Ihr bedient Euch einer Ausflucht! Aber der Gott der Liebe verlangt die volle Wahrheit von jenen, die sich an ihn wenden.«

Seine Hartnäckigkeit trieb Röte in ihre Wangen. »Asterhax. Ich spreche die Wahrheit. Falls Ihr daran zweifelt, kehr ich zurück auf das Schiff, mit dem ich gekommen bin.«

»O nein, o nein, meine liebe Demoiselle, Ihr dürft mich nicht mißverstehen! Alles Vergangene liegt begraben in der Welt der Liebe.«

»Gut, das habe ich ja soeben getan.«

»Und folglich wird man Euch von Herzen willkommen heißen, davon bin ich überzeugt, meine liebe Demoiselle. Ach, es ist der ungetrübte Friede!« *Kritze-kratze*, machte seine Feder, während sie über der Hilfsleiste das Papier schabte; den Kopf seitwärts gelegt, begutachtete er das Ergebnis aus dem einen, danach dem anderen Winkel, wie ein Künstler eine Zeichnung abschätzen mochte, und zum Schluß lächelte er beifällig. Eine Fliege summte herein. »So. Demoiselle Lalette, Ihr seid nun in den ehrenwerten Stand der Myonessae im Dienste des Gottes der Liebe versetzt.« Er kam um den Tisch gewetzt und übergab ihr das mit einem roten Siegel versehene Papier. »Bleibt getrost sitzen, bleibt hier sitzen, ich werde Euch einen Träger besorgen, der Euch zum Obdach begleitet.« Was würde er sagen, dachte Lalette, wüßte er, daß ich eine Mörderin bin? Dem Gedanken folgt eine Aufwallung von Zorn gegenüber Tegval, weil er sie zu einer gemacht hatte; mit aller Hast unterdrückte sie die Regung. Der Protokollant kam mit einem Träger wieder, der grinste, als er ihr hübsches neues Kleid sah, und sich den Koffer auflud. »Ade, ade«, rief der kleine Mann und winkte ihr von seinem Platz aus hinterdrein. »Es ist nicht weit, Ihr werdet keine Droschke brauchen.« Als Lalette dem Träger durch die Tür folgte, saß er bereits wieder über sein Schreibzeug gebeugt.

Von den durchgestandenen Unannehmlichkeiten ein wenig erholt, hielt sie auf der Straße nach allen Seiten die Augen offen, um zu schauen, was die seltsame Gesetzlichkeit des Propheten aus diesem Land gemacht hatte, das nun ihre neue Heimat sein sollte. Die Straßen wirkten breiter als in den meisten Städten des alten Mutterlandes, aber damit konnte wohl kaum die neue Lebensweise zu tun haben, und wahrscheinlich stand sie auch in keinem Zusammenhang mit der Höhe der Häuser, die vorwiegend – im Gegensatz zu Netznegons düsteren Bauten aus dunklem Stein – aus roten Ziegeln errichtet waren. Die Läden besaßen reichhaltige Auslagen; Lalette erhielt kaum Gelegenheit zum Verweilen, um sie sich anzusehen, aber aus dem Abstand wirkte alles krämerhaft kitschig und erweckte den Eindruck von falschem Luxus. Sämtliche Menschen schienen sich in großer Eile zu befinden; Lalette begann sich zu fragen, was sie wohl täten, wenn sie eine kleine Hexerei beginge und einen dieser Rastlosen veranlaßte, still auf der Stelle wie ein Wächter zu verharren – dann schrak sie vor dieser Vorstellung zurück.

Der Träger bog um eine Ecke, und dahinter gelangten sie an das Gittertor eines Gebäudes, das offensichtlich einmal eine sehr reizende Villa gewesen war; es stand weit von der Straße zurückversetzt, von ihr getrennt durch eine niedrige Mauer. Einer der Bäume im Vorgarten war abgestorben, und ein anderer zeigte zwichen seinem Frühlingsgrün soviel Gelb, daß es ihm alsbald ebenso ergehen mußte. Kein Torhüter ließ sich blicken; der Träger schob einen Torflügel einwärts und ging voraus zu einer hohen Eichenpforte, von der man, wie man noch deutlich erkennen konnte, den alten Türklopfer entfernt und durch einen ersetzt hatte, der die Form einer Sonne mit in Ausbreitung begriffenen Strahlenbündeln besaß. Der Träger pochte an; nach einer Weile öffnete eine alte Frau – aus der Vorhalle hinter der Pforte drang ein ausgesprochener Wäschereigeruch – und erkundigte sich nach dem Begehr. »Ich bin unter die Myonessae aufgenommen«, sagte Lalette und hielt ihr das Papier entgegen.

»Das müßt Ihr im Bureau abgeben«, sagte die Vettel. »Stellt den Koffer dort ab.«

»Zwei Obulas«, sagte der Träger; und nachdem Lalette zur Börse gegriffen hatte, warf er der Alten einen raschen, argwöhnischen Blick zu. »Nein. Nicht in dossolanischem Geld. Wollt Ihr, daß man mich in den Kerker sperrt?«

Lalette errötete. »Ich besitze kein anderes, ich bin erst heute eingetroffen.« Sie wandte sich an die Alte, die ihnen die Pforte aufgetan hatte. »Vielleicht könnte jemand im Haus es mir wechseln?«

»Bestimmt nicht. Es wäre wider die Regeln.«

Recht überraschend verlor der Träger gänzlich die Geduld. »Potzwetter, billige Hure, mich zu prellen, miese Schweinetitte!« brüllte er. »Ich hätte mir denken können, daß es keinen Sinn hat, sich für eine von den Myonessae abzuschleppen.« Er stampfte mit dem Fuß auf. »Ich würde diese dreckige Kiste auf die Straße schmeißen, wüßte ich nicht, daß ihr Gestank, wenn sie aufplatzte, die halbe Stadt dahinraffte!«

Eine Tür öffnete sich; aus dem Hintergrund ertönten weibliche Stimmen. Eine Frau in Schwarz erschien; ihr Haar war in strenger Frisur um den Kopf gesteckt. »Was ist geschehen, Mircella?« fragte sie.

»Die Demoiselle ist neu. Sie hat keine zwei Obulas, um den Träger zu entgelten.«

Die dunkle Frauengestalt nahm die Börse, die an ihrem Gürtel hing, suchte Münzen heraus und drückte sie dem Träger in die Hand. »Hier. Laßt Euch nie wieder vor der Pforte dieses Obdachs blicken.« Dann richtete sie ihr Wort an Lalette. »Kommt herein und zeigt mir Euer Papier. Es ist offenkundig, daß Ihr der Einweisung bedürft.«

Als sie in einen Nebenraum traten, fiel Licht auf das Gesicht der Frau, und Lalette sah, daß es sowohl streng wie auch ernst war, jedoch außerdem den gleichen Ausdruck abgeklärten Friedens aufwies, den sie bei der Witwe Domijaiek beobachtet hatte.

16. Kapitel

Die Ostsee – Systole

Aus Rodvards Magen war die Übelkeit gewichen, die Krankheit aus seinem Kopf, aber seine Sinne waren ausnahmslos lebendiger als entflammte Dochte. Das Holpern des Maultierkarrens bereitete ihm mit jedem Ruck Schmerzen, er vermochte seine Aufmerksamkeit nicht lange genug von der Pein abzuwenden, um Wut oder Furcht empfinden zu können. Doch innerhalb kurzer Zeit betäubte die bloße Unaufhörlichkeit der Schmerzempfindung ihn bis hinab zu den Zehen; und danach begannen seine Sinne, durch Hexerei über das gewöhnliche Maß hinaus geschärft, sich wieder mit seiner Umwelt zu befassen. Der Karren kam an zwei Leuten zu Fuß und dann an einem anderen Gefährt vorüber; der Mann – auf dem Bock – grüßte in keinem dieser Fälle. Inzwischen mußten sie das Dorf verlassen haben, denn über ihm begannen Äste unter einem Himmel vorbeizuwandern, durch dessen sanftes Blau Wolken gleich Roßschweifen glitten. Ein Vogel schwang sich auf einen der Äste und verdrehte den Kopf, um herabzublicken. Rodvards vermeinte, er könne in dem einen ihm sichtbaren Vogelauge – dank des Blauen Sterns – einen Vogelgedanken lesen: Nahrung und geschlechtliche Begierde miteinander verquickt, fremdartig von den Gedanken eines Menschen unterschieden. Hierbei mochte es sich um eine weitere Folge der Hexerei handeln, aber das Erlebnis lenkte seine Überlegungen auf seine eigene Gedankenwirrnis und auf das, was der Oberhaushofmeister Tuolén von Sternträgern und ihren Ehefrauen gesagt hatte; daher erwog er, welches Heil, welche eigentümlichen Arten der Verzückung oder der Zweisamkeit denn von diesen Weiberröcken zu gewinnen sein möchte, die für gedankenlose Gefälligkeit eine sklavische Unterwerfung beanspruchten.

Lalette. Er fragte sich, ob ihr Hexentum ihr Kenntnis von seiner Untreue verschafft hatte, die er einmal mit der Gräfin Aiella beabsichtigte, einmal mit dem Dienstmädchen Damaris beging; und falls sie davon wußte, welche Strafe er erwarten mußte. Ach, nein – warum sollte er mit einer Strafe rechnen? Dies war keine ordnungsgemäße Ehe, er hatte keine Schwüre gefordert und keine ernstlichen Gelübde abgelegt. Er konnte den Blauen Stern zurückgeben, sie würden ein paar Abschiedsworte austauschen, und zur Hölle mit Mathurin und seinen Drohungen, auch mit Remigorius und der Sache, für die alles geschah. Die Füße des Maultiers klapperten über eine Brücke, die Wolken verdichteten sich in der Höhe zu einer grauen Schicht, und die Vögel zirpten wie vorm Ausbruch eines Unwetters. Nein, nein, Freund Rodvard, sagte er zu sich, so sei ehrbar wie du ehrbares Verhalten von anderen erhoffst. Ja, unter den Bäumen gab sie dir ihre Einwilligung, obschon nicht völlig aus freien Stücken. Die Nacht im Bett der Witwe Domijaiek allerdings war kein widerwilliges Geschenk gewesen, sondern für sie beide das Ende des einen und der Anfang eines anderen Lebens. Eines neuen Lebens mit der Hexe Lalette, welche die Süße von Gefahr verkörperte, nicht die von Gemütlichkeit, etwas jenseits jeder Verbindung jener Art, die er mit Maritzl von Stojenrosek eingehen hätte können. Hatte sie ihm eine Hexerei angehalst, die ihm dies nur einflüsterte, wogegen sie selbst dies Empfinden nicht teilte? Er mußte sie wiederfinden, wo sie auch sein mochte, um aufzudecken, ob die Verzauberung immer währen sollte.

Konnte es solche Dinge geben? Die Hexerei war etwas, wovon er, wie vom Tode, nur vom Hörensagen aus der Welt jenseits seiner Welt gekannt hatte. Als er noch ein junger Bursche in dem Dorf zwischen den Ausläufern der Lichten Berge war, hatte dort eine alte fette Frau gelebt; und dann war sie plötzlich binnen einer Woche entsetzlich abgemagert, so daß die Leute sagten, das sei eine Hexerei. Der Priester kam mit seinen Ölen, aber es war zu spät, sie starb am folgenden Tag; und falls es eine Hexerei gewesen war, so entlarvte man doch niemals die Hexe. Oh, gewiß, in der Stadt hatte er dann von Hexenprozessen erfahren; und nun dieses Landmannes Weib, Lalette, der Blaue Stern, und er selber in etwas verwickelt, das er nicht recht begriff, das ihm Furcht einflößte . . . und das, weil er nichts anderes getan hatte als hohen Idealen anzuhängen und Befehle zu befolgen.

Die Schmerzen waren geringer geworden, doch seine Muskeln so unbeweglich, daß sie gegen das Geholper des Karrens keine Polsterung bilden konnten, und dadurch reihte sich Quetschung an Quetschung. Die Fahrt zog sich lange hin; es mußte nach der Mittagswende sein, obwohl selbst seine erhöhte Sinnesschärfe ihm dafür keine Gewähr bot, da er durch die Vielfalt von Biegungen und Abzweigungen längst jedes Gefühl für die Richtung verloren hatte, als des Maultiers Füße und die Räder des Karrens Pflastersteine betraten, die Bewegung wurde ungleichmäßig, Stimmen ertönten: sie kamen in eine Ortschaft, so daß Rodvard auf Rettung zu hoffen begann – doch zugleich mit dieser Hoffnung packte ihn die Furcht davor, was geschehen mochte, wenn es keine Rettung gab. Was hatte dieser Mann mit ihm vor? Er fand auf die Frage keine einsichtige Antwort, denn obwohl es unanzweifelbar feststand, daß dieses abscheuliche Gespann den Mord nicht scheute und er nicht der erste Unglückliche war, der ihnen in die Klauen geriet, hätten die beiden ihm wohl kaum die Handwerkerspange an die Brust geheftet, wenn sie bloß die Absicht hegten, sich seines Körpers zu entledigen. Komisch, von sich selbst als von einem Körper zu denken – eine Vorstellung, die schon jemals zuvor gehabt zu haben er sich nicht entsann. Sein Bewußtsein schuf eine Verquickung zwischen diesem Gedanken und einem vorherigen, als sein Verlangen nach der Gräfin Aiella dem Umschlagen eines bloßen Rollenspiels in heftige Begierde entsprungen war, eine Stimme von Körper zu Körper gesprochen hatte. Doch im Bett der Witwe war es anders gewesen; in jener Nacht schien eine Flamme aufgelodert zu sein, auf die ihre Körper reagierten. Ach! Maritzl, dachte er, auch zwischen dir und mir hätte eine solche Flamme der Vereinigung emporlodern können, um auf ewig zu brennen, nur wußte und wagte ich nichts, ehe dieser Blaue Stern mich an die andere fesselte.

Nun verriet ihm eine gewisse Aufhellung des verwaschenen Lichts, das überm Karren herrschte, daß sie Häuser mit schneeweißen Mauern passierten; demnach – unter Berücksichtigung von Zeit und Entfernung – mußten sie in Sedad Vix sein. Gerüche wehten ihm ins Gesicht – Salzwasser, Fisch, die würzigen Speisen des Südens, alles auf nicht unbedingt unangenehme Weise miteinander vermischt. Das Kai. Wollte der Mann ihn beseitigen, indem er ihn ins Meer warf? Zu seinem nutzlosen Ärger kam hinzu, daß er nicht in die Augen des alten Schurken zu schauen vermochte – nun, nachdem sein Blauer Stern unter der Einwirkung des Hexenweibs seinen Wert wiedererlangt hatte; doch blieb ihm jetzt ohnehin nur noch wenig Zeit zum Nachdenken, denn nach einem Schrei, der dem Maultier galt, blieb der Karren stehen, der Mann stieg schwerfällig ab, und seine Füße beschritten Stein und dann Planken.

Er blieb nur für kurze Zeit aus. Rodvard spürte, wie er die Decke entfernte und ihn mit einem Ächzlaut, da er steif war wie ein Balken, auf die Schulter hob. Durch Rodvards Gesichtsfeld wirbelte ein Bild fahler

Hafenbauten und der Masten eines großen Schiffs, dessen Segel in unordentlichen Geschlingen herabhingen; mit einem Aufprall, der jeden einzelnen Knochen erschütterte, ließ der Mann ihn auf ein Gebilde nieder, das anscheinend eine Art von Deckaufbau war, und daraufhin blickte ein rotes, schnauzbärtiges Gesicht in das seine – eines der Augen ähnelte einem Klumpen verdorbener Milch, und im anderen erkannte Rodvard mittels des Blauen Sterns, der kalt auf seinem Herzen lag, Roheit und Habgier. »Jawoll«, sagte das Rotgesicht, »der Fisch ist kaputt, jawoll.«

»Ich sage Euch doch, er ist lebendig wie ein Aal. Holt einen Spiegel.«

Das Rotgesicht streckte eine Hand mit dreckigen Fingernägeln aus und knetete grob Rodvards Wange. »Mmmmp . . . Leben für eine Guinee. Ich gebe Euch zwei, damit wir uns lange Dispute ersparen.«

»Ei, so seht ihn Euch doch an, ein geprüfter Handwerker, mit Spange und allem! Ich sage Euch, meine Alte hat ihn so behandelt, daß er arbeiten wird wie eine Uhr, zack-zack-zack, ohne auf die Zeit zu achten oder sowas. Einen Goldscuderius – eigentlich müßte ich zwei verlangen.« Die beiden feilschten auf die niedrigste Weise um seinen Körper, während Rodvard reglos wie ein Standbild des Weiteren harrte und grübelte, was für ein Unglücksrabe er sei, alles andere als in Licht und Leichtigkeit gehüllt, wie der Vogelmensch, mit dem er Graf Cleudi verglichen hatte, dieweil Cleudi sich an ihrer Ähnlichkeit ergötzte; keine von hohem Sinn aufgerichtete Gestalt wie der Held der Bogenschützen; nur ein erstarrter Leib, Gegenstand eines Handels, ein Kadaver, totes Fleisch. Rodvard vernahm das Klimpern von Geld, das den Besitzer wechselte; der Einäugige erteile den Befehl, daß man Rodvard nach unten bringen solle, und jemand trug ihn umständlich, wobei er häufig anstieß, über eine Treppe in einen engen Raum, der nach schmutzigen Menschen roch. Man schwang ihn in so etwas wie einen hoch angebrachten Verschlag und ließ ihn für lange Zeit allein, in der er ständig an die Äußerung des Landmannes dachte, daß er solcherart verhext sei, fortan unablässig wie eine Uhr arbeiten zu müssen, und er überlegte, ob es sich um die Wahrheit handelte. Nach einer Weile überkam ihn ein Schlummer, aus dem er nicht erwachte, ehe nicht länger Licht durch das runde Loch in der Schiffswand drang. Dann erschollen plötzlich ringsum Stimmen und Schritte; viele der Stimmen sprachen mit kjermanaschischem Akzent oder ganz in kjermanaschischer Sprache. Eine der Personen deutete auf ihn, und es ertönte Gelächter. Rodvard versuchte den Kopf zu drehen, und zu seiner Überraschung stellte er fest, daß er ihn tatsächlich um ein winziges Stückchen bewegen konnte, obschon es ihn eine Anstrengung kostete, welche die Pein verzweifachte, die ihm die Quetschungen bereiteten. Und doch empfand er über diese Regung eine so gewaltige Freude, wie er sie nur jemals erfahren hatte, und er wiederholte sie, während unter ihm die Männer – geschwätzig wie alle Kjermanasch – mit Töpfchen kamen und gingen, woraus sich ein anregender Duft von Gulasch verbreitete. Rodvard fand heraus, daß er zu noch weiteren kleinen Bewegungen imstande war, und den Schmerzen zum Trotz übte er sich darin mit aller Beharrlichkeit. Ein Pfiff schrillte; einige der Männer eilten hinaus und nach oben, der Rest entkleidete sich unter Lärmen, löschte das Licht und rollte sich in ähnlichen Gestellen wie jenem, worin Rodvard lag, zum Schlaf zusammen.

Der junge Mann fand dagegen kaum mehr Schlaf, und während wieder Leben durch versteifte Muskeln zitterte, suchte ihn ein Gefühl unwiderruflicher Schande heim, so eindringlich, daß es die Furcht überlagerte. Das Dienstmädchen Damaris . . . mit ihr hatte er seine Seele zum Spottpreis verkauft . . . nicht etwa, daß er sich diesem Mädchen gegenüber so tief verpflichtet fühlte wie Lalette, oder daß irgendeine solche Verpflichtung recht wäre . . . aber durch den Unterricht, den die Priester an den Schulen erteilten, oder vielleicht durch die Reden Remigorius' war er irgendwie in eine Ordnung des Lebens hineingewachsen, die einen jeden, der sie verletzte, in das wilde Lebensmeer warf, wozu es nur des kleinsten Anstoßes bedurfte . . . ach, oder nein, sollte man nicht besser ein jegliches Ereignis für sich bewerten?! – Und abermals nein, denn nach welchen Maßstäben ließe sich ein Urteil fällen? Abhängigkeit vom Anstoß oder uneingeschränkte Bestimmung – eine dritte Möglichkeit gab es nicht. Mit solchen Gedanken, auf derartigen Wegen auf der Suche nach einem Anhaltspunkt zur Beurteilung des menschlichen Tuns – oder zur Rechtfertigung bloß des eigenen Verhaltens, sagte er sich in einem Moment der Bitternis –, ruhte Rodvard auf seinem unbequemen Lager, im Bewußtsein dessen, daß das Schiff sich mittlerweile unter schwerem Ächzen in Bewegung gesetzt hatte. Schließlich begann die Morgendämmerung sich behutsam anzukündigen. Unter'm Eingang erleuchtete eine Laterne plötzlich ein bärtiges Gesicht, zwischen dessen Lippen eine Hand eine Pfeife schob, und ein gellender Pfiff zerschnitt die Ruhe. Sämtliche Männer sprangen aus ihren Wandverschlägen, murmelten durcheinander, so daß es wie ein allgemeines Knurren klang, und begannen sich in allergrößter Hast anzukleiden. Der Bärtige bahnte sich durch ihr Gewimmel einen Weg und schüttelte Rodvard mit solcher Roheit, daß er ihn vom Lager riß; Rodvard polterte herunter auf Füße, die ihn nicht tragen wollten. »Auf und raus«, sagte der Bärtige und versetzte ihm eine Kopfnuß. »Ihr faules Geschmeiß von Landzimmerleuten müßt lernen zu springen, wenn der Maat an Deck ruft.« Inmitten rauhen Gelächters taumelte Rodvard, da er keine Möglichkeiten zum Widerspruch sah, hinter dem Kjermanasch her, der flink die Leiter erklomm. Das Schiff schwamm auf offener See; es wehte eine leichte Brise, der Himmel war klar und die Luft frisch, doch trotz allem befiel ihn infolge des leichten Seegangs sofort Übelkeit. Seine ersten Schritte auf Deck führten ihn an die Reling, über die er alles erbrach, was sich in seinem Magen befand, und das war sehr wenig. »Du – wie ist dein Name?« erkundigte sich der bärtige Maat.

»Rodvard . . . Ber-ge-lin . . .«

»Ich nenne dich lieber Pißgesicht. Geh nach vorn zum Großmast, Pißgesicht, nimm dein Frühstück ein, wenn du's kannst, und dann repariere die Eisenhalterung, die das Fallreep arretiert. Werkzeuge findest du im Zimmermannsschrank unter der Treppe zum Bugaufbau.«

»Ich . . . ich kann nicht mit Werkzeugen umgehen. Ich bin . . . Schreiber, kein Handwerker.«

»Tod und Drachen! Komm achtern mit mir, abgelutschter Hurensohn!« Die Klaue des Maats verfehlte knapp seinen Nacken, packte jedoch einen Zipfel des Rocks an der Schulter und zerrte Rodvard daran übers Deck bis zu einer Treppe, an deren oberem Absatz der einäugige Kapitän mit einem Fernohr unterm Arm stand. »Kapitän Betzensteg! Dies Stück Scheiße sagt, es versteht nichts vom Handwerk.«

Trotz seiner Übelkeit spürte Rodvard die Kälte des Blauen Sterns, als er in das Auge aufblickte, das nicht bloß ausgefüllt war von Wut, sondern auch von einer Verworfenheit, vor der Rodvards Gemüt zurückschrak. »Beim Gottesdienst – beschuppt!« rief des Kapitäns Stimme aus wulstigen Lippen. »Wenn das nächste Mal . . . ach, herauf zu mir mit diesem Arsch!« Der Maat schleuderte Rodvard auf die Treppe, woran er sich das Schienbein stieß, ehe er sie unter Zuhilfenahme der Hände erstieg. Der einäugige Kapitän empfing ihn mit vorgestreckter Pranke und riß ihm die Spange von der Brust, wobei er den Stoff zerfetzte. »Geh unter Deck, Stinkarsch«, befahl er, »und sag dem Bengel, er ist zum Matrosen befördert. Künftig wirst du an meinem Tisch bedienen.«

»Jawohl, Kapitän«, sagte Rodvard und sah sich um, welche Richtung er einschlagen müsse, denn die gesamte Bauart des Schiffs war ihm fremder als die Architektur einer Kathedrale.

»Los!« schnauzte der Kapitän und hob einen Arm, als wolle er mit seinem Fernrohr zuschlagen, doch anscheinend hielt ein Einfall ihn davon zurück. »Was hat dich daran gehindert, dein wahres Gewerbe zu nennen?«

»Nichts«, antwortete Rodvard und packte die Brüstung des Achterdecks, da sich sein Magen erneut umdrehte.

»Wenn du auf mein Deck kotzt, wirst du's auflecken müssen.« Der Kapitän kehrte ihm den Rücken zu und begann zu brüllen. »Toppe Piekvertäuung liften!«

Unter Deck war die Gefahr geringer, sich zu verirren, und er trat durch die rechte Tür, wobei er insgeheim hoffte, das sei ein Omen, wankte den Gang hinunter und gelangte in einen Raum, worin ein etwa achtzehnjähriger Bursche mit stumpfsinnigem Gesicht gerade ein Tischtuch faltete. »Seid Ihr Kapitän Betzenstegs Steward?« erkundigte sich Rodvard und gab sich Mühe, um seinen Blick vom Fenster fernzuhalten, hinter dem das Meer gemächlich entlangschwappte. »Ich soll ausrichten, Ihr seid zum Matrosen befördert.«

Dem Burschen klappte der Unterkiefer hinunter wie unterm Druck einer Feder, er ließ die Tischdecke fallen und kam um den Tisch gerannt, um Rodvard an beiden Armen zu ergreifen. »Wirklich? Wenn du mich hereinlegst . . .!« Für einen Moment blitzte Wut in seinen hellen Augen, und an seinem noch nie rasierten Kinn zitterte der erste Flaum. Doch dann erkannte er offenbar Rodvards Aufrichtigkeit. Endlich das Meer und die Freiheit! dachte er aufgeregt. Augenblicklich sprang er vorüber und zur Tür.

»Haltet ein«, sagte Rodvard und hielt ihn an seinem Rock fest. »Wollt Ihr mir nicht erläutern, was . . .?« Der Magenkrampf erreichte seinen Höhepunkt, und er erbrach sich wiederum, sein Mund füllte sich mit säuerlichem Mageninhalt. Er würgte mit verzweifelt zusammengebissenen Zähnen.

Der Bursche lachte, als er sich umwandte, doch ohne Bosheit, und hieb ihm eine Hand in den Rücken. »Mut gefaßt«, sagte er. »Alles wird sich bessern, wenn du erst die Freiheit der Meere zu schätzen lernst, es lernst, sie zu lieben, wenn du dem Landrattendasein nicht länger nachtrauerst. Hier ist das Leinen.« Er öffnete die mittlere einer Anzahl in die Wand eingebauter Schubladen. »Der Alte benutzt keine Servietten, es sei denn, wir haben Gäste an Bord – er ist ein richtig gesalzenes Walroß mit Fischblut in den Adern, der Kerl. Mich nennt man Krotz. Wie heißt du?« Rodvards Antwort schien er kaum zur Kenntnis zu nehmen; vielmehr setzte er seine Einweisung sogleich fort. »In dieser Lade ist das Silber, er benutzt nur das beste, und denk auf jeden Fall daran, zum Essen auf den Tisch seinen silbernen Bären zu stellen, den ihm im Tritulaccanischen Krieg die Gilde für seine seemännischen Leistungen übergeben hat. Die Decke in seiner Koje mußt du am Fußende straff einschlagen, am oberen Ende aber locker lassen, so wie du's dort sehen kannst. Zu den Tagesmahlzeiten gibt's stets Wein, du findest ihn hier. Wenn das Wetter gut ist, trinkt er abends manchmal Likörwein. Wenn er den zu bringen befiehlt . . .« Der Bursche namens Krotz verstummte, schielte Rodvard an und beugte sich dann vor. »Horch, Bergelin, ich bin nicht etwa neidisch, mußt du wissen . . . Hast du schon . . . ich meine, beim Likörwein könnte es ihn danach verlangen, mit dir ein . . . äh . . . du weißt schon.« Er steckte den Daumen zwischen Mittel- und Zeigefinger durch.

»Ich . . .«, sagte Rodvard und übergab sich von neuem.

»Ach, sei nicht so zimperlich. Das ist etwas, was jeder echte Seemann lernen muß, es beugt dagegen vor, daß wir wie die Landratten werden. Du weißt nicht, wie es sein kann, und nachher rückt er Silberguineen heraus. Aber wenn du keine Lust hast, um so besser, hör zu, sobald der Alte nach dem Likörwein ruft, stell die Flasche auf den Tisch, nimm den silbernen Bären herunter und rufe mich.«

Es verwunderte Rodvard nicht wenig, daß die Empfindung, die ihm der Blaue Stern verriet, in der Tat sehr wohl Neid war. »Nein, nein«, sagte er, »ich will dir dein Vorrecht auf keinen Fall nehmen.«

Das Lächeln drückte so reine Freude aus, daß Rodvard sich fragte, wieso er diesen Burschen jemals für stumpfsinnig gehalten hatte. »Der Koch gibt dir das Frühstück. Ich muß jetzt hinauf – um Matrose zu werden.«

Kapitän Betzensteg aß allein. Rodvard war froh, als er im letzten Moment noch an den silbernen Bären dachte, aber als er die Platte mit dem Fleisch dem Kapitän hinhalten wollte, wie er es Mathurin bei Cleudi hatte tun sehen und woran er sich nun entsann, unterlief ihm natürlich schon ein Fehler. »Nicht da, du Dummkopf«, brummte der Einäugige. »Auf der anderen Seite.« Das Fleisch war eines mit viel Fett, wahrscheinlich vom Schwein, und schon daher verursachte es Rodvard Übelkeit, den Kapitän auf seiberige Weise kauen zu sehen, während er mit seiner Gabel in eine Ecke der Kabine deutete und versicherte, er werde ihm vom Barbier die Ohren stutzen lassen, wenn er dort nicht mehr Sauberkeit halte. An diesem Abend verlangte er keinen Likörwein; Rodvard verspürte eine Aufwallung von Dankbarkeit, als sei er von großem Unheil verschont geblieben; im Anschluß an das Abendessen säuberte er den Tisch, spülte ab und suchte die Mannschaftsunterkunft auf, die sich dort befand, was er inzwischen als die Piekwamme kennengelernt hatte.

Schlecht wie es ihm war, denn mit Anbruch der Dämmerung schaukelte das Schiff stärker, kroch er sofort auf sein Lager, doch er schlief noch nicht, als der Schichtwechsel erfolgte, so wie am Morgen, und unter jenen, die die Leiter herabgeturnt kamen, war auch Krotz. Er ähnelte weit weniger als zuvor einem unbekümmerten Weltumsegler. Kaum lag der Bursche in seinem Winkel, da bedrängten sämtliche Kjermanasch ihn unbarmherzig mit Pfiffen, unflätigen Bemerkungen sowie Kniffen in die Wangen und den Arsch. »Laßt mich zufrieden!« schrie der junge Kerl schließlich aufgebracht und schlug so wild mit den Armen um sich, daß er einem der Matrosen mit einer Gewalt auf die Nase drosch, wodurch der Bedränger rückwärts taumelte. Der Abgewiesene knurrte wie ein Tiger, sein rauhbeiniger Humor war augenblicklich in schwarzgallige Gehässigkeit umgeschlagen, und er zückte eine Klinge. Aber Rodvard, ohne zu wissen, warum oder wieso, rollte sich von seinem Lager auf die Schulter des Matrosen, mit deren Arm er das Messer hielt, und brachte ihn zu Fall. Unverzüglich raffte der Kjermanasch sich wieder auf; während er sich mit beiden Fäusten an den Waffenarm klammerte, mußte Rodvard zwei oder drei brutale Schläge an den Kopf einstecken, und er sah ein – mehr mit Interesse als mit Furcht –, daß er der weit überlegenen Kraft des Mannes am Ende unterliegen mußte. Doch als er soeben in seinem Widerstand nachzulassen drohte, zerrten zwei Hände unter seinen Achseln ihn rückwärts und warfen ihn gegen die Gestelle, und zugleich trat ein großer Fuß das Messer aus der gegnerischen Faust.

»Was ist hier los?« grollte die Stimme des bärtigen Maats. »Pißgesicht, dafür wirst du ein Dutzend Streiche schmecken, oder ich will verdammt sein! Du und einen ausgewachsenen Seemann angreifen!«

»Er hätte sonst Sire Krotz erstochen«, sagte Rodvard und betastete seinen Schädel.

»Sire!« blökte der Maat höhnisch, dann zuckte sein Kopf schlangenhaft herum. »Ist das wahr?« Alle Kjermanasch begannen zugleich zu schnattern; der Maat schien dem Tumult folgen zu können, denn er hörte für ein ganzes Weilchen zu, bis er eine Hand hob. »Ruhe jetzt! Mir ist alles klar. Herhören – Vetehikko, drei Tage Heuerfortfall wegen Messerstecherei. Was dich betrifft, Pißgesicht, deine Strafe ist aufgehoben, aber künftig wirst du im Lazarett schlafen, damit du nicht länger über deinen Rang an Bord dieses Zubers im unklaren bist.«

Er wandte sich zur Leiter, und erstmals kam von den Kjermanasch kein Mucks; während sie finster unter sich brüteten, kam jedoch der junge Krotz und umschlang Rodvard mit den Armen. »Ich verdanke dir mein Leben«, sagte er mit Tränen in den Augen.

»Und ich werde dafür büßen müssen«, sagte Rodvard.

»O nein! Ich . . . helfe dir bestimmt aus der Patsche.«

»Ich wußte nicht, daß es Rangunterschiede an Bord eines Hochseeschiffs gibt. Du hast gesagt, es herrsche Freiheit auf den Meeren.«

»Nun, so ist's doch auch wahrhaftig, aber jeder hat seinen Rang, das ist doch die natürliche Ordnung der Dinge. Bist du Amorosier?«

Fast wäre die Antwort über Rodvards Lippen gerutscht, daß er den Söhnen der Neuen Zeit angehörte, aber Krotz' Worte bewiesen zur Genüge, wie wenig Verständnis er für so ein Bekenntnis aufbringen könnte, und den Kjermanasch traute er nicht.

Am nächsten Morgen vertrug er die Bewegung des Schiffs bereits ein wenig besser.

17. Kapitel

Charalkis – Tiefen und Höhen

1

Am vierten Tag der Fahrt mochte es gewesen sein, denn in der weiten blauen Ebene des Meeres besaß Zeit wenig Bedeutung, als Rodvard bemerkte, daß Kapitän Betzensteg beim Abendessen mehr als gewöhnlich dem Wein zusprach; er saß düster über seinen Teller geduckt und rammte seine Brotbrocken in die fettige Tunke, als hätten sie ihm ein Leid angetan. Dann schluckte er den letzten Mundvoll und leckte ungeniert seine Finger ab. »Bring den Likörwein«, sagte er ohne aufzublikken. Rodvard erlitt einen Ausbruch von kaltem Schweiß. Der silberne Bär entglitt seinen Fingern, und es war ein Glücksfall, daß er ihn auffing, ehe er auf den Boden prallen konnte. Der Kapitän hielt den Blick gesenkt und schien nichts zu merken. Die Flasche verursachte beim

Abstellen auf den Tisch ein scharfes Geräusch; der Einäugige schenkte sich eigenhändig ein und nahm einen langen Zug. »Hiergeblieben«, ordnete er an, als er die Tür quietschen hörte. Rodvard drehte sich um. Beide Hände des Kapitäns lagen auf der Tischplatte und umklammerten den Weinbecher, in den er starrte, als handle es sich um eine Miniatur seiner Geliebten. »Komm her!«

Furcht; aber was ließ sich tun oder sagen? Rodvard huschte an seinen Stehplatz hinterm Sessel des Kapitäns. Für einen langen, atemlosen Moment war kein Laut zu vernehmen, ausgenommen jemandes gleichmäßige Schritte auf Deck, gedämpftes klatschen von Wellen und rattern von Schiffsvorrichtungen. Dann hob der Kapitän den Kopf; Rodvard sah, wie seine Wulstlippen zuckten, und im einzigen Auge erkannte er nicht allein jene schrecklichen Gelüste, die er erwartet hatte, sondern auch eine gräßliche Seelenqual, die ihm etwas ähnliches wie Mitleid einflößte, eine Frage, die lautete: Werde ich nie befreit sein? Kapitän Betzensteg hob den Becher mit beiden Händen, goß sich den Inhalt in die Kehle, schluckte, keuchte, röchelte: »Arrgh!« und streckte die Linke aus, um Rodvards Gesäß zu betätscheln.

»Nein«, sagte der junge Mann in beherrschtem Ton und wich zur Seite. Der Kapitän sprang auf die Füße und kippte mit Wucht seinen Sessel um; das Gesicht verzerrt, schlug er mit der Faust auf den Tisch.

»Idiot!« brüllte er. »Weißt du nicht um deinen Vorteil?« Er griff in seine Börse und warf eine Handvoll Münzen aufs Tischtuch, die gegen die Flasche klirrten. Rodvard wich zurück, und als der Einäugige einen mächtigen Sprung tat, floh er mit einem jämmerlichen Schreckenslaut zur Tür. Sein Fuß stieß gegen irgend etwas, er vollführte drei verzweifelte Hüpfer und bekam noch den Türgriff zu packen, da traf die klobige Faust seine Schläfe und schleuderte ihn hinaus auf die Dielen, wo er sich besinnungslos hinstreckte.

2

Das nächste, was er wahrnahm, waren ein säuerlicher Geruch von Wein, Dunkelheit und das Geräusch von Tröpfeln. Der Kopfschmerz umnebelte ihn und hinderte ihn am denken; das hastige Getrippel stammte zweifellos von Ratten, aber wieso war er unter Ratten? Zum Warum gesellte sich, indem seine Erinnerungen sich allmählich wieder zusammenfügten, das Wo – sicherlich noch auf dem Schiff, denn die bloßen Planken, worauf er lag, hoben und senkten sich in steter Gleichmäßigkeit.

Seine rechte Halsseite war wund, und gegenüber war eine wunde Stelle am Kopf. Ach, dachte er, wofür werde ich so gestraft? Er stützte sich auf einen Ellbogen und entdeckte neben sich einen Napf mit Wasser, das er gierig trank. Ringsum war es dunkel, eine Art von samtenem

Zwielicht herrschte; doch nicht so dunkel, daß er dazu außerstande gewesen wäre, zu erkennen, daß er in einer schmalen Lücke zwischen rundum aufgetürmten Fässern, die unter ihrer Vertäuung ächzten, gefangen saß. Die geringfügige Helligkeit, die hereindrang, mußte bedeuten, daß es draußen Tag war und er lange Zeit bewußtlos gelegen hatte. Er richtete sich auf und überlegte, ob er den Versuch unternehmen solle, sich einen Weg an Deck zu bahnen, doch er entschied sich dagegen, denn man hatte ihn gewiß mit einer bestimmten Absicht hier festgesetzt, und außerdem konnten ihm höchstens schlimmere Gefahren drohen. Schlafen? O nein. Er kauerte sich nieder und durchdachte seine Situation, aber fand darin in keiner Beziehung einen Sinn, so daß er die Mühe zuletzt aufgab, und mit einem Anflug von Bedauern über den Verlust seiner Bücher, ließ er Iren Dostals köstliche Verse durch seinen Kopf wandern, bis ihm Tränen in die Augen traten.

Aber auch das konnte ihn nicht ewig beschäftigen; eine tiefe, von ganzem Herzen empfundene Trübsal befiel ihn, und seine Finger zeichneten imaginäre Muster in die Luft. Eine lange Zeitspanne verstrich. Schritte ertönten, näherten sich irgendwo von oben und dann an den Fässern entlang Krotz. »Sei vorsichtig«, sagte er, »o Himmel, mach bloß keinen Lärm. Er würde mich zu Mus dreschen, wüßte er, daß ich dir helfe. Hier.«

Im Düstern schob er etwas gegen Rodvards Hand, der es betastete und festellte, daß es ein Teller war; das Essen darauf war allerdings schon kalt. »Was ist passiert?« erkundigte er sich. »Ich bekam einen Hieb, und seitdem weiß ich nichts weiteres.«

»Wahrhaftig nicht? Ich dachte, du hättest dich nur verstellt, als du dich auf seinen Befehl hin, dich über Bord zu werfen, nicht gerührt hast und er den jungen Kjermanasch . . .« Droben erscholl ein nur halblaut vernehmbares Gebrüll. »Oh, ich könnte ihn prügeln. Ich muß gehen.« Das letzte Wort verklang, als Krotz bereits wieder hinter den hohen Säulen aus Fässern verschwand und Rodvard weiterhin seinen Meditationen überließ. Die Mahlzeit war ein Lammbraten, der wie Kerzentalg schmeckte.

Die Nacht brach herein, bevor der Bursche erneut kam, und das Essen, welches er diesmal brachte, übertraf das zuvorige noch an Scheußlichkeit. Er zitterte und zeigte keine Bereitschaft zum Gespräch. Rodvard tastete sich an den großen Fässern entlang, von einer zur anderen Rundung, er zählte ihre Planken und überlegte, ob die Zahlen, die sich dabei ergaben, zueinander in irgendeiner mathematischen Beziehung stehen mochten. Ein eitles Unterfangen, wie er sich schließlich überzeugte, und er wünschte sich, er besäße Dr. Remigorius' Philosophie, der oft davon geredet hatte, daß ein Mensch eine vollständige innere Selbstgenügsamkeit anstreben solle, da jeder in einer selbstgebauten Wabe aus durchsichtigem Glas hause und einen anderen nicht durch diese Hülle, sondern nur mit ihr berühren möge. Ach, bah! Es ist nicht wahr, dachte er, ich selbst bin von eben diesem Remigorius nur allzu nachdrücklich angerührt worden, denn ohne ihn wäre ich ja nicht in eine solche Verstrickung verhaspelt, Lalette und Damaris, seine Ideale gestürzt, und nun auf einer wahnwitzigen Reise nach Nirgendwo . . . Irgend etwas daran war nicht richtig, aber er konnte nicht festnageln, was das war; und so begann er erneut die Planken zu zählen. Danach versuchte er ein Gedicht zurechtzureimen; die Bemühung endete mit einem innerlichen Piepskichern, als trieben unter seiner Haut Mäuse ihr Unwesen. Später wartete er bloß noch – nicht gerade mit Geduld – auf Krotz' nächstes Erscheinen mit einer neuen Portion Fraß. – Der Bursche erwies sich als zuverlässig, aber er schaute sich ständig über die Schulter und zitterte in solchem Maße, daß es fast unmöglich war, ihm mehr als zwei zusammenhängende Worte zu entlokken; immerhin kam dadurch heraus, daß er keinen Plan für eine Flucht Rodvards ersonnen hatte, deren Zeitpunkt eigentlich gekommen sein müßte, denn die Landspitze vor Charalkis war bereits in Sicht. Das Schiff sollte während der Nacht im Hafen der aus Ziegeln erbauten Hauptstadt von Mancherei ankern. Was war zu raten? Indem er unruhig auf den Füßen tänzelte, erklärte Krotz, daß er meine, Rodvard könne mit Leichtigkeit an der Wache vorüberschleichen und sich ins Wasser abseilen; dieser Vorschlag scheiterte jedoch an der Tatsache, daß Rodvard nicht schwimmen konnte. Die Nacht beließ alles unentschieden; ein scharfes Schwert furchtsamer Wachsamkeit stachelte ihn im Laufe seines unsteten Schlafs immer wieder auf; und als Gepolter über den Luken seines Gefängnisses ihn vollends weckte, war seine Lage weder schlechter noch besser.

Kjermanaschische Stimmen verbreiteten ihr übliches Geschnatter. Ein Lichtkegel fiel herab, so grell, daß Rodvards Augen, die sich mittlerweile an die Dämmerung gewöhnt hatten es kaum zu ertragen vermochten, und er wich durch die Gasse zwischen den Fässern zurück, die Hände auf dem Gesicht. Er verfügte nicht über die besten Möglichkeiten, um sich zu verbergen; ein Kjermanasch hangelte sich herunter, um zum Löschen der Fracht das Takel einzuhaken, und plötzlich stieß er einen lauten Schrei aus und sprang zwischen die Fässer, worauf ihm andere Kjermanasch folgten. Sie veranstalteten ein großes Gelächter und unterhielten sich aufgeregt in ihrer Sprache; sie verabreichten Rodvard etliche Klapse und zupften an seinem inzwischen zu auffälliger Länge ausgewachsenen Haupthaar, dann drängten sie ihn zur Treppe und an Deck, wobei sie »Kieee-jip! Kieee-jap!« riefen und einer ihn antrieb, indem er ihm von hinten ein Messer zwischen die Beine rammte, das zum Glück in einer Scheide stak.

Droben stolperte er sogleich dem Maat in die Arme, der entgeistert in die Sonne blinzelte. »Beim Gottesdienst – das ist ja Pißgesicht! Ich dachte, du hättest dich längst in Heringsfürze aufgelöst! Oheee, Kapitän! Hier ist Euer betrügerischer Handwerker.«

Nun bemerkte Rodvard, daß Kapitän Betzensteg nur wenige Schritte entfernt stand und mit einem Mann in unauffällig grauem Rock und rotem Spitzhut sprach, der jedoch keine Standesspange trug. Der einäugige Wüterich drehte sich um; seine dicken Lippen bebten. »Legt ihn im Lazarett in Ketten, da er so schlüpfrig ist. Sobald wir wieder auf See sind, tritt das Bordgericht zusammen.« Der Blick des einen Auges ruhte auf Rodvard – und geschrieben stand darin das kurzgefaßte Urteil: Tod.

Der junge Mann wankte. »Appellation«, rief er verzweifelt.

»Auf seinem Schiff ist der Kapitän Richter. Ich verweigere die Appellation. Führt ihn ab.«

»Einen Moment, Sire Kapitän«, sagte der Mann in Grau. »In den Landen Manchereis, in dessen Hoheitsgebiet Ihr Euch gegenwärtig aufhaltet, gilt dergleichen nicht als gutes Recht. Wir haben einen Richter, der über jeglichen Einwand Sterblicher erhaben ist – den Gott der Liebe, dessen Gesetz unser Prophet errichtet hat.«

»Dies ist mein Schiff«, schnauzte der Kapitän in bösartigem Grimm. »Ich befehle Euch, es zu verlassen.«

Der Mann im grauen Rock besaß ein schmales, asketisches Gesicht. Nun hob er indigniert eine Braue. »Dies ist unser Hafen. Ich befehle Euch, ihn zu verlassen und nicht ein einziges Stück Eurer Fracht zu löschen.«

»Das wagt Ihr nicht. Unsere Königin . . .«

»Hat hier keine Gewalt. Das haben wir zur Zeit des Tritulaccanischen Krieges bewiesen. Junger Sire, was ist der Grund für Eure Anrufung unseres Gesetzes?«

Der Blaue Stern auf Rodvards Brust war frostkalt, doch über den Augen, die seinen Blick erwiderten, schien wie ein Dunstschleier ein heller Schimmer zu liegen, und diesen konnte er nicht durchdringen, so daß er keinen Gedanken zu erfassen vermochte.

»Weil der Kapitän dieses Schiffs«, antwortete er, »obwohl Ankläger wie Richter in einer Person wäre.«

»Er lügt«, knurrte Betzensteg. »Mein Offizier ist der Ankläger, denn ihm hat er den Befehl verweigert, eine Reparatur am Fallreep durchzuführen.«

»Das ist ein Sachproblem, worüber ein Gericht entscheiden sollte, das an seiner Entscheidung keinen Gewinn haben kann«, sagte der Mann in Grau ruhig. »Junger Mann, unterwerft Ihr Euch dem Recht von Mancherei, seid Ihr dazu bereit, seine Gültigkeit und die Entscheidung seiner Würdenträger anzuerkennen?«

»O ja«, rief Rodvard, zu allem bereit, um bloß dem grauenhaften Blick jenes Auges zu entfliehen.

Der Mann in Grau holte eine kleine Papierrolle zum Vorschein und berührte damit leise Rodvards Arm. »Dann erkläre ich hiermit, daß Ihr unter dem Gesetz des Propheten von Mancherei steht. Und Euch, Sire Kapitän, rate ich von jeglicher weiteren Behelligung ab – die ernsteste Strafe träfe Euch. Junger Mann, nehmt Platz in meinem Boot.«

3

Man hielt Rodvard dazu an, sich im Bootsbug niederzulassen, wo eine Flagge flatterte, mit einem Gebilde darauf, das einer Taube glich, doch sich kaum mit Gewißheit erkennen ließ, weil man sie – vom heraldischen Standpunkt aus unvernünftig – in Grau auf Weiß ausgeführt hatte. Salzige Gischt sprühte ihm ins Antlitz; als sie am steinernen Kai anlegten, ließ man von oben eine Leiter herab, und Rodvard wollte dem Graugekleiten den Vortritt gewähren, doch selbiger winkte ihm gebieterisch, zuerst hinaufzusteigen.

Die Uferstraße wimmelte von regem Treiben, das auf Rodvard einen wesentlich zielbewußteren Eindruck machte als das träge Gebummel in Netznegon; Pferde und Fuhrwerke rumpelten entlang, Träger schleppten Lasten dahin, Reiter und Insassen kleiner zweirädriger Kaleschen hielten an, um sich in den gestreiften Schatten, die der Wald hoher Masten über den Pier warf, zu unterhalten. Die Kleidung der Menschen war sehr verschiedenartig. Aus einer Taverne ertönte Gesang; dabei war es noch früh am Morgen. Für Rodvard hatte es den Anschein, als wären diese Menschen wohlgemuter als die in der Heimat; und er dachte sich, daß die Herrschaft des Prophetengesetzes etwas damit zu tun haben könne. »Hier hinunter«, sagte einer der Ruderleute und ergriff ihn am Arm. Man geleitete ihn über das Kai und empor zu einer von Säulen umrahmten Tür, durch welche beständig Personen gingen und kamen.

»Wie lautet Euer Name?« fragte der Graugekleidete und verharrte auf den Stufen; er machte eine Eintragung und wandte sich an den Ruderer. »Bringt ihn in die Taverne Zum Falkenhaupt und seht zu, daß er ein Frühstück erhält. Hier ist Eure Order. Ich werde Bogenschützen schicken, um den Maat abholen zu lassen, der als Kläger auftritt, aber ich bezweifle, daß das Gericht sich vor der zehnten Nachmittagsstunde mit dem Fall befaßt.«

»Bin ich ein Gefangener?« erkundigte sich Rodvard.

Das Gesicht des Mannes blieb unverändert. »Nein. Aber es dürfte Euch schwerfallen, das Weite zu suchen. Laßt Euch warnen. So wenig wie Ihr ungehört abgeurteilt werdet, so wenig seid Ihr deshalb frei, weil der Kläger seine Rechte überschritten hat.« Er grüßte geschäftsmäßig und drehte sich auf dem Absatz um.

Rodvard ging mit dem Ruderer, einem stämmigen Mann, der am Oberkörper nur ein Hemd trug, keinen Rock. »Was meinte er damit«, fragte er, während sie ausschritten, »als er sagte, es würde mir schwerfallen, das Weite zu suchen?«

Das Gesicht zog sich vor Staunen zu zahllosen Runzeln zusammen. »Na, er ist ein Eingeweihter! Ihr hättet kaum ans Entweichen gedacht, da wären Euch schon die Wachen auf den Fersen.«

Nun blickte Rodvard ihn seinerseits voller Erstaunen an, und ein Schauder durchrann ihn, als er an die Möglichkeit dachte, daß die

Getreuen des Propheten eine Methode zum Gedankenlesen kannten, die nicht die Verwendung eines Blauen Sterns erforderte; etwas, wovon er bislang nur gerüchteweise vernommen hatte.

»Was denn!« rief er, um von diesem Gesprächsstoff abzulenken. »Ich sehe nirgendwo Standesspangen. Ist es also wahr, daß es in Mancherei keine gibt?«

Der Mann schnitt eine Grimasse. »Es gibt auch keine Stände in Mancherei – das sagen wenigstens die Diakone und Kandidaten in ihren Gottesdiensten.« Er schaute über die Schulter. »Aber sie verleihen einem genug Rang, wenn man ihre Diät aus Gemüse und Fisch einhält. Bah! Hier sind wir.«

Das Frühstück bestand nicht aus Fisch, sondern aus einem hervorragenden Hähnchen in einer Kasserolle, serviert von einem rotbackigen Mädchen, das den Ruderer auf die Pfoten schlug, als er nach ihrem Knie tastete. Er lachte wie ein Wasserfall und bestellte dunkles Bier. Rodvard hörte ihm kaum zu, er schmauste versonnen, zurückgezogen in eine kleine innere Welt (Hoffnung vermengte sich im Untergrund seines Gemüts mit dem ständigen Bewußtsein der Gefahr), so daß es ihn überraschte, als der Ruderer ihm einen Rippenstoß gab und sich erhob. »Für Euch ist eine Rechnung eröffnet, Bogolan«, sagte er. »Kommt die Mittagswende, braucht Ihr nur nach Brot, Käse und Bier zu verlangen. Geht aus, schaut Euch um, seht Euch unsere Stadt an, aber versäumt nicht, um die zehnte Stunde zurückzukehren. Und denkt daran, Eure dossolanische Währung kann Euch in den hiesigen Läden nichts nutzen, es ist ein Verbrechen, solches Geld anzunehmen.«

Er stolzierte hinaus. Sein letzter Hinweis erinnerte Rodvard an seine Mittellosigkeit, und er schielte voller Unbehagen rundum, da er nun erstmals bemerkte, wie fleckig, schmutzig und stinkig die schwarze Lakaientracht war, die er von Mathurin erhalten hatte; an der Brust, wo die Spange gewesen war, wies sie einen Riß auf. Er verspürte kein Verlangen, sich der Welt in diesem Zustand zu präsentieren. Im Winkel zwischen der Holztäfelung und einer großen Sofabank duckte er sich hinter seinen Tisch, um seine Frist abzusitzen, und beobachtete die Vorgänge ringsum im Raum. Das Gedränge der Frühstücksgäste hatte nun nachgelassen; Mädchen sammelten gemächlich, aber mit Geklapper das Geschirr ein und riefen einander mit kräftigen, rauhen Stimmen zu. Es gelang ihm nicht, seinen Blick in den eines der Mädchen zu heften, um durch den Blauen Stern ihre Gedanken zu lesen; wären die Mädchen nicht in ständiger Bewegung gewesen, hätte daraus ein Zeitvertreib werden können. Und seine eigenen Verhältnisse waren so verworren und zum Erregen geeignet, daß er wenig Sinn darin sah, sich noch weitere Gedanken darüber zu machen. Nach einer Weile empfand er das feige Herumhocken als schmählicher denn die Verkommenheit seiner Erscheinung, so daß er doch aufstand und die Taverne verließ. In der Stadt hatte sich unterdessen die allerhöchste Geschäftigkeit entfaltet, und es herrschte mächtiger Lärm.

Es mangelte an einer klaren Orientierungsmöglichkeit, es gab keine langen Boulevards wie in Netznegon, sondern die Straßen waren statt dessen verschachtelt und gewunden. Die Häuser standen in angemessenen Zwischenräumen. Rodvard befürchtete, sich in der verwickelten Anlage der Avenues zu verirren, und daher behalf er sich, indem er einen Weg wählte, auf dem er stets an Gebäuden zur Rechten entlangging, so daß er, ohne Straßen zu überqueren, ein Viereck einschlug, das ihn schließlich unweigerlich an seinen Ausgangspunkt zurückführen mußte. Der Stadtteil umfaßte vorwiegend Handelshäuser, dazwischen hohe Mietshäuser mit kahlen Fassaden. Ein merkwürdiger Umstand: nirgendwo waren Kinder zu sehen. In den Auslagen bemerkte er unter den Kleidern viele so wunderschöne Stücke, daß Adelige und Prinzessinnen sie hätten tragen können. Andere Waren sah er wenige; in einem Fenster jedoch lag eine Vielfalt von Schreibwerkzeug aus, Pergamentrollen, Federn, Kladden, Fast ausnahmslos fein mit Arabesken verziert oder vergoldet, und bei diesem Anblick fragte er sich, welche Art von Schreiber wohl mit solch herrlichem Gerät arbeiten mochte.

Hinter einer Ecke erreichte er wieder die Tür der Taverne, und da es noch nicht Mittagswende war, überquerte er die Straße und unternahm einen weiteren Rundgang; diesmal gelangte er dabei in eine Straße mit zahlreichen Warenhäusern, vor denen man von Karren allerlei Güter entlud. Am Ende dieser Straße stand hinter der nächsten Ecke ein Haus des Glaubens, genau wie in Dossola mit den zwei Säulen und dem Bogen darüber am Portal, doch trug der Bogen ein holzgeschnitztes Wappenschild mit einem Paar gefalteter Hände. Heraus trat ein Mann; wie jener, der Rodvard vom Schiff errettet hatte, war er in Grau gekleidet. Sein Gesichtsausdruck und seine Kopfhaltung ähnelten in solchem Maße denen jenes anderen, daß Rodvard ihn beinahe ansprach, ehe ihm auffiel, daß dieser Mann eine kräftigere Gestalt besaß. Die graue Bekleidung war offenbar eine Art von Uniform oder Dienstrock.

Eine Mauer grenzte an das Grundstück, worauf sich das Gebäude erhob; diesseitig lag eine Gasse mit unebenem Kopfsteinpflaster und einem Rinnsal in der Mitte. Rodvard folgte ihrem Verlauf; bisweilen blieb er stehen, um vom Wind zerfledderte Plakate zu betrachten, die übereinander klebten und noch immer eine längst stattgefundene Festveranstaltung verkündeten, die Abreise eines Schiffs nach Tritulacca bekanntgaben, ein Aufruf, um keinen Preis das neueste Buch von Prinz Pavinius zu lesen, die Ankündigung eines Bazars für wohltätige Zwecke durch gewisse Personen, die sich Myonessae nannten, ein für Rodvard gänzlich neuartiges Wort.

Schließlich gelangte er durch die Gasse wieder zur Taverne. Er wollte, daß er ein Buch hätte, aber dieser Wunsch war vergeblich, und deshalb betrat er wieder die Taverne, um seinen vorherigen Platz einzunehmen. Erst als er sich gesetzt hatte, bemerkte er, daß auch in der Ecke gegenüber jemand saß.

Es war ein kleiner Mann, so alt, daß ihm die Nasenspitze übers Kinn hing, in einen langen Mantel gehüllt; mit seinem Aussehen ähnelte er einem Vogel. Ein Krug mit Dünnbier stand vor ihm; das Männlein war tief in Gedanken versunken und blickte nicht auf, als Rodvard seinen alten Platz belegte, doch nach einiger Zeit trank er einen Schluck und schmatzte genüßlich mit den Lippen. »Arbeit, Arbeit, Arbeit«, brummte er, »das ist alles, woran sie denken.«

»Zuviel Arbeit«, sagte Rodvard, froh um jedwede Gesellschaft, »ist gar nicht gut.«

Noch immer hob der Gevatter nicht den Blick. »Ich kann mich noch erinnern, wie's zur Zeit des Großgouverneurs war, jawohl, bevor er sich zum Propheten ausrief, als an Feiertagen nicht gearbeitet wurde, und wir standen an den Straßen, um die Prozessionen anzuschaun, die nach den Gottesdiensten umzogen, alles in Seide und mit den Fahnen, aber heutzutage schleicht man sich aus den Kirchen, als sei's eine Schande, und dann nichts als Arbeit, Arbeit, Arbeit.«

Er trank wieder von seinem Bier. Seine Worte wurmten Rodvard ein wenig, denn obwohl er sich nicht berufen fühlte, um Amorosier gegen andere zu verteidigen, waren es doch gerade diese Prozessionen in Seide, während so viele Leute kein Brot hatten, die Dossola so schwere Lasten auferlegten. »Man möchte meinen, Sire«, sagte er, »daß kein Mensch die Arbeit scheut, wenn er dafür nur seinen Lohn bekommt.«

Der Alte hob nun seinen Blick aus dem Krug. Rodvard erkannte in den Augen ein Gefühl der Gleichgültigkeit gegenüber jeglicher Art von Lohn außer in Ruhe gelassen zu werden. »Die Jugend schweigt«, sagte er, »wenn das Alter spricht.« Eines der Mädchen trat herbei; Rodvard bestellte seinen Käse mit Brot und Bier, und das Mädchen schenkte ihm ein so großherziges Lächeln, daß er ihr scharf in die Augen sah und feststellte, daß sie eine sexuelle Annäherung gutheißen würde, doch dahinter stak der Gedanke an Geld. Der Greis sackte unter seinem Mantel zusammen und sprach kein Wort, bis das Mädchen sich wieder entfernt hatte. »Lohn, so?« meinte er dann. »Was ist der Sinn des Lohns und Gelderwerbs, da man dafür nichts bekommt außer protzigen Kleidern und den Hals voll mit Gesöff, aber man keine Anerkennung und keine Stellung erhält? Gebt mir darauf Antwort! Ich sage Euch, ich wäre nicht unglücklich, könnten wir zurückkehren unter die Herrschaft der Königin, und das ist wahrlich mein Ernst, auch wenn man mich zur Belehrung schickt.«

»Sire, darf ich eine Frage an Euch richten?« wollte Rodvard wissen.

»Fragen zeugen von leidlichem Respekt und der Bereitschaft zum Lernen. Fragt.«

Die Mahlzeit kam. Rodvard nagte am Käse. »Sire«, fragte er, »ist es nicht besser, bedeutet es nicht mehr Freiheit, dort zu leben, wo es keine Standesunterschiede gibt?«

»Keine Standesunterschiede, ja«, sagte der Alte finster. »Und genau das ist ja eben das Übel. Früher wußte ein Mensch einigermaßen sicher, wo er stand, er konnte zu jenen über sich aufblicken und an ihrem Glanz teilhaben, und es gab noch richtige Spielleute und Tanztruppen, mindestens hundert, und sie machten daraus eine Kunst, so daß die Seelen jener, die zusehen, davon erhoben wurden. Und wo sind sie jetzt? Alle fort nach Dossola. Und alles, was hier irgend jemand noch tun kann, ist arbeiten, arbeiten, arbeiten, sich placken und placken. Ich kann mich erinnern, was das für eine Freude für mich war, damals zur Zeit des vorletzten Großgouverneurs, da war ich ein junger Mann, als ich meinen ersten Auftrag erhielt, nämlich für Graf Belodon, den Finanzsekretär, eine Porträtbüste anzufertigen. Eine Büste seiner Geliebten, und ich habe sie nicht größer als so gemacht, aus kjermanaschischem Walroßbein, das schönste Stück, das ich je hergestellt habe. Aber heutzutage will man bloß noch Postamente für Vorhallen von mir. Alle Kunst ist dahin.«

»Aber ich habe den Eindruck«, sagte Rodvard, »daß sich ein Mensch hier des Lebens sicher sein kann, so daß er nicht hungern muß, wenn er nur arbeiten will.«

»Es steckt kein Geist mehr dahinter. Es geht immer nur weiter, ein Mensch arbeitet wie eine Ameise, bis er eines Tages nicht mehr da ist und den Platz flugs eine andere Ameise einnimmt. Kein Geist darin. Nichts wird mehr aus Freude am Schöpferischen getan, deshalb braucht man Gesetze, um die Leute zum Arbeiten zu bringen.«

Damit verfiel er in Schweigen und starrte nur noch in sein Bier; Rodvard konnte ihn nicht zu einem einzigen weiteren Wort verleiten. Schließlich kam ein junger Bursche mit langen hellen Haaren herein und schritt die Nischen ab, bis er an die gelangte, worin die beiden Männer sich gegenüber saßen, und er wandte sich an den Alten, den er Großvater nannte, er müsse ihm sofort in die Werkstatt folgen, man brauche ihn, damit er das Zifferblatt für eine Uhr schnitze.

18. Kapitel

Erneuter Anfang

1

Das Gericht glich keinem, das Rodvard jemals gesehen hatte. Hinter einem gewöhnlichen Tisch saßen zwei jener Männer in Grau; ihre Gesichter spiegelten Gleichmut wider und besaßen eine Ähnlichkeit, die seltsam anmutete. Seitlich notierte ein Sekretär, der vor einem Tintenfaß und einem Stoß Papier saß, Rodvards Name, als er ihn auf Verlangen sagte. Die Wachen zu beiden Seiten trugen keine Waffen außer kurzen Knüppeln und Dolchen am Gürtel. Der ungeschlachtene Maat hatte bereits auf einem Stuhl Platz genommen und wirkte in dieser Umgebung denkbar ungeheuer; neben ihm standen zwei kjermanaschische Matrosen, der eine ein Bürschlein mit fettem Gesicht und ungesunder Erscheinung. Am Ende des Tischs gegenüber dem Sekretär saß ein reich gekleideter Mann von herablassend gleichgültigem Gehabe. Weitere Personen und Zuschauer waren nicht im Raum, und die Verhandlung begann ohne jegliches Zeremoniell, indem der eine Eingeweihte ohne Umschweife fragte, wie die Anschuldigung gegen Sire Bergelin laute.

»Meuterei«, sagte der Maat. »Ich habe der Ratte eine Aufgabe zugeteilt, aber der Kerl hat sich ganz einfach geweigert, sie auszuführen.«

»Es ist dossolanisches Gesetz, daß Fälle von Meuterei auf See vom Kapitän des Schiffs abgeurteilt werden, der zu diesem Zweck juristisch abgesicherte Vollmachten besitzt«, erläuterte der gutgekleidete Mann. »Andernfalls würde sich auf dem Schiff die Widersetzlichkeit ausbreiten. Ich wünsche, daß Euer Sekeretär hier protokolliert, daß ich in Übereinstimmung mit dem Vertrag über Freundschaft und gegenseitigen Respekt zwischen Eurer Nation und der Königin, meiner Herrin, förmlich die Auslieferung dieses Verbrechers beantrage.«

»Es werde protokolliert«, sagte einer der Grauröcke ruhig. »Es werde ebenso vermerkt, daß der Vertrag verbürgt, daß niemand vor seiner Schuldigsprechung ausgeliefert wird, denn obwohl in uns allen das Verbrechen lauert, entspricht es nicht den Geboten der Liebe, wenn Menschen einander für etwas anderes Härten zufügen als Sünden, die das menschliche Gesetz als solche bezeichnet.«

Die Augen des Vornehmen erhielten nichts als abgrundtiefen Widerwillen. »Wie könnte ein Schuldspruch vor einer Verhandlung gefällt werden? Es ist ja die Durchführung einer Verhandlung, wofür wir seine Auslieferung fordern.«

»Dieser junge Mann hat sich unter den Schutz der Hoheit von Mancherei gestellt«, sagte der andere Eingeweihte. »Ehe wir ihn zum Zweck einer Verhandlung ausliefern können, bedarf es des Beweises, daß ein Schuldspruch gerechtfertigt wäre. Gibt es derartige Beweise?«

»Na gewiß, verdammt nochmal!« rief der Maat. »Ich habe gesehen und gehört, wie der Kerl den Befehl verweigert hat. Hier sind zwei von meiner Mannschaft, die das ebenfalls bezeugen können.« Er wies auf die beiden Kjermanasch, die augenblicklich zu plappern begannen, aber der Eingeweihte, der zuerst den Mund aufgetan hatte, nickte bloß dem Sekretär zu, welcher das Paar daraufhin in der eigenen Sprache anredete.

»Sie erklären für wahr«, sagte er, nachdem die beiden geantwortet hatten, »daß Sire . . .« – er schaute auf sein Blatt – » . . . Bergelin den Befehl erhielt, eine Reparatur vorzunehmen, und ihn verweigerte.«

Der Eingeweihte richtete seinen Blick auf Rodvard, und Rodvard vermochte hinter seinen kalten Augen nicht den schwächsten Gedanken zu erkennen, wogegen sein Blick ihn unwiderstehlich zu durchdringen schien. »Diese Beweislast reicht für eine Verhandlung«, sagte er, »es sei denn, Ihr könnt die Aussagen entkräften.«

»Ich konnte die Reparatur ja gar nicht machen«, sagte Rodvard, »ich wußte doch nicht, wie.«

»Darüber zu entscheiden, ist Sache einer Verhandlung, kein Grund, eine solche nicht anzuberaumen.«

Der Maat lachte höhnisch.

»Aber Ihr Herren«, rief Rodvard in heller Verzweiflung, »dieser Kapitän ... ich flehe Euch an ... es ist nicht deswegen ... er ist ...«

»Sprecht unmißverständlich aus, was Euch bewegt, denn es ist das Gebot der Liebe, daß nichts verborgen bleiben soll.«

Rodvard fühlte ein leichtes Erröten seine Wangen verfärben. »Nun denn – nicht für ein Pflichtversäumnis ist's, daß dieser Kapitän meine Verfolgung betreibt, sondern weil ich mich weigerte, Partner seiner unnatürlichen Lust zu sein.«

Mit einem Ausruf schlug der Botschafter Dossolas seine Faust auf den Tisch, der Maat stieß mit grausamer Miene ein Knurren aus; die beiden Eingeweihten dagegen blieben so ungerührt wie Berge.

»Keine Lust ist mehr oder weniger natürlich als die andere, da alle dem Gebot der Liebe widersprechen, und eine Seele, die gänzlich erfüllt ist von der Liebe, mag dieser unwirklichen Welt der Materie geben, was immer sie verlangt, ohne fürchten zu müssen, sie wäre von Sünde gezeichnet. Doch hegen wir die Auffassung, daß im Falle einer falschen Angabe des Grundes für diese Verhandlung des vollauf gerechtfertigt ist, sich auf unser Gesetz zu berufen. Wir wollen weiter hören.«

Er gab einen Wink; der Sekretär wandte sich wieder an die Kjermanasch, während der Maat ihnen Blicke reinen Gifts zuwarf, abwechselnd dem einen, dann dem anderen, ganz danach, welcher gerade die Antworten erteilte. Die Matrosen wirkten unwillig, vor allem der junge Dicke, den der Sekretär hauptsächlich ansprach, zögerte sehr; Rodvard verstand nicht ein Wort, aber der Tonfall der Stimmen verriet deutlich genug, wie die Sache sich entwickelte. Endlich begann das dicke Bürschlein zu schniefen und zu rotzen, und bei seinem letzten Gewinsel drehte der Maat langsam den Kopf; aus seinen Augen stierte nackter Mord, während seine Hand zum Gürtel glitt, zum Messer ...

»Halt!« schrie Rodvart. »Er will ihn umbringen!« Mit einem Fauchen sprang der Maat auf und riß zugleich das Messer heraus, doch da hatte Rodvards Aufschrei schon die Wachen herangerufen. Der eine Wächter tat einen Satz vorwärts und schlug mit seinem Knüppel zu, während der andere den Maat von hinten packte, indem er einen Arm um seinen Hals schloß. Der Maat brüllte, die Kjermanasch kreischten, und dann lag der starke Grobian nach einem vernehmlichen Aufprall am Boden und befand sich in festem Griff; er fluchte und versuchte, seine gebrochene Rechte zu halten.

»Was wir soeben erlebt haben«, sagte einer der Eingeweihten ernst, »war ein Akt der Selbstanklage« Er sah den Sekretär an. »Haben diese beiden Matrosen sich gleichartig aufschlußreich geäußert?«

»Ja, Bruder. Der Jüngere sagt, daß er jenes Kapitäns Lustknabe war und Sire Bergelin selbigen Kapitäns Kabinenwart und daher mit dem gleichen Ansinnen Bekanntschaft gemacht haben muß, denn das ergab sich bei allen so, denen diese Aufgabe zufiel. Die beiden sagen auch aus, daß er den Befehl gab, Sire Bergelin ins Meer zu werfen. Außerdem sagen sie, daß man sie instruiert hat, was sie bezüglich der Reparatur aussagen sollten.«

»Liebe ist Erleuchtung«, sagte der Eingeweihte.

»Unsere Entscheidung lautet«, sagte der andere, »daß dieser Maat für die begangene Ruhestörung vor Gericht eine Strafe von zehn dossolanischen Scudi entrichten muß. Dafür jedoch, daß er eine falsche Beschuldigung gegen jemanden vorgetragen hat, der unter dem Schutz des Propheten steht, wird er mit Freiheitsentzug bestraft, welcher der Unterrichtung in der Lehre des Propheten dient und dessen Dauer das Gericht nach der Erfordernis des Erfolgs bestimmt.«

Der Maat brüllte wirr.

»Ich protestiere gegen die Aburteilung eines Untertans unserer huldvollen Königin infolge falscher Aussagen und aufgrund des Verhaltens einer Person«, sagte der wohlgekleidete Botschafter, »die nicht allein selbst ein Verbrecher ist, sondern auch ein Provokateur, der weitere Missetaten herausfordert.«

»Euer Protest wird zur Kenntnis genommen. Wir erklären die Verhandlung für geschlossen.« Die beiden Eingeweihten erhoben sich, als seien ihre Muskeln von nur einem Hirn gelenkt, doch als der Dossolan ebenfalls aufstand und die Wachen ihren Gefangenen hinausschleiften, sah der eine Eingeweihte Rodvard an.

»Ihr bleibt, junger Mann«, sagte er.

2

Beide nahmen wieder Platz. »Setzt Euch«, sagte der eine; dann ruhten die ungerührten Blicke unverwandt auf ihm. Diese Begutachtung währte sicherlich ihre drei bis vier Minuten; Rodvard wagte sich – trotz seiner inneren Beunruhigung – kaum zu regen. »Ihr tragt einen Blauen Stern«, sagte derselbe Eingeweihte schließlich. Das war keine Frage, sondern eine Feststellung; Rodvard hatte nicht das Gefühl, daß man eine Antwort erwartete, also gab er keine.

»Laßt Euch warnen«, sagte dann der andere Eingeweihte. »Der Blaue Stern besitzt hier nicht soviel Macht wie andernorts, da es das Gebot des Gottes der Liebe ist, daß alle untereinander in Wahrhaftigkeit verkehren sollen, und daher gibt es kaum etwas, das er enthüllen könnte.«

»Aber ich . . .«, begann Rodvard. Der Eingeweihte erhob eine Hand, damit er schweige.

»Zweifellos dachtet Ihr, junger Mann, durch Euren Charme sei es

Euch möglich geworden, alles auszukundschaften, was eines Menschen Seele enthält. So wißt, junger Mann, daß dieser Stein seinen Wert durch Hexerei und durch das Böse gewonnen hat, und deshalb vermag er Euch nur solche Gedanken zu zeigen, die vom Bösen stammen – Haß, Lüsternheit, Grausamkeit, Mordstreben, Betrug.«

Daraufhin schwieg Rodvard. Das konnte wahr sein, dachte er; zwar war er kein erfahrener Meister im Umgang mit dem Juwel, doch stand bereits soviel fest, daß er ihm nie über jemanden etwas Gutes verraten hatte. »Wo ist Eure Hexe?« erkundigte sich einer der Eingeweihten.

»In Dossola.«

»Da das heutige Urteil Euch dort in schlechtes Licht setzt und sich der Maat des Schiffs sich durch unseren notwendigen Beschluß in hiesigem Gewahrsam befindet, dürfte es unmöglich für Euch sein, dorthin zurückzukehren.«

»Vielleicht nach einiger Zeit . . .«, begann Rodvard.

»Auch könnt Ihr sie nicht gut herholen«, sagte der andere Eingeweihte. »Bei uns ist die Ausübung der Hexerei nicht verboten, anders als in Eurem Land. Aber wir erachten sie als Sünde wider den Gott der Liebe, und es ist vorgeschrieben, daß jene, die sich der Hexerei befleißigen, in den Obdächern der Myonessae eine Periode der Belehrung durchmachen.«

Eine wilde Aufwallung der Sehnsucht nach Lalette packte Rodvard und verdrängte das dumpfe Bedauern darüber, daß er die Söhne der Neuen Zeit hatte aufgeben müssen – für ein neues Leben . . . ein leeres Leben. Kein Geist darin, hatte der Alte gesagt.

Bevor Rodvard irgendeine Entgegnung einfiel, sprach wieder einer der beiden Eingeweihten. »Das gesamte Leben in dieser materiellen Welt ist die Zuwendung von einer zur anderen Leere, und dem kann man nur entgehen, indem man alle Leere mit Liebe ausfüllt. Das ist das Wesen des Geistes.«

Mit einem Ruck, als sei er aus einiger Höhe auf den Boden geprallt, erkannte Rodvard, daß er hier vor Männern saß, die seine Gedanken fast so deutlich verfolgen konnten wie er die Gedanken anderer, und er entsann sich flüchtig dem Wort des Oberhaushofmeisters in Sedad Vix, daß es möglich sei, Gedanken zu verheimlichen; zugleich fragte er sich, was diese seltsamen Männer von ihm wünschen mochten.

»Es sind nicht die Gedanken des Geistes«, sprach die kräftige, klangvolle Stimme weiter, »sondern die Wege des Herzens, die wir erforschen, denn der Verstand ist so materiell wie die Welt, mit der er sich abmüht – eine Schöpfung des Bösen –, wogegen das andere ein Mysterium bleibt.«

»Welches ist Euer Erwerb?« erkundigte sich der andere Eingeweihte, als sei damit alles erledigt.

»Ich bin Schreiber. In Netznegon habe ich als Sekretär im Stammbaum-Bureau gearbeitet.«

»Hier führen wir keine Stammbäume. Abortreiniger werden gebraucht. Aber wenn es Euch für diese Tätigkeit an Interesse oder Geschick mangelt, könnt Ihr in der Handelsbuchhaltung Euren Dienst versehen, welche über den ordnungsgemäßen Verkauf der Waren wacht, welche wir durch das Wohlwollen des Propheten zur Verfügung haben.«

»Ich glaube, das letztere ziehe ich vor«, sagte Rodvard, ohne es wirklich zu meinen; denn Abortreinigung und Krämerwesen hielt er für einander gleichwertige Übelstände, doch bot letzteres ihm wohl eine bessere Chance, um seine Eigenständigkeit wiederzuerlangen.

Die Eingeweihten standen auf. »Wir werden den Protokollanten in Kenntnis setzen, damit er Euch eine Unterkunft vermittelt und Euch unterrichtet, wo Ihr Euch zum Dienstantritt zu melden habt. Ihr müßt ihm Euer dossolanisches Geld geben, wofür Ihr von ihm den Gegenwert in unserer Münze bekommt.«

»Aber ich besitze kein Geld irgendeiner Währung, überhaupt keines«, sagte Rodvard.

Die beiden Männer blieben auf dem Weg zur Tür stehen und wandten ihm ihre Gesichter zu, und erstmals sah er darin eine Spur von Mißmut. »Junger Mann«, sagte der eine ernst, »Ihr standet offensichtlich unter der Herrschaft des Gottes des Bösen. Sollte diese finanzielle Bedürftigkeit nicht alsbald behoben sein, sähen wir uns gezwungen, Euch eine Belehrung über die Doktrinen des Propheten aufzuerlegen. Es wäre ohnehin besser, Ihr ließet Euch darin unterweisen. Der Protokollant wird Euch eine Order zur Beschaffung neuer Kleidung und anderer unmittelbarer Notwendigkeiten geben, doch müßt Ihr alles binnen kurzer Frist zurückzahlen.«

Sie gingen hinaus. Rodvard empfand ihre letzten Bemerkungen als in krassem Gegensatz zu der Großherzigkeit befindlich, die sie in anderer Hinsicht gezeigt hatten, und in unglücklicher Stimmung fragte er sich, ob er Lalette jemals wiedersehen werde.

3

Das Quartier, das man ihm zuwies, war in einem Raum über dem Laden eines Schneiders namens Gualdis; der Laden lag an einer Ecke, wo drei Straßen zusammenliefen. Der Schneider hatte eine dicke Frau und drei Töchter, deren eine aus einer Speisenhandlung an der benachbarten Ecke eine große Mahlzeit aus Linsen, Gemüse und Wurststückchen mitbrachte, die sie gemeinsam verzehrten. Die Mädchen plauderten hemmungslos durcheinender, da Rodvards Auftauchen sie neugierig gemacht hatte wie ein Schock Elstern; sie wollten wissen, wie das Leben in Dossola sei, denn sie waren zu jung, um sich daran erinnern zu können, wie Prinz Pavinius sich vom Großgouverneur zum Propheten wandelte und der Tritulaccanische Krieg ausbrach. Rodvard mochte die Tochter im mittleren Alter am meisten; sie hieß Leece. Sie besaß dicke, lebhafte, schwarze Brauen, die ihrer Augen Glanz betonten, wenn sie lachte, was sie mit erfreulicher Regelmäßigkeit tat. Der Blaue Stern enthüllte ihm, daß sich hinter dem Glanz ihrer Augen eine ungewisse Verwunderung verbarg, ob er der ihr bestimmte Mann sei oder nicht, und die Vorstellung, ihr Wohlgefallen zu finden, gefiel ihm durchaus, aber sie drehte den Kopf so schnell hin und her und redete soviel, daß er nicht mehr erspähen konnte.

Nachdem man ihm sein Bett gezeigt hatte, übermannte ihn die Schläfrigkeit, die stets mit einem Wechsel der Lebensumstände einherging, und er begann seine Gemütsverfassung zu untersuchen. Er fühlte sich im allgemeinen ganz zufrieden, doch aus Zweifel, ob das eine Berechtigung hatte, tastete er nach irgendeiner unterschwelligen Ahnung von Gefahr, einer jener Art, wie er sie empfand, als in jener Nacht Lalette an die Tür seines Pensionnarios pochte, und später nochmals während des Gesprächs mit dem Oberhaushofmeister Tuolén. Aber er entdeckte nichts dergleichen; alles schien in schönster Ordnung zu sein, trotz der Tatsache, daß er in diesem Land mehr oder weniger gefangen saß. Die Gerüchte in Dossola behaupteten jedoch, so etwas sei keine Seltenheit, daß amorosische Agenten durch das Mutterland reisten, um für ihre Zwecke vor allem solche Leute zu rekrutieren, die irgendwie mit Hexerei zu tun hatten, und er hielt es nun für möglich, daß diese Behauptung stimmte. Der Eingeweihte auf dem Schiff hatte ihn mit erstaunlicher Bereitwilligkeit in Schutz genommen, und wenn er so war wie die beiden im Gericht, dann mußte er gewußt haben, daß er, Rodvard, einen Blauen Stern trug.

Doch hatte er den Eindruck gewonnen, daß diese Amorosier einander soviel Gutwilligkeit entgegenbrachten, daß man größere Fehler begehen konnte, als in ihrer Mitte ein Leben zu führen, auch wenn ihren Eingeweihten etwas Unirdisches anhaftete. Seine Überlegungen schweiften auch zurück nach Dossola, und er begann zu begreifen, warum man dort zum Haß gegen Mancherei anstachelte, zumal das vornehmlich die oberen Stände taten. Ihm kam nämlich der Einfall, daß die Söhne der Neuen Zeit – falls es ihm gelang, wohlbehalten heimzukehren und Remigorius, Mathurin und die anderen von den Vorzügen des Lebens zu überzeugen, welches das Volk unterm Propheten führte – vielleicht ihre Mission erfüllen könnten, indem sie mit Mancherei eine Allianz bildeten. Doch nein, sagte er zu sich selbst, davon vermöchte ich niemanden zu überzeugen, denn das wäre den Sohn über die Eltern gestellt, die einstige Kolonie über das Mutterland, und so etwas ließ die Politik nicht zu.

Aber war es nicht wesentlich im Denken der Söhne der Neuen Zeit, daß sie es selbst als falsch erachteten, an etwas Falschem festzuhalten? Das Hauptübel der alten Herrschaftsform war doch, daß sie einen Menschen aus keinem anderen Grund über den anderen setzte als dem seiner Geburt. War nicht der Zigraner Pyax, samt seinem merkwürdigen Geruch und seinen schiefen Augen, der gleichen Achtung wert wie

Baron Brunivar? Nun denn, warum nicht – es lebe der Prophet, empor die Fahne von Mancherei! Und doch, was hatte Pavinius an diesem Land so schlecht befunden, daß er, selber der Gründer, auf die Regierung verzichtete und weiter hinaus in die Welt zog?

Rodvard wälzte sich ruhelos im Bett; dann dachte er: Natürlich – wie schwerfällig ich doch in der Tat war, daß dieser Makel mir so lange entging! Denn zwar gab es hier keine Bischöfe, aber die Eingeweihten füllten ihren Platz zur Genüge aus. Wenn man sich von der Tyrannei nur befreite, indem man Bischöfe durch Richter ablöste, geriet man lediglich in eine niedrigere Art der Sklaverei. War das Leben also eine Frage dessen, ob man Geist oder Leib befreien sollte? Über diese Frage aber grübelte er sich in den Schlaf und erwachte erst, als hinter den Fensterläden bereits der helle Tag herrschte. Leece brachte ihm auf einem Tablett das Frühstück und wünschte ihm einen recht angenehmen Morgen, aber als er sich mit ihr unterhalten wollte, sagte sie, sie müsse sich an ihre Arbeit sputen. Ihre Augen spiegelten eine Regung wider, die er nicht richtig zu deuten vermochte; falls die Eingeweihten im Recht waren, mußte es eine zärtliche, eine freundliche Empfindung sein. Seine Gedanken weilten mehr bei ihr als bei seinem neuen Erwerb, und daher versäumte er eine Abzweigung, so daß sein Arbeitsantritt ziemlich schlecht mit verspäteter Ankunft begann.

Das Gebäude, worin sein neuer Wirkungskreis sein sollte, war noch neu und aus roten Ziegeln errichtet, ganz wie so viele Häuser in Charalkis; an der Straßenseite wies es eine Reihe durch Pfosten unterteilter Fenster auf, und um die Ecke war ein niedriges, aber breites Tor, durch das leere Karren einfuhren, die man im Hof an einer Rampe mit Ballen belud. Rodvard betrat das Gebäude und sah an einem langen Tisch, dessen Platte aus einem Stück bestand, auf Stühlen etliche Fakturisten sitzen und schreiben, als gelte es ihr liebes Leben. Ein kurzgewachsener, rundlicher Mann schritt nervös hinter ihren Rücken auf und ab; gelegentlich blieb er bei einem der Fakturisten stehen, um ihm etwas zu sagen, oder er trat zu einem anderen, um eine Frage zu beantworten.

Dieser kleine Mann kam nun Rodvard entgegen und musterte ihn der ganzen Länge nach. »Ich bin der Präfekt«, verkündete er. »Seid Ihr Bergelin, der dossolanische Kommis? Ihr habt Euch um das Viertel eines Stundenglases verspätet. Das Bußgeld beträgt zwei Obulas. Kommt hierher.« Er ging voran zum inneren Ende des Tischs, wo unter der letzten Lampe ein leerer Stuhl stand. »Das ist Euer Platz. Zunächst habt Ihr die Aufgabe, anhand der Frachtunterlagen die Posten verkaufter Waren für die einzelnen Heimstätten aufzuschlüsseln. Hier – dies ist die Frachtliste eines Schiffs von einer Fahrt nach Tritulacca. Für die Heimstatt Arpik hat man, wie Ihr seht, drei Uhren für acht tritulaccanische Dukaten verkauft. Nun notiert Ihr diesen Verkauf für Arpik auf einem Blatt. Auf diese Weise legt Ihr für jede Heimstatt ein gesondertes Blatt an. Die notierten Posten hakt Ihr auf der Frachtliste ab, damit man sieht, daß die Bearbeitung erledigt ist. Haltet Euch nicht mit Umrechnungen auf . . . ja, Ivrigo?«

Der Störenfried hielt in einer Hand seine Hilfsleiste und trippelte von einem auf den anderen Fuß, als halte ihn jemand vom Aufsuchen des Aborts zurück. »Ach, Sire Maltusz, ich bitte um Eure nachsichtige Vergebung, aber ich kann diese Posten nicht vorschriftsmäßig verbuchen, solange ich kein Kriterium dafür weiß, wohin in einem solchen Fall die Seefrachtverluste gehören.«

»Hmmm . . . laßt mich sehen . . . o Torheit, schaut doch nur hin! Es ist ausdrücklich vermerkt, daß für die verlorenen Ballen kein Angebot vorlag. Und deshalb waren sie noch Besitztum der Heimstatt, so daß der Posten, sei der Verlust nun durch Piraten oder nicht hervorgerufen worden, dorthin gehört.« Er wandte sich wieder an Rodvard. »Wie gesagt, verliert keine Zeit mit dem Umrechnen in unsere Währung auf, damit ist ein anderer betraut. Ich erwarte, daß Ihr mit dieser Liste bis zum Abend fertig seid.«

»Aber ich habe so etwas noch nie . . .«

»Arbeit ist Gebet. Hier ist Eure Lampe.«

19. Kapitel

Zwei Wahlen

1

Die Matrone mit dem ernsten Gesicht nannte sich Domina Quasso; sie gab Mircella die Anweisung, Lalette in ihre Kammer zu führen, die sich als kleiner, in Braun gehaltener Raum mit einem Dachfenster in der Ecke herausstellte, und die einzigen Möbelstücke waren ein Bett mit nur einer Decke, ein Stuhl und eine Kommode.

»Der Ankleideraum ist dort hinten«, sagte die greise Dienerin und deutete in die gemeinte Richtung. »Die Hausordnung schreibt vor, daß alle Demoiselles sich auf das Läuten der Morgenglocke hin versammeln, damit die Tagesaufgaben verteilt werden.«

»Warum ist das so?« fragte Lalette und setzte sich auf die Bettkante. Es machte sie so froh, eine Stimme ohne jede Spur von Bosheit oder Anzüglichkeit zu vernehmen, daß die Worte kaum zählten.

Die Augen der Alten wurden rund, ihr Mund auch; ihr Gesicht wirkte wie eine Ansammlung von Kreisen. »Das ist die Hausordnung . . .«, sagte Mircella. »Zieht Euch für den Abend zum Besten an. Heute ist der Tag der Diakone.«

»Aha?«

»Oh, einige von ihnen sind sehr reich. Zum Abendessen gibt es Braten. Wäre es nicht fein, nähme einer Euch mit hinauf in die Berge?«

Lalette fühlte ihr Herz sich verkrampfen. »Was meint Ihr?« fragte sie. »Ich komme aus Dossola, für mich ist all dies hier gänzlich neu.«

»Na, ich meine die Diakone – die Kandidaten, die den zweiten Grad haben, also fast Eingeweihte sind, so daß sie keine Ehen eingehen können, und deshalb kommen sie einmal im Monat . . .«

»Mircella!« rief ungeduldig Domina Quassos Stimme.

»Ich muß hinunter. Heute braucht Ihr nicht zu arbeiten. Am ersten Tag braucht man das nicht.«

In welcher Falle bin ich nun gefangen? dachte Lalette. Er sei ein Diakon, hatte Tegval gesagt, daß er sie gewählt habe – in jener schrecklichen Nacht, als . . . Ein heftiger Unmut packte sie, welcher der Witwe Domijaiek galt, die soviel von Liebe und Gott gefaselt, sie jedoch in dies zweifelhafte Etablissement verwiesen hatte; und von neuem, so wie derzeitig, als sie zwischen den Masken stand, verspürte sie ein Gefühl, als sei sie von eisernen Wänden umschlossen. Doch bevor ihr Zorn sie dazu verleitete, die finstere Hexerei zu vollbringen, die sie bereits mit halbem Bewußtsein zusammengebraut hatte, pochte jemand an die Tür, und herein trat ein zahnloser Alter mit ihrem Koffer und sagte, Domina Quasso erwarte ihr Erscheinen.

Sein Eintreten schien einen Bann zu brechen; insgeheim versicherte sich Lalette, daß sie einer Täuschung erliege, daß ihre Sache besser stehe als sie auf den ersten Blick scheine. Unterdessen fragte die Matrone sie in der selbstverständlichsten Weise danach aus, welche Arbeit sie früher verrichtet habe oder für welche sie sich eigne. »Ich weiß nicht«, sagte sie dann, »wofür dossolanische Mädchen von ihren Müttern eigentlich ausgebildet werden, außer zum Heiraten von Grafen. Keines kann auch bloß genug für die eigene Kleidung verdienen. Ihr könnt und wißt also nichts – also werde ich Euch zu den Näherinnen einteilen, die an Leinen arbeiten, bis Ihr eine bessere Tätigkeit erlernt habt. Eure Hexerei wird sich hier allerdings als wertlos erweisen. Ich nehme an, dieser Hinweis ist gerechtfertigt?«

Lalette stampfte mit dem Fuß auf, da bei dieser Behandlung ihr ganzer Zorn wiederkehrte. »Madame«, rief sie, »zu meiner Zeit, als ich aufwuchs, da konnte ein in die Prostitution verschachertes Mädchen sich durchaus noch die Kleidung und sogar noch einiges mehr verdienen.«

Diesem entrüsteten Ausruf schloß sich ein Schweigen an; der Blick der kühlen, strengen Augen blieb unverändert (Lalette hatte das Gefühl, sie müsse, wenn sie zu lange in diese Augen schaue, darin versinken), auch die Miene war nach wie vor ungerührt.

»Setzt Euch«, sagte Domina Quasso schließlich. »Wir haben schon zuvor Mädchen wie Euch aufgenommen, und immer haben sie mir Anlaß zu Zweifeln an jenen gegeben, die Euresgleichen zur Gemeinschaft der Myonessae zulassen. Nichtsdestotrotz – wir, die wir diese Heimstätten leiten, haben die Aufgabe, Euch so zu instruieren, daß Ihr zu einem besseren Lebenswandel befähigt werdet. Hört mir aufmerksam zu. Hier im Hoheitsgebiet von Mancherei, in unserer ehrbaren

Ordnung, wird keine Prostitution betrieben, denn mit ihr befassen sich allein solche Frauenzimmer, die Geld für etwas fordern, das sie aus Liebe schenken sollten. Nun ist's ein von unserem Propheten vorgeschriebener, weiser Brauch, daß jene, die dem Orden der Eingeweihten angehören wollen, nicht ehelichen dürfen, bis sie diesen materiellen Körper aufgeben und jenes Leben antreten, das der Gott der Liebe selbst ist. Denn die alten Kirchen befürworten die Ehe, als sei sie etwas Erstrebenswertes.

Aber diese Billigung ist nichts anderes als ein Freibrief für den Dienst am Gott des Bösen, in dessen Waffenkammer es keine mächtigere Waffe gibt als die Verlockung, immer mehr Menschenkinder zu zeugen, um diese materielle Welt zu bevölkern, die er vollständig beherrscht. Daher besteht die Regel, daß jemand im Grade eines Diakons, sobald ihn das Verlangen befällt, das der Gott des Bösen allem Fleisch eingepflanzt hat, eine Myonessische Heimstatt aufsucht, eine der Myonessae auswählt und mit ihr im Konkubinat lebt, solange es beide wünschen. Dies Konkubinat ist eine Sache gegenseitigen Einverständnisses und keine irgendeines Zwangs. Während der Dauer des Konkubinats darf der Diakon nicht seine Studien fortsetzen, so daß er leicht in die Gefahr gerät, niemals Eingeweihter zu werden, sondern zu sterben und in abstoßender Gestalt eine Wiedergeburt erfahren zu müssen, als Schlange oder als Insekt.«

Lalette hatte kleine weiße Zähne in ihre Lippe gepreßt. »Und wir, die nur die Gelüste dieser Männer zu befriedigen haben, was ist mit uns?«

Die Strenge im Gesicht der Matrone wich dem Ausdruck von Erstaunen. »Nun, es geschieht als Dienst an der Liebe, daß wir unsere Körper hingeben, nicht um der Vorteile willen, die ein Mann einräumen kann, oder zur Befriedigung unserer eigenen Lüste, es ist vielmehr im Namen des Gottes der Liebe, daß alle davon einen Nutzen haben, indem sie die Eitelkeit weltlicher Wünsche kennenlernen.«

»Man hat mir nichts von diesen Dingen gesagt, und ich könnte nicht behaupten, daß sie mir behagen.«

Domina Quassos Miene wurde wieder ernst. »Nun gut«, sagte sie mit einer Stimme aus Eisen. »Es gibt stets welche, die an einer Unterweisung kein Interesse hegen. Ich werde errechnen lassen, was Ihr für die Überfahrt schuldet. Sobald Ihr die Schuld beglichen habt, mag ein Träger Euren Koffer tragen, wohin es Euch beliebt.«

In der Tat – wohin? Und wie sollte sie zahlen? Panik vermengte sich mit dem Zorn, der erneut in Lalette aufwallte.

»Ach«, sagte sie, »Ihr sprecht von Liebe und Heiligkeit, und dabei . . .« Dann brach sie in Tränen aus, indem sie sich vorbeugte und das Antlitz in den Händen verbarg.

Die Matrone trat zu ihr und legte eine überraschend sanfte Hand auf ihre Schulter. »Mein Kind«, sagte sie, »weder sind es die Eingeweihten von Mancherei noch bin ich es, wovon Ihr so harten Zwängen unterworfen werdet, vielmehr ist es diese materielle Welt, die Euch diesen

Harm zufügt, da in ihr der Gott des Bösen alle Gewalt besitzt. Alles, das Ihr bislang durch Hexerei an Wissen gewonnen, was Ihr durch sie errungen habt, entstammt unmittelbar den Tiefen der Hölle. Kehrt zurück in Euer Gemach. Meditiert über meine Worte bis zum Abendessen, wenn einige Diakone eintreffen, dann seht selber, ob eine der Myonessae zu sein wahrhaftig ein so arges Schicksal ist wie Ihr gegenwärtig glaubt.«

2

Zur Mittagszeit bekam Rodvart mangels Geld nichts zu essen, seine Augen schmerzten vom Kritzeln unterm Lampenlicht, und als er bei der Familie Gualdis eintraf, hatte man dort schon gegessen. Die Stimme der Domina klang nicht besonders freundlich (der Blaue Stern teilte ihm mit, daß sie hoffte, es werde mit ihm nicht soviel Ärger geben wie mit . . . den Rest konnte er nicht erkennen). Doch Leece und Vyana – letztere war die älteste Tochter – hatten ihm in einer Kasserolle etwas vom Geschmorten aufgehoben, und beim Essen unterhielten sie ihn, indem sie ihn nach seiner Arbeit befragten. Als er ihnen sagte, daß er Abrechnungen für die Myonessae erstellte, sah er etwas hinter Vyanas Augen, das einem Wirbel aus Furcht und Verlangen glich, doch er konnte weder ihren Gedanken genauer erspähen noch die Mädchen dazu veranlassen, bei diesem Gesprächsstoff zu bleiben. Danach wandte das Geplauder sich erneut Dossola zu, und zwar hauptsächlich dem Grafen Cleudi; die ganze Familie geriet in helle Aufregung, als sie erfuhr, daß Rodvard diesen berühmten Mann tatsächlich in Fleisch und Blut und aus der Nähe gesehen, sogar für ihn gearbeitet hatte. Er brauchte ein kleines Weilchen, um zu begreifen, daß er hier in Mancherei mit seiner Rede keine Vorsicht walten zu lassen brauchte, denn diese Menschen hielten den Grafen für keinen geringeren Schurken als die Söhne der Neuen Zeit es taten. Rodvard erzählte von dem üblen Spiel, das Cleudi sich mit Aiella von Arjen erlaubt hatte (wobei er allerdings – aus einem Grund, den er selber nicht recht verstand – seinen Namen und seine Rolle verschwieg), worauf Leece sich unschuldsvoll erkundigte, was denn eine ›Mätresse‹ sei; die Älteren lachten.

Sein Zimmer war sehr klein und bot lediglich Platz für eine Garderobe, das Bett, ein Schränkchen und einen Stuhl; das Fenster war überm Bett. Am nächsten Morgen brachte das Mädchen das Frühstück sehr früh, und er bedurfte gar nicht des Blauen Sterns, um zu merken, daß es reden wollte, also bot er den Stuhl neben dem Bett an, nahm das Tablett auf seine Knie und fragte, warum die Schwester am Vortag so seltsam gewesen war, als er von den Myonessae sprach.

»Oh, Vyanas Liebster ist Kandidat, er ist nun Diakon geworden, und daher möchte er, daß sie sich, um mit ihm leben zu können, der Schwesternschaft der Myonessae anschließt. Aber Vater und Mutter wünschen, daß sie auf die übliche Weise heiratet.« Sie beugte sich vor und sprach nun nur wenig lauter als im Flüsterton. »Ihr werdet doch nichts verraten, oder ...? – Wir fürchten nämlich, daß er eines Tages mit einem Eingeweihten kommt, und der würde dann bemerken, daß Vater und Mutter in Wahrheit dem alten Glauben anhängen, und beide kämen fort zur Belehrung, wir drei müßten zu den Myonessae, und zu denen will ich nicht.«

Durch Rodvards Kopf wirbelten so viele Fragen, daß er nicht schnell genug die Worte fand; und die plötzliche Nähe von Leeces roten Lippen machte alle seine Sinne vibrieren, das Wogen ihrer prallen Brüste und die Sprache ihrer Augen bezeugten ihm, daß die wechselseitige Nähe auch sie mit Wonne erfüllte, doch anders als das Kammermädchen Damaris blieb sie beherrscht und ... »Und warum nicht?« fragte er ziemlich einfältig, ohne wirklich zu wissen, was er redete. »Man sollte meinen ...«

Sie straffte sich, ihre Augen verloren den Glanz; die vollen Brauen rutschten zusammen. »Ach, Ihr könnt eben nicht wie eine Frau denken. Wir ... wir ... wollen ...«

»Was, allerliebste Leece?«

Sie schenkte ihm ein Lächeln, das seine getarnte Entschuldigung annahm und zugleich mitteilte, daß sie das Spiel mitzuspielen gedachte, das sie gemeinsam ins Rollen gebracht hatten. »Wir wollen um unser selbst willen geliebt werden, und hier in dieser Welt. Da! Ich hab's ausgesprochen. Und nun, sobald Ihr bei Eurem Protokollanten Euren Vier-Tage-Rapport macht, braucht Ihr Euch nur zu beschweren, daß ich außerhalb des Gesetzes der Liebe stehe, dann schickt man mich irgendwohin zur Belehrung, und Ihr müßt Euch nicht länger mit meiner Fragerei über Dossola herumärgern.«

»Nie könnte das sein! Doch sagt mir, Leece, ist es wider das Gesetz, kein Amorosier zu sein?«

»O nein, das versteht Ihr falsch! So schlimm ist's wirklich nicht. Nur müssen die Eingeweihten darauf achten, daß die Menschen nichts Unrechtes tun, und das Unrecht beginnt stets mit unrichtigen Gedanken, daher schicken sie bisweilen Leute schon zur Belehrung, wenn sie falsch zu denken anfangen.« Sie sprach wie beim Aufsagen einer auswendig gelernten Lektion.

»Aber wer entscheidet, ob denn die Eingeweihten selbst recht haben?« fragte Rodvard.

»Nun, das müssen sie doch. Sie lernen alles durch den Gott der Liebe, und keiner von ihnen könnte sich irren, ohne daß die anderen es sehen. Auf diese Weise stellten sie auch fest, daß der Prophet selbst der Macht des Gottes des Bösen unterlag, als er alles umzukrempeln versuchte, und schließlich mußte er fortziehen.«

Einen Moment lang zupfte Rodvard nur an seiner Bettdecke, und beschloß insgeheim, daß es besser sei, nunmehr wieder von anderen Dingen zu reden. »Doch erklärt mir – wieso können die Myonessae nicht um ihrer selbst willen geliebt werden? Ich bin erst seit zwei Tagen hier und weiß noch sehr wenig über das hiesige Brauchtum.«

»Von den Diakonen, die sie auserwählen, meint Ihr? Ach nein, das geht nicht. Die Myonessae wissen, daß sie nur die zweite Wahl sind. Die erste Wahl haben die Diakone bereits mit ihrer Entscheidung für den Dienst am Gott der Liebe getroffen.«

»Dann sind die Myonessae eifersüchtig auf die Kirche – oder auf den Gott der Liebe?«

»O nein! Frauen denken spiritueller als Männer. Ihr müßt mit mir in den Gottesdienst gehen, dann werdet Ihr das begreifen.« Ihre Mundwinkel zuckten ein wenig. »Und jetzt muß ich fort«, sagte sie, indem sie seine Hand berührte. Sie ging rasch.

Diese Morgenunterhaltung war der Anfang einer Gewohnheit; allmorgendlich kam sie zu ihm, um ihm alles beizubringen, das er über Mancherei wissen mußte. Ein- oder zweimal schnaufte Domina Gualdis die Treppe herauf und lächelte den beiden durch die Tür zu, wünschte ihnen im Vorbeigehen guten Morgen; der Anlaß ihres Vorbeigehens mochte echt oder vorgetäuscht sein, doch jedenfalls fand sie es anscheinend durchaus mit ihren Vorstellungen von Anstand vereinbar, daß das Mädchen so häufig auf Rodvards Bettkante saß. Die Konversation der zwei verlief immer nur angenehm und versiegte nie, und sie fanden ihre Freude an kleineren Berührungen, zum Beispiel, als er Leece jene Art des Ringens beibrachte, die er als junger Bursche betrieben hatte, wobei die Gegner unter Einsatz nur eines Armes einander an den Ellbogen packten. Leece war beinahe so stark wie er, so daß es jedesmal ein wirkliches Kräftemessen wurde, und sie gelüstete nach dieser Fast-Umschlingung ihrer Körper nicht minder als er, wie der Blaue Stern ihm verriet; sie würde ihm sehr weit entgegenkommen, erfuhr er durch den Blauen Stern, vielleicht ganz, wenn er genug auf sie eindrang, doch war sie ein bißchen furchtsam vor den eigenen Begierden, und er müßte ihr ein getreuer Ehemann sein . . .

Wenn sie dann fort war, pflegte er an Damaris zu denken, während er sich ankleidete, wie sie ebenfalls auf seinem Bett gesessen hatte, an das Ende dieser Begegnung, süß und schrecklich zugleich, wie sie den Blauen Stern abtötete, daß er sehr wahrscheinlich eine feste Verbindung mit ihr eingegangen wäre, hätten die Umstände nicht seine Flucht aus Sedad Vix gefordert. Und dann hatte er wieder das Gefühl, dieweil er durch die Straßen zu seiner Arbeitsstätte schritt, daß nichts in der Welt so kostbar sei wie dies Juwel und der Zweck, dem es dienen sollte, daß er nach Dossola zurückkehren müsse, auf keinen Fall Dinge geschehen lassen durfte, die den Blauen Stern seines Wertes beraubten; und er dachte auch wieder an die Rache, die Lalette ihm für etwaige Treuelosigkeit geschworen hatte. Die Erinnerung schwebte beständig wie eine bedrohlich dunkle Wolke über dem Hinterland seines Bewußtseins. Doch in dem Moment, wenn er auf seinem Stuhl Platz nahm, gelangte er zu der Auffassung, seine Strafe bereits erhalten zu haben. Er glaubte nicht, daß die beiläufige Restaurierung der Kräfte des Blauen Sterns durch jenes alte Weib in der Hütte aufhob, was er zu erdulden hatte; noch hielt er es für wahrscheinlich, daß diese Restaurierung seine Tat vor jemandem verheimlichen konnte, der solche Hexenkräfte besaß wie das ferne Mädchen, dem er verbunden war. Doch warum war er an Lalette gebunden? Die Wonne der Berührung Leeces und die Lust nach ihrem Körper durchströmten ihn wie flüssiges Feuer, und ihm war zumute, als überquere er eine Brücke, nicht breiter als eine Messerklinge, unter der ein bodenloser Abgrund gähnte, einem im Nebel verborgenen Ziel entgegen, während alle seine inneren Organe sich umdrehten.

»Bergelin«, sagte der Präfekt, »seid Euch wohl dessen bewußt, daß Ihr diese Arbeit aufgrund von Mildtätigkeit verrichten dürft, weshalb es Euch wohl an stünde, diese Gunst nicht zu mißbrauchen.«

20. Kapitel

Unvermeidlichkeit

1

Im Ankleideraum kämmte sich bereits ein Mädchen vor dem Spiegel das helle Haar; es war größer als Lalette und blickte die Eingetretene über die Schulter mit einer Miene an, die dem Ausdruck einer zufriedenen Katze nicht unähnlich war, dann setzte sie ihre Tätigkeit fort und summte dabei. Lalette spürte, daß das Mädchen erwartete, sie solle zuerst den Mund aufmachen. »Verzeiht mir«, sagte sie deshalb, »aber ich bin hier neu. Könnt Ihr mir sagen, wo die Seife aufbewahrt ist?«

Das hochgewachsene Mädchen musterte sie. »Wir benutzen unsere eigene Seife«, lautete seine Antwort, »aber wenn du keine mitgebracht hast, kannst du meine benutzen, sie ist in dem schwarzen Toilettenköfferchen auf dem Tisch . . . das heißt, falls du Veilchenduft magst.«

»Oh, vielen Dank. Es war nicht meine Absicht . . . Mein Name ist Lalette . . .« – wieder das Zögern, ein Moment der Unentschlossenheit, ob sie ›Bergelin‹ sagen solle; doch das war alles dahin und vorbei, sie würde ihn niemals wiedersehen – » . . . Asterhax.«

»Ich heiße Nanhilde. Unter uns Myonessae gebrauchen wir den Familiennamen nicht, nur dann, wenn eine schon einmal verheiratet war . . . warst du schon verheiratet?«

»Ich . . .«

»Ach, in einem Haus wie diesem mußt du alle die altmodischen Vorurteile ablegen. Früher habe ich geglaubt, die Ehe sei etwas äußerst Erstrebenswertes, aber das ist sie gar nicht. Sie kettet dich bloß an irgendeinen Mann, und bevor du dich versiehst, flickst du für ihn Röcke und ziehst Bälger auf. Warte, bis du auserwählt wirst – er wird dich heiraten wollen und schwören, niemals Eingeweihter werden zu wollen. Das machen sie immer alle, und ich sage dir eins, wenn du ja sagst, dann bist du verloren, nicht länger deine eigene Herrin, und später wird er dir pausenlos Vorwürfe machen.«

Lalette hatte sich ihr Gesicht gewaschen. Nun hob sie es aus dem Handtuch, rechtzeitig genug, um den Vortrag ziemlich genau in der Mitte unterbrechen zu können. »Aber seid . . . sind wir von der Myonessae denn verhindert, Kinder zu bekommen?«

»Du bist ein richtiges Grünhorn, nicht wahr? Natürlich nicht. Bloß brauchen wir für deren Unterhalt nicht einem Mann die Füße küssen. Für die Kinder gibt's ein Heim. Ich habe dort eins. Vom Diakon, der es gezeugt hat, habe ich eine selbstgemalte Miniatur erhalten, ich zeige sie dir. Eile dich mit dem Ankleiden, dann gehen wir gemeinsam hinunter. Die alte Pflaume kann's nicht leiden, wenn jemand sich verspätet.«

Sie nahm Lalettes Arm und führte sie durch einen Flur, der bereits vom Staub pulvergrau war, zur Treppe, wo durch einen Trichter aus Licht der gequälte Ton einer Violine heraufdrang. Drunten sah es nun völlig anders aus als am Morgen, auch als am Mittag, da sie mit den anderen eine reichlich entmutigende Mahlzeit aus Hülsenfrüchten und einem Apfel verzehrte, während der Rest unter den Augen Domina Quassos gedämpft plauderte. Alles rundum war bunt mit Lampen behängt, und dazwischen hingen Zweige; darunter standen aufgeregte Gruppen von Mädchen beieinander, einige unterhielten sich mit jungen Männern, deren Kleidung raschelte, als hätten auch sie die Kniffe der Ermunterung erlernt. Über die Vielzahl ruheloser Köpfe hinweg sah Lalette, daß die Doppeltüren des Speisesaals offenstanden; daneben sprach die Matrone mit einem weißhäuptigen Mann in grauer Kleidung, dessen Miene nie wechselte. Domina Quasso winkte ihr; als Lalette in ihre Richtung strebte, fing sie eine Stimme auf: » . . . ihr gesagt, daß er mir schon versprochen hat, mich auszuwählen, und es ist mir gleichgültig, ob ich hinausfliege, ich werde mich an ein Eingeweihtengericht wenden . . .«

Die Augen des Mannes blickten auf sie herab. »Das ist unser allerneuestes Mitglied«, sagte die Matrone. »Sie heißt Lalette und stammt aus Dossola, wo man sie der Hexerei beschuldigte, und ihr Gemüt ist etwas sorgenvoll.«

Der Blick währte lang. »Das rührt daher«, sagte der Mann schließlich, »daß sie sich genötigt fühlt und die wundervolle Freiheit noch nicht verstanden hat, die im Dienst am Gott der Liebe liegt. Mein Kind, Hexen fällt es zumeist schwerer, das materielle Ego zu vergessen, als anderen, doch sobald es ihnen gelungen ist, erlangen sie gewöhnlich die allerhöchste Vollkommenheit.«

Vollkommenheit? Am liebsten hätte Lalette herausgeschrien, daß es sie nicht nach Vollkommenheit dürstete. »Das materielle Ego?« wiederholte sie. »Ich mache mir nicht allzu viel daraus, was ich esse ... oder wo ich schlafe ...«

»Denkt nicht bloß in den Begriffen der Ernährung«, sagte der Mann, »denn sie ist nur ein Mittel zur Erhaltung des materiellen Körpers, den wir ja verabscheuen. Der Seele dienen wir am besten mit Liebe.«

Lalette spürte, wie ihr innerer Groll über dieses verquollene Geseires sich zu unstatthaftem Zorn zu steigern begann. »Ich weiß nicht, ob ich das alles richtig verstehe ...«

»Bekümmert Euch deshalb nicht. Viele vermögen anfangs nicht zu verstehen, und zu vielen kommt das Verständnis erst nach langwierigem Ringen um die Selbstverleugnung.«

Die Flöten und Fiedeln setzten ein, nun in harmonischem Klang, und Domina Quasso bot dem Mann in Grau ihren Arm; Lalette drehte sich um und sah, daß auch die anderen Paare bildeten, und alle stolzierten sie in den Speisesaal. Aber sie selbst war plötzlich unbeachtet; der blonden Nanhilde war es ebenso ergangen, und die beiden fanden sich zusammen. Das hochgewachsene Mädchen beugte sich zu ihr herab. »Kleiner.«

»Was meinst du?« fragte Lalette.

»Keiner«, bekräftigte Nanhilde. »Folglich keinen einzigen Obula.«

2

»Hört«, sagte Leece. »Ach, hört mich an. Ich bin nicht schwer von Begriff. Wenn es Euch wirklich lieber sein sollte, das ich nicht länger morgens zu Euch komme, dann werde ich's nicht tun. Ich bin keineswegs eine aufdringliche Person.«

»Lieblichste Leece«, sagte er, »es ist um Eurethalben, nicht um meinetwillen.« Aber er wußte, es lag in seinem Interesse. Er zog ihre Hand an seine Lippen, und die Stelle in der Handfläche, welche er küßte, umschloß er mit ihren Fingern.

Aufmerksam betrachtete sie ihn. »Da kommt ein kühler Luftzug«, sagte sie, sprang zur Tür, schloß sie, durchquerte das Zimmer mit raschen kurzen Schritten erneut, schlug die Decken zurück und schlüpfte zu ihm ins Bett. Die schwarzen Brauen strichen über seine Wange. »Laßt mich Euch fragen – wenn Ihr mich wahrlich hassen würdet und wolltet mich loswerden, was tätet Ihr? In welcher Art würdet Ihr Euch anders verhalten als jetzt? Ihr sagt, daß die morgendliche Unterhaltung mit mir Euch Freude bereitet und für Euch eine Hilfe ist. Warum wollt Ihr sie dann nicht länger dulden, obwohl ich doch dazu bereit bin? Und falls Ihr meint, Ihr füget mir irgendeinen Schaden zu, nun, so ist das gewiß meine Sache.«

Als sie ihre Arme um seinen Hals schlang und ihre Lippen sich zu einem langen, tiefen Kuß vereinten, schloß er die Augen, da er in ihre nicht zu blicken wagte; denn dies war nicht irgendein Kammermädchen namens Damaris, und eigentlich war es nicht so, daß er es nicht wagte, sondern er konnte es schlichtweg nicht. Beide bebten, als sie sich aus der Umarmung lösten. »Ach, nein«, rief er und drückte sie ein zweites und drittes Mal an sich.

»Dreimal ist genug«, sagte sie daraufhin unerwartet, und ohne ein weiteres Wort entzog sie sich ihm und verließ das Zimmer.

Fortan waren alle Nächte nur noch Wartezeiten auf die Morgen, und die Tage verwandelten sich in Wartezeiten auf die Abende, wenn eine der anderen Schwestern sich zu ihnen setzte und mit ihnen plauderte, die beiden neckte, sie seien das reinste Liebespaar, bis Rodvard und Leece ausgingen, um auf Avenues unter Platanen einherzuwandeln, wo in der warmen Sommerluft Lichter durch das Laub schimmerten. Die ältere Vyana und Madaille, die jüngere, begleiteten sie oft auf diesen Spaziergängen, und sie alle lachten dann stets viel, während sie sich über Unwichtigkeiten unterhielten; es war, als hätten er und Leece einen Vertrag unterzeichnet, der festlegte, daß sie keinem Außenstehenden jemals zeigen durften, wie tief sie füreinander empfanden. An den Morgen, wenn sie sich mit sich selbst beschäftigten, schlichen sich Hemmnisse und Unsicherheiten in ihre Worte ein; doch ihre Beziehung war ein Thema, dem sich schwerlich ausweichen ließ. Oftmals rührte Rodvard sein Frühstück nicht an, so daß sie länger Seite an Seite liegen und sich wieder und wieder küssen konnten, nur bisweilen ein Wort dabei flüsterten.

»Du darfst mich nicht lieben«, flüsterte sie eines Morgens und wandte ihr errötetes Gesicht ab. »Nicht nach Menschenart.«

»Warum nicht, Leece? Es gefällt mir doch . . .« Er küßte sie wiederum.

»Ach, mir auch. Aber zu lieben, zu lieben . . . es hieße, in die Hände des Gottes des Bösen zu fallen, liebte ich dich oder liebtest du mich, bevor du eine Instruktion mitgemacht und die Lehre des Propheten angenommen hast. Verstehst du mich?«

Er verstand sie nicht – und noch immer nicht, als er seinen Vorsatz brach und ihr in die Augen schaute, denn er entdeckte darin nicht den leisesten Aufschluß. »Ich weiß nicht, ob es mir behagte, ein Amorosier zu sein«, sagte er feierlich, »aber wenn du sagtst, ich soll dich nicht lieben, dann werde ich versuchen, es nicht zu tun. Nur . . .«

Sie preßte ihn fest an sich, und ihre Lippen suchten die seinen, um sie zum Verstummen zu bringen, um ohne Worte zu bekräftigen, daß das Vergnügen ihres Beisammenseins seine eigene Berechtigung besaß und jegliches Gerede über irgendeine engere Beziehung sie nur untergraben könnte; so jedenfalls legte er ihr Verhalten aus, als er spät am Abend im Bett darüber nachgrübelte, in jener Stunde zwischen Wachen und Schlafen. Die Wonne war so köstlich, daß er wohlweislich nichts tat, um ihr gegenseitiges Einverständnis zu stören; sobald sie ihm jedoch von der seltsamen Religion des Propheten zu erzählen versuchte, lenkte er das Gespräch auf das Mysterium ihrer wechselseitigen

Anziehung – und dann verfielen sie ohnehin zumeist in einen Taumel von Küssen und Umarmungen und schwiegen für ein langes Weilchen. Die Tür war nun stets geschlossen; manchmal konnten sie von draußen die Schritte Domina Gualdis' vernehmen, doch außer beim ersten Mal – als Leece panikartig aus dem Bett hüpfte – schenkten sie ihnen keine Beachtung, denn die Mutter klopfte nie und kam auch nie herein. Wenn die Schritte erklangen, hielt Leece bloß sachte seine Hand fest, die ihre Brüste koste, eine Zärtlichkeit, die sie ihm mittlerweile gestattete, wobei sie mit hochroten Wangen und halbgeöffneten Lippen lag. Weitergehende Freiheiten erlaubte sie ihm nicht, und der Blaue Stern verriet ihm auch keine diesbezügliche Bereitwilligkeit. Einmal, als er, vom Sinnestaumel überwältigt, aufs Ganze gehen wollte, sagte sie nein, es könne jemand kommen, sie hätten dazu keine Zeit, und andere Ausflüchte; doch während sie selbige äußerte, küßte sie ihn und streichelte ihn mit wißbegierigen Fingern. Doch alsbald entwickelte es sich zwischen ihnen zu einer unausgesprochenen Abmachung, daß er nicht mehr fordern solle, nur sie küssen und so kühn sein möge wie sie es gewährte; und sie war es, die die Angelegenheit schließlich in Worte kleidete. »Wären wir verheiratet«, sagte sie, »könntest du mich haben, wann immer du magst.« Ihre Stimme drückte halbwegs Bedauern aus, und als er diesmal in ihre Augen blickte, sah er hinter ihnen so etwas wie eine Farbe, die ein inneres Verlangen bezeugte, das jedoch irgendwie nicht von der gleichen Art war wie seines.

Nach der Gewohnheit, die sich unterdessen herausgebildet hatte, umarmte er sie daraufhin mit aller Heftigkeit. »Ach, Leece«, rief er und gab ihr einen schwelgerischen Kuß, bevor er weitersprach. »Doch stell dir vor, wenn wir heirateten und unsere Ehegemeinschaft erwiese sich als unerträglich, bedenke nur, wie sehr wir dann einander hassen würden.«

»Ich küsse dich so gerne«, sagte sie bloß. »Vyana hat letzte Nacht geweint. Am Nachmittag hatte sie *ihn* gesehen, und sie weiß überhaupt nicht, was sie tun soll.«

»Fühl meinen Herzschlag«, sagte er und legte ihre Hand darauf. »Ich habe den Eindruck, daß sie und ihr Liebster in der Tat für eine wahrhaft vollkommene Vereinigung geschaffen sind. Könnte sie nicht unter die Myonessae gehen, sich von ihm auserwählen lassen und ihn danach zur Ehe überreden?«

Das Mädchen versteifte sich in seinen Armen, und blickte mit vor Erstaunen geweiteten Augen zu ihm auf. »Nun, das wäre doch Betrug und Sünde«, rief sie, »ihn vom Dienst am Gott der Liebe fernzuhalten und zur Dienstbarkeit unterm Gott des Bösen zu verführen. O Rodvard, sprich nie und nimmer solche Dinge!«

In Leeces Stimme lag ein wahrhaftiges Beben, und er spürte, wo sie ihr Antlitz an seinen Hals drückte, die Feuchtigkeit von Tränen. Er sah keinen Anlaß, warum eine so nebensächliche Bemerkung eine derartige Bestürzung verursachen sollte, denn nach seiner Auffassung war eine

Religion so etwas wie ein Führer durchs Leben, und die Welt, so war er überzeugt, müßte sich in ein Tollhaus verwandeln, wollte sie alle Glaubensartikel wortwörtlich und buchstabengetreu befolgen. Doch diese Überlegung raste nur nebenbei durch den Hintergrund seines Bewußtseins, während vornehmlich Überraschung es erfüllte; er hob seinen Kopf von ihrem Gesicht und küßte ihre geschlossenen Augen. »Leece«, sagte er, »Leece, ich wollte nicht . . .« Und schon wußte er nichts mehr zu sagen.

»O Rodvard, ich könnte es nicht ertragen, würdest du mich auf solche Weise täuschen.«

»Glaubst du, das sei meine Absicht?«

»Ich weiß es nicht. Nein. Ach, wir dürfen dies nicht tun, es führt uns in die Hände des Bösen. Rodvard, Rodvard, wenn du mich willst, mußt du . . . oh . . .« Ihre Stimme erstarb, und ihre Lippen bewegten sich nur noch lautlos, als er sie mit seinen Lippen versiegelte, ihr Atem beschleunigte sich, sie ließ es zu, daß seine Finger nicht allein für einen Moment auf ihrem Busen ruhten, sondern weiter und immer weiter abwärts glitten; er konnte nicht ihre Augen sehen, doch auch ohne das Amulett wußte er, dies war der Moment – doch da, sogleich nachdem seine Finger ihre Brust verlassen hatten, befreite Leece sich mit einem Aufkeuchen aus seinen Armen und stürzte unter Schluchzen hinaus.

Am nächsten Morgen stand sein Frühstück draußen vor der Tür.

3

Die Leinennäherei war eine überaus langweilige Tätigkeit. Fünf oder sechs Mädchen, alles Novizinnen wie sie, saßen im Kreis und nähten die Ränder von Servietten um: drei Stiche, kreuzweise zurück; drei Stiche, kreuzweise zurück. Unterdessen las die Matrone oder Mircella oder eines der älteren Mädchen langsam und deutlich aus dem Ersten Buch des Propheten vor; die Vorlesung erfuhr nur dann eine Unterbrechung, wenn die Vorleserin es für angebracht hielt, irgendeinen Abschnitt durch Erläuterungen zu erhellen. Gespräche würgte man ab. Zur Mittagszeit gab es immer das gleiche Mahl aus Hülsenfrüchten und frischem Salat oder Obst, abends allerdings manchmal ein Stück Fleisch. An jedem vierten Tag marschierten sie in einer Prozession zum Haus des Glaubens, wo eine Messe stattfand, anders als in dossolanischen Kirchen, in denen Blumen und Musik dazugehörten; es handelte sich eher um eine Versammlung zum Zwecke einer ausgedehnten, weitschweifigen Predigt der Art, wie Lalette sie schon anläßlich der Zusammenkunft in Netznegon vernommen hatte, mit allgemeiner Umarmung am Schluß und Dankgebeten aus dem Munde eines Eingeweihten. Die Messen waren mittags; danach wurde an diesen Tagen nicht gearbeitet. An den freien Nachmittagen konnten sie im Anschluß ans Essen tun und lassen, was ihnen gefiel, falls nicht beispielsweise persönliche Wäsche daran hinderte. Die Mehrzahl der Mädchen spazierte dann paarweise durch den Garten, worin Gassen aus hohen Rosenstöcken die Gemüsebeete unterteilten, welche an gewöhnlichen Tagen stets einige der Myonessae bearbeiteten. Das Verlassen des Hauses war nicht verboten, aber man ermunterte auch nicht dazu. Auch war der Aufenthalt draußen – wie Lalette rasch herausfand – nicht sonderlich angenehm, denn obschon die Einwohner Manchereis keine Standesspangen trugen, was ihr anfänglich sehr seltsam vorkam, wußte anscheinend doch jedermann sofort, daß sie zur Schwesternschaft zählte. Was ältere Leute betraf, war das gleichgültig; junge Männer jedoch riefen ihr nach, sobald es erst halb dämmrig war, schlimmer noch, manche hingen sich wie Kletten an ihre Seite, um sie zum Geschwätz zu verlocken oder sie zu einem Glas Wein einzuladen. Sie fand ihre zudringliche Anzüglichkeit so ärgerlich, daß sie beim zweiten solchen Zwischenfall, dessen Urheber ein nahezu eindeutiges Angebot machte, dem Burschen beinahe an Ort und Stelle eine Hexerei verpaßte, und nur die Erinnerung an Tegval hielt sie davon zurück. An diesem Abend war auch Domina Quasso im Garten spazieren gegangen. Als Lalette durch das Tor geeilt kam, bedachte die Matrone sie mit einem so langen und eindringlichen Blick, daß es so wirkte, als verfüge sie ebenfalls in gewissem Umfang über die Gabe der Eingeweihten, jemandes Gedanken lesen zu können; und zu Lalettes Sorgen gesellte sich die Furcht, als Mörderin erkannt worden zu sein.

Zu allem Überfluß beliebte es am selben Abend der blonden Nanhilde, zu Lalette ins Zimmer zu kommen, um zu schnattern; dabei ließ sie sich erbittert über die Kommis der Buchhaltung aus, die ihr angeblich für einige Stickereien weniger gutgeschrieben hatten als ihr zustand. » . . . und Zina haben sie ganz einfach den zweifachen Preis gewährt. Aber ich weiß, warum – am Vierten Tag stiehlt sie sich immer davon und zecht mit einigen dieser Buchhalternasen und läßt mit sich treiben, was den Kerlen gefällt. Sie ist ja so gräßlich!«

»Aber wie schafft sie's, das zu verheimlichen?« meinte Lalette, innerlich aufgebracht, denn über solche Angelegenheiten zu sprechen hatte sie die allerwenigste Neigung.

»Ach, sie ist vorsichtig. Ein Mädchen muß zur rechten Zeit am rechten Ort sein. Sie kehrt vor der Bettzeit zurück, und ihre Schwester in der Stadt behauptet stets, sie verbrächte die Nachmittage bei ihr.«

Lalette seufzte. »Als ich hier eintraf, dachte ich . . .«

»Was hast du erwartet, das anders sein sollte?« fragte Nanhilde.

Lalette faltete unruhig die Hände. »Gibt es denn keine Möglichkeit, um den ständigen Gelüsten von Männern zu entgehen?«

»Unter den Myonessae kann ein Mädchen es ganz gut aushalten, wenn's sich nicht vor sich selbst fürchtet.«

Lalette brach in Tränen aus.

21. Kapitel

Mittwinter – Die Rückkehr

1

»Macht diese Abrechnung fertig«, sagte der Präfekt und händigte Rodvard eine Akte aus, die den Vermerk trug: Wegen fortgesetzter Verweigerung der Vervollkommnung vorgeschlagener Ausschluß von den Myonessae wird hiermit gemäß Vorschriften von Gesetzesbuch I genehmigt.

Rodvard schlurfte mit müden Füßen wieder an seinen Platz; die letzte Nacht war schlaflos verstrichen, denn sein Verhältnis zu Leece hatte eine Krisis erreicht. Die ganze Woche lang hatte sie in der Gegenwart anderer vorzugeben versucht, nichts habe sich geändert, aber weder brachte sie ihm das Frühstück noch räumte sie ihm abends eine Gelegenheit ein, um unter vier Augen mit ihr zu sprechen. Eine Krisis; die schlaflose Nacht begann damit, daß er sich weigerte, mit ihr und Vyana unter den Platanen spazierenzugehen, an denen sich die letzten Blätter festklammerten, und danach hatte er sich über den Blick eines betrogenen Freundes in ihren Augen höchst unglücklich gefühlt. Eine Krisis; denn dieser Blick war eine so hinterhältige Falle wie jene, in welche die Hexe ihn gelockt hatte. Er begehrte diese Leece mit den schwarzen Brauen nicht wirklich – wenigstens versicherte er sich das –, vor allem nicht um den hohen Preis, den er für ihren Körper entrichten sollte, nämlich die dauerhafte Verbindung. Es wäre genug gewesen – und war eine Zeitlang genug –, bloß mit ihr zu plaudern und lustig zu sein, so wie mit den anderen Schwestern; lediglich jene Momente, da eine Berührung der Lippen, ihrer Leiber, die Glut einer verzehrenden Flamme durch seine Adern rasen ließ, waren anders. Doch nun verspürte er einen Drang, den nächsten Schritt in diesem Spiel herauszufinden und ihn zu tun, als sei er an einem verwickelten Tanzspiel beteiligt und dürfe keinen Schritt versäumen. Was denn – was ist dies eigentlich?! fragte er sich selbst. Bin ich das willenlose Werkzeug eines Handwerkers, oder solch ein Schwächling, daß ich nicht mein eigener Herr sein kann? Ist's so, daß ich in ihrer Schuld stehe, und wenn, durch welche Zwangsläufigkeit wäre das der Fall? Der Priester an der Sekretärsakademie hätte darauf eine Antwort gewußt; er würde gesagt haben, diese Sanktion käme von Gott, ›der uns allen den Frieden sendet, so daß sogar jene irregeleiteten Menschen, die behaupten, es gäbe keinen Gott, nach innerem Frieden streben müssen, indem sie sich mühen, um zu einem Abbild ihres Ideals zu werden, das sie sich selbst schaffen. Auf diese Weise bleibt Gott ihnen nicht fern, sondern betritt ihre Herzen lediglich unbemerkt, und sie tun nichts anderes als sich den Weg erschweren, indem sie auf verworrenen Pfaden zu Ihm gelangen statt auf schnurgerader Straße.‹ Er konnte sich noch genau an diese Lektion erinnern; und daran, wie tief sie ihn damals beeindruckt hatte. Also sollte er auf das Wort jenes Priesters setzen? Aber wenn seine Bürde von Gott kam, so fragte Rodvard sich nunmehr, drängte dann Gott ihn, Leeces Nähe zu suchen? Wie es auch sein mochte – er wußte, daß er, wenn er am Abend das Haus der Gualdis' betrat, wieder Teilnehmer dieser äußerst schwierigen Pavane sein mußte. Dann also auf und davon! Nein. Nicht in diesem Land, wo er eine Art von öffentlichem Gefangenen war, der die Pflicht hatte, sich an jedem zehnten Tag in einer Amtsstube zur Stelle zu melden, eine verdrießliche Sache. Denn da erhob sich die Frage: wohin? Nicht nach Dossola, wo nur die Aburteilung seiner harrte. Nirgendwohin. Er mußte den Tanz bis zum Ende tanzen.

Die Schritte des Präfeks schreckten ihn aus seinen Grübeleien. Er klappte die Akte auf und sah, daß sie von der Heimstatt Lolau stammte; ein Schwindelanfall packte ihn, als er las: Auf Konto der Myonessan Lalette Asterhax.

2

Leece schlüpfte herein, ohne anzuklopfen, und lehnte sich rücklings an die Tür, den Blick gesenkt. Hastig begann Rodvard die Bänder seines Rocks zu schnüren. »Es ist meine Schuld«, sagte sie mit matter Stimme. »Was ich getan habe«, fügte sie rasch hinzu, »war gegen das Gesetz der Liebe. Möchtest du, daß ich dir wieder das Frühstück bringe?«

Ihre Augen waren verschleiert, aber es ließ sich erraten, was dahinter vorging, und man mußte – man *mußte* die richtige Maßnahme ergreifen. »Ja.«

»Du zürnst mir noch immer.«

Er durchquerte das Zimmer und schloß sie in seine Arme. Ihr dunkles Haar ruhte an seiner Kehle. »Was könnte ich sagen?« Er küßte ihr Ohr und ihren Hals – doch zugleich empfand er einen nahezu körperlichen Widerwillen, und ständig lauerte im Hintergrund seines Bewußtseins jener andere Gedanke, der sich nicht vorwärtsdrängte, weil er es nicht wagte, es ihm zu gestatten.

Ihren Armen war eine plötzliche Anspannung anzumerken; sie warf den Kopf zurück und sah ihn an, aus Augen, die Mißtrauen widerspiegelten. »Rodvard! Was ist?«

»Nichts. Wir müssen uns sputen und uns zu Tische setzen, sonst werden die anderen ohne uns anfangen.« Über sein Rückgrat sickerte ein Schweißrinnsal abwärts. Sie küßte ihn lang und fest, obwohl noch der Zweifel in ihrem Innern stak, und huschte hinaus.

Nach dem Abendessen begleitete Vyana die beiden auf dem Spaziergang. Leece hielt seine Hand; sie war in guter Stimmung, widmete ihm jedoch wiederholt Blicke, die eine unausgesprochene Frage enthielten, so daß Rodvard überlegte, ob sie auf irgendeine Art in gewissem

Umfang über das Geschenk des Blauen Sterns verfügen könne. »Beantwortet mir eine Frage«, wandte er sich an Vyana. »Wärt Ihr eine der Myonessae, wie wäre es mir möglich, Euch aufzusuchen?«

Ihre Miene verdüsterte sich. »Ich bin noch keine Myonessae. Aber wäre ich eine, so fiele Euch das nicht leicht, es sei denn, Ihr wärt selber mindestens Kandidat. Die Myonessae haben keine Verbindungen zur Außenwelt bis auf jene, die sie selbst knüpfen.«

»Ein seltsames Gebot«, sagte er, wagte es aber nicht, sich weiter zu dieser Angelegenheit zu äußern, um keine Rückschlüsse auf seine Gedanken zu ermöglichen. Nun versuchte allerdings Leece, die Regeln zu rechtfertigen, nach denen die Mädchen in der Schwesternschaft leben mußten, doch Vyana, die einer Mitgliedschaft nicht allzu fern stand, hegte ihre Einwände; Rodvard lauschte den beiden nur mit einem Teil seines Verstandes, mit dem anderen überlegte er, was er tun mußte. Es gab gar keine Frage, ob er es tun mußte, o nein; die von den Myonessae Ausgestoßenen, so war ihm bekannt, sperrte man zur ›Belehrung‹ in finstere Gefängnisse, manchmal für Jahre. Die Heimstatt war . . .

» . . . meinst du nicht auch, Rodvard?« fragte Leeces Stimme.

»Verzeih . . . ich habe nachgedacht . . .«

Sie wandte ihre ganze Aufmerksamkeit und Zuneigung ihm zu und hielt seine Hand fester. »Ich habe gesagt . . .« Aber trotz des warmen Griffs ihrer Hand schweiften seine Gedanken erneut ab, während sie weiterredeten. Bei gutem Licht konnte ihm der Blaue Stern vielleicht helfen, sich Zutritt zu verschaffen. Dann erreichten sie die Haustür. Leece drückte seine Hand nochmals, in einer Weise, die ein gewisses Maß an Besitzerstolz verriet; er wußte, daß sie ihn wahrscheinlich in eine Ecke ziehen und küssen wollte, und es gelang ihm, dagegen vorzubeugen, wobei ihn ein Gefühl von Scham quälte.

Drinnen erstieg er sogleich die Treppe; dann stand er ruhelos in seinem Zimmer, während sich im Haus Schritte dahin und dorthin bewegten. Sein Verstand beschäftigte sich mit Einzelheiten; die Haustür war mit einem schweren Schloß gesichert, das gewöhnlich vernehmlich knirschte, also mußte er eine Ausrede auf Lager haben, falls jemand aus dem Bett fuhr und ihm Fragen stellte. Aber noch bevor er sich eine geeignete Geschichte ausdenken konnte, endeten die Geräusche mit dem vernehmlichen Tappen nackter Füße vor seiner Tür; er erlebte einen Moment scheußlicher, mit Erregung vermischter Furcht, daß es Leece sein könne, die für die Nacht zu ihm kam. An diesem Wendepunkt des Lebens – jedenfalls empfand er es so – fiel die Entscheidung ohne sein Zutun. Die Schritte gingen vorüber. Rodvard atmete auf, setzte sich aufs Bett und versuchte, bis alle schlafen müßten, sich die Zeit damit zu vertreiben, daß er auswendig Iren Dostals Ballade vom Bogenschützen und vom Bären rezitierte; doch in der dritten Strophe vergaß er einen Vers, und er verlor fast den Verstand im Bemühen, sich seiner zu entsinnen, dieweil die andere Hälfte seiner Gedanken sich um das

Problem Leece/Lalette, Lalette/Leece drehte, und bei alldem unternahm er nicht eine einzige Anstrengung, über den Plan Klarheit zu gewinnen, dessen er bedurfte. Dann versuchte er herauszufinden, was nach diesem oder jenem philosophischen System seine wahre Pflicht sein möge; doch er kam lediglich zu der unbefriedigenden Schlußfolgerung, daß er nicht wußte, wo seine Pflicht lag, nicht einmal, was er aufgrund wahren Verlangens hätte tun sollen, er wußte nur, was er jetzt tun würde. Schließlich begann er die Dielen des Fußbodens zu zählen, so wie er auf dem Schiff die Dauben der Fässer gezählt hatte, bloß um die Zeit herumzukriegen; und er bekam sie auch diesmal herum. Als es soweit war, öffnete er die Tür um einen Spalt; er hörte ein Schnarchen, und aus diesem Anlaß wurde er sich, seltsam berührt, dessen bewußt, daß auch die liebreizendsten Mädchen bisweilen schnarchen. Tiptap-tap, und er stand am Treppenabsatz. Eine Diele knarrte; er verharrte einen Moment lang. Der Schlüssel entlockte dem Schloß ein noch lauteres Knirschen als befürchtet, und wieder wartete er für ein Weilchen mit angehaltenem Atem, bevor er auf die Straße trat.

Ein Gefühl von Freiheit durchströmte ihn, als er zum winterlichen Sternenhimmel aufblickte; dies mußte der rechte Weg sein, der glanzvolle Weg ans Licht, hurra! – selbst wenn sein Abenteuer mißlang. Die Straße lag da wie ausgestorben; in der näheren Entfernung war ein in Mäntel gehülltes Paar noch mit einem Laternenträger unterwegs. Der vielfach unterteilte Lichtschein der Laterne streifte die Baumstämme, deren stumpfe Rinde ihn halbherzig widerspiegelte, und wirkte wie ein Schwarm schlaffer Glühwürmchen. Eine Kalesche mit einem Pferd rollte vorüber; ihre Umrisse hoben sich schwach von den dunkleren Schatten unter den Bäumen ab. Auf, Rodvard, vor dir liegt dein Weg! Er stolperte in der Dunkelheit über die Kante eines Pflasterstein, bog um eine Ecke, dann um noch eine, während er sich fragte, welche Stunde es sein mochte; endlich erreichte er die Heimstatt Lolau. Er erinnerte sich, das Gebäude bereits während seines Streifzugs durch Charalkis gesehen zu haben, den er am Tag seiner Ankunft unternommen hatte; es war ihm durch den abgestorbenen Baum im Vorgarten aufgefallen. Im Pförtnerhäuschen war niemand; das Fenster war zerbrochen.

Diese Bude ist irgendwie ein Abbild der Myonessae, würde ich sagen, dachte Rodvard, müßte ich einen Vergleich anstellen. Seine Füße klapperten auf den Steinplatten, die zur Tür führten, neben der hinter einem Glasschirm in einem Querholz ein Licht brannte. Er nahm all seinen Mut zusammen und klopfte. Nichts tat sich. Er pochte nochmals.

Fern im Innern des Hauses hörte er Schritte; sie kamen näher. Die Tür öffnete sich einwärts und gab den Blick frei auf eine dicke Vettel, die sich flüchtig eine Robe umgeschlungen hatte; ihre Hand bebte infolge Zitterlähmung. »Was gibt's?« fragte sie. Der Lichtschein war hinter ihr, er konnte ihre Augen nicht sehen und somit nicht sein Juwel benutzen.

»Ich bin von der Handelsbuchhaltung«, sagte er in plötzlicher Eingebung, »und komme in einer Angelegenheit von Demoiselle Asterhax.«

»Eine schlechte Stunde habt Ihr Euch ausgesucht, um deswegen vorzusprechen«, murrte sie. »Ja, ja, die Lalette. Ich hole die Heimstattleiterin. Sie wird sie sich dann morgen früh vorknöpfen.« Sie trat beiseite, um ihn einzulassen, und als sie das tat, fiel Licht auf ihr Gesicht. Mit einem schnellen Blick erkannte er in ihren trüben Augen das Glimmen eines Gemischs aus Haß und Habgier.

»Wartet«, sagte er und faßte ihr Handgelenk. »Vielleicht erübrigt es sich, jemand aufzuwecken.« Diese Habsucht – wenn er sich derer bedienen könnte! dachte er.

»Wie meint Ihr das?«

»Es geht um eine unbedeutende Sache . . . ich bin nicht in offiziellem Auftrag her.« Er kramte ein paar Münzen heraus und drückte sie ihr in die Hand.

Das feiste Gesicht verzog sich zu einer scheelen Miene. »Ei, so ist's also, sieh an. Ihr möchtet sie gerne abschleppen, wie? Und der armen alten Mircella wird man die Schuld geben, sie vielleicht zur Instruktion fortschicken! Das sollte Euch mehr wert sein.«

Wieder das Geld; einen Augenblick lang hielt Panik ihn gepackt. »Ich bin von der Handelsbuchhaltung«, wiederholte er. »Ich werde sie dorthin bringen, damit ihre Abrechnung fertiggestellt werden kann. Ihr könnt Euch ihre restlichen Habseligkeiten nehmen.«

»Ei-ei, und Ihr seid die beste Habseligkeit, was? Ach, es sollte Euch wirklich mehr wert sein.«

»Scht, sonst hört uns jemand.« Er fand noch zwei Münzen in seinen Taschen. »Mehr gibt's nicht – falls es Euch mißbehagt, nur her damit und Eure Meisterin gerufen.«

Er wandte sich ab; sie ergriff ihn am Arm und brummte kehlig: »Kommt . . . kommt.« Ein weiterer Blick in ihre Augen offenbarte ihm, daß sie ihm zwar nicht im entferntesten glaubte, aber zufrieden war, wenigstens einen Anlaß geliefert bekommen zu haben.

Wieder über Treppen durch ein stilles Haus, diesmal nach oben. Dies Haus war vom vermengten Parfümduft vieler Frauen erfüllt. Die Alte führte ihn einen fast stockdunklen Korridor entlang; Rodvard hörte Schlüssel klirren, dann ein Knacken im Schloß, und eine Tür tat sich auf. »Macht Licht.« Er spürte, wie sie ihm eine Kerze in die Hand legte; da er seine Aufmerksamkeit auf den Docht richten mußte, sah Lalette zuerst ihn, als das Flämmchen aufleuchtete. Er vernahm ihr Keuchen und schaute über die kleine Flamme hinweg; sie stand mit aufgelöstem Haar, so unglaublich lieblicher als in seiner Erinnerung, daß er nicht widerstehen konnte, durch das Gemach stürzte und die Erstaunte auf die Lippen küßte. Sie mußte in voller Bekleidung im Finstern gesessen haben.

»Rodvard! Wie kommst du hierher?«

Die fette Alte entfernte sich wacklig in den Hintergrund. »Gleichgültig, wie«, antwortete er, »diese Geschichte kann warten. Wir müssen schleunigst fort.«

Sie starrte ihn an wie eine Schlafwandlerin. »Wohin?«

»Schnell!«

Daraufhin fiel an diesem Ort kein weiteres Wort zwischen den beiden. Im schwachen Lichtschein wollte Lalette ein Bündel zu schnüren beginnen, aber die dicke Alte mischte sich ein. »Nein, o nein – das sind meine Nebeneinnahmen.« Daher nahm sie nur den Mantel. Die Vettel wandte sich an Rodvard. »Hier, lockert das Schloß mit Eurem Messer, aber reißt es nicht ganz heraus . . . wenn man den Schaden sieht, wird mir die Geschichte geglaubt, daß ein Mann gekommen ist.« Er stach kurz mit der Klinge auf die Messingplatte ein und hatte glücklicherweise sofort dergestalt Erfolg, daß sich mit einem Knacken eine der Schrauben löste; die Dicke hielt seinen Arm fest, um anzuzeigen, es sei genug. Sie ging voraus die Treppe hinunter; Rodvard sah nirgends Augen, und plötzlich standen er und Lalette vor der Haustür.

3

Unter dem abgestorbenen Baum sah sie ihm ins Gesicht. »Du willst mich nicht länger. Warum hast du dich der Mühsal unterzogen, mich ausfindig zu machen. Woher kommst du?«

Soll dieser Eiertanz nun unter anderen Vorzeichen weitergehen? fragte er sich. »Ich will dich sehr wohl, andernfalls wäre ich nicht gekommen. Ich konnte nicht früher etwas unternehmen. Hast du meinen Brief nicht erhalten?«

»Ich vermute, du hast irgendeine Ausrede für dein spurloses Verschwinden.«

»Ich schwöre dir, daß ich Dr. Remigorius einen Brief für dich anvertraut habe, in dem stand, daß ich in einer höchst wichtigen Angelegenheit nach Sedad Vix mußte. Sobald ich dort eintraf, überschlugen sich die Ereignisse wahrlich nur so . . . ich werde dir bei Gelegenheit alles erzählen.«

»Dann ist es also wahr. Du gehörst den Söhnen der Neuen Zeit an.« Ihre Augen waren seinem Blick entzogen, aber ihrer Stimme konnte er deutlich genug entnehmen, welchen Zorn und welche Verzweiflung sie empfand.

»Ich bin zu dir gekommen«, vermochte er bloß zu sagen.

Sie stieß ein bitteres Lachen aus. »Ein wenig spät, mein Freund. Ich bin eine der zugelassenen Huren, die man Myonessae nennt – und jetzt auch noch eine ehrlose Verbrecherin.«

»Das weiß ich . . . und deshalb bringe ich dich von hier fort.«

Wortlos tat sie drei Schritte. »Wohin gedenkst du mich zu bringen?«

»In eine Taverne.« Er antwortete ohne nachzudenken; dies war

Bestandteil des Plans, den im Kopf festzulegen er viel zu aufgeregt gewesen war.

»Wohnst du darin?« Ihre Stimme klang so leise, daß er bemerkte, es verbarg sich etwas dahinter.

»Ich habe bislang in der Handelsbuchhaltung gearbeitet«, erklärte er zusammenhanglos, »und dort von deinen Schwierigkeiten erfahren.«

In der dunklen Straße – weit entfernt strebte jemand mit einem Licht dahin – wandte sie sich ihm zu; ihre Hand auf seinem Arm zitterte leicht. »O Rodvard – man hätte mich zur Instruktion ins Gefängnis gesteckt und anschließend ohne einen Obula auf die Straße geworfen.«

»Ich weiß. Da – das ist genau, wonach wir suchen.« Er meinte ein Gasthaus hinter der Ecke, das recht derb wirkte; aus den Fenstern drang Helligkeit. Sie mußten durch die Schankstube eintreten; eine Anzahl von Männern, die vor Krügen um einen Tisch hockten, drehten die Köpfe. Einer davon flüsterte hinter der Hand, und andere kicherten. An der Verbindungstür empfing sie ein trübseliges Mannsbild mit einer dreckigen Schürze. Ja, lautete die Auskunft, sie könnten ein Nachtquartier haben. Ob sie auch ein Abendessen wünschten? Nein, erwiderten beide, und ein kleines Mädchen, das sein Haar zu straffen Zöpfen geflochten trug, führte sie in ein Zimmer, worin nur ein Stuhl und ein Bett standen, in dem sie erstmals seit jener Nacht im Schlafzimmer der Witwe Domijaiek – nun in fernem Heimatland und lange her – wieder beieinander schlafen sollten. (Sie trägt ihr Haar auf den Schultern wie ein unverheiratetes Mädchen, dachte Rodvard, und darum haben sie gekichert.) Sie setzte sich auf die Kante des Betts und warf den Kopf zurück.

»Rodvard«, sagte sie, »du warst mir untreu.«

»Nein!« Er antwortete unwillkürlich, und der Gedanke, der ihn dabei durchzuckte, galt tatsächlich gar nicht dem Kammermädchen Damaris, sondern Leece, die nun vielleicht auch nicht schlief und auf den Morgen wartete, wenn . . . »Dein Blauer Stern ist unversehrt.«

Sie bewegte sich nicht, sondern kehrte nur den Blick mit der Ruckartigkeit plötzlicher innerer Pein zur Seite. »Ich glaube, vielleicht war's eine andere Hexe. Ich weiß, daß dich eine mit einem Bann belegte – und weißt du, daß ich dich von ihm befreit habe? Wenn du's wünschst, kannst du getrost zu ihr gehen. Du darfst auch den Blauen Stern mitnehmen. Ich möchte ihn nicht länger zu eigen haben.«

»Lalette! Sprich nicht so!« Er trat zu ihr ans Bett, schlang seine Arme unter ihre, mit denen sie sich zurückgelehnt aufstützte, drückte sie ganz nieder, suchte mit den seinen ihre Lippen. Sie ließ ihn gleichgültig gewähren, kam ihm weder entgegen noch leistete sie Gegenwehr. Er hauchte nochmals ihren Namen. »Lalette.«

Nun wand sie sich unter seiner Umarmung. »Ach, alle Männer glauben, es gäbe nur eine Weise, um alle Probleme mit einem Mädchen zu lösen. Genau dem wollte ich entrinnen. Ich kehre um.«

Er gab sie frei und streckte sich neben ihr aus; für einen Moment schwieg er. »Um zur Belehrung fortgeschickt und dann auf die Straße geworfen zu werden? Ich bin gekommen, um dich davor zu bewahren.«

»Oh, ich bin dir dankbar. Dann gehe ich natürlich nicht zurück, und du kannst dir nehmen, was du dir erkauft hast.«

Er gab sich einen Ruck und begann im Zimmer hin- und herzuschreiten. »Lalette, du verstehst mich wirklich nicht«, sagte er. »Wir befinden uns in einer echten Gefahr, alle beide, und können uns keine gegenseitige Verbitterung leisten. Ich bin noch nicht lange genug in diesem Land, um seine Gesetze zu kennen, aber ich weiß, daß wir schon mehr als eins gebrochen haben. Und man hat es sehr auf uns beide abgesehen – auf dich, weil du eine Hexe bist, auf mich, weil ich den Blauen Stern trage, auch wenn sie sagen, Hexerei sei hier nicht verboten. Nun bitte ich dich um deine ernsthafte Hilfe, so wie ich dir geholfen habe.«

»Ach, mein Freund, natürlich. Was soll ich tun?«

Plötzlich richtete sie sich auf, im Augenwinkel eine Träne (er tat, als bemerke er sie nicht), und sie begannen sich zu unterhalten, nicht über ihre gegenwärtige Notlage, sondern über ihre Abenteuer und wie merkwürdig diese sie hier zusammengeführt hatten. Er berichtete ihr weitgehend wahrheitsgetreu; ausgeschlossen blieben nur Damaris und Leece. Bisweilen unterbrach sie ihn, wenn etwas in seiner Erzählung sie an diese oder jene Einzelheiten erinnerte; so kam es, daß keiner der beiden an Schlaf nur dachte, bis die Kerze herabgebrannt war und vorm Fenster ein fahler Schein das Herannahen des neuen Tages ankündigte.

»Doch wie unser Weg nun weitergehen soll«, beschloß Rodvard seine Worte, »das weiß ich nicht.«

»Sag mir die Wahrheit, Rodvard«, forderte sie unvermutet, »über die Söhne der Neuen Zeit.« Sie hatte ihm ihr Gesicht zugewandt, und er war erstaunt über die Vielschichtigkeit ihres Denkens, in dessen Mittelpunkt die Einsicht stand, nicht besser zu sein als jene Organisation, die sie aus Dieben und Mördern zusammengesetzt glaubte.

»Nun denn – wir sind keine Mörder, und wir bestehlen niemanden«, sagte er, worauf sie, da sie sich der Kraft des Juwels entsann, den Kopf neigte; denn sie ihrerseits hatte ihm nicht von Tegval erzählt. »Wir unternehmen nur den Versuch, eine bessere Welt aufzubauen, in der man Standesspangen so wenig braucht wie hier in Mancherei, in der weder Männer noch Frauen nur durch ihre Geburt zu Besitz gelangen.«

»Das klingt höchst sonderbar für jemanden, der in einer Hexenfamilie geboren ist«, sagte sie. »Doch lassen wir das vorerst. Was sollen wir nun tun? Ich bezweifle, daß wir die Binnengrenze erreichen können, bevor die Häscher an unseren Fersen hängen, und wegen der Sache mit dem Kapitän, die gegen dich steht, kannst du nicht heim nach Dossola. Oder? Vielleicht finden wir ein Schiff, das uns mitnimmt nach den Grünen Inseln. Ich habe dort irgendwo einen Bruder.«

»Wer soll die Überfahrt bezahlen? Ich habe fast kein Geld. Man hat mir viel von meinem Lohn für die Dinge abgezogen, die ich unmittelbar nach meiner Ankunft dringend benötigte.«

»Und ich habe gar kein Geld. Aber du bist doch von Dossola nach Mancherei auch ohne Geld gekommen? Können wir nicht unsere Hilfsdienste anbieten?«

Er ergriff ihre Hand und dachte an den einäugigen Kapitän und die Dienste, die derselbe verlangt hatte.

»Du hast recht, das ist der einzige Ausweg, den wir versuchen können«, sagte er. »Komm, bevor man regelrecht nach uns zu suchen anfängt.«

Sie schlichen die Treppe hinab, Hand in Hand, wie Verschwörer. Rodvard opferte für die Übernachtung eine seiner letzten Münzen, die er auf der Theke hinterließ. Er dachte an Leece und daran, was sie jetzt wohl tun mochte. Sie traten hinaus auf die Straße, aus der das graue Dämmerlicht alle Romantik der Nacht vertrieben und die Stadt winterlich eintönig zurückgelassen hatte. Ein Milchhändler mit seinen Ziegen sah sie und grüßte mit einem Trillern auf seiner Flöte. Andere Leute waren um diese Zeit noch wenige unterwegs, doch sie begegneten mehr, als sie sich dem Hafenviertel näherten; dort sahen sie bereits Fuhrleute, Packer und Träger in emsiger Geschäftigkeit. Schließlich befanden sie sich zwischen den Waren- und Handelshäusern. Dahinter lag das Kai mit seinem Wald von Masten. Soeben öffnete man eine Taverne; der Wirt antwortete auf ihre Frage, im vierten Dock, die Uferstraße abwärts, liege das Schiff eines Kapitän Zenog, das mit der Flut nach den Grünen Inseln auslaufen solle.

Das Schiff war leicht zu finden; ebenso der Kapitän. Er stand an Deck seines Schiffs, eine kraftvolle, stämmige Gestalt, einem Riesen ähnlich, den ein noch größerer Riese ein bißchen zusammengequetscht hatte.

»Nach den Grünen Inseln, jawohl, dahin fahre ich«, bestätigte er. »Ich kann Euch auf dem geschwindesten Schiff dorthin befördern, das jemals die Meere besegelt hat.«

»Daran zweifle ich nicht«, sagte Rodvard. »Aber wir haben kein Geld und würden die Passage gerne abarbeiten.«

Die vorgetäuschte Herzlichkeit schwand aus der Miene des Kapitäns, und sein Blick spiegelte Argwohn wider. »Was könnt Ihr?«

»Ich bin eigentlich Sekretär, aber um nach den Grünen Inseln zu gelangen, täte ich auch jede andere Arbeit.«

»Ich verstehe mich ein wenig aufs Nähen«, sagte Lalette, »und könnte hier und da ein Segel ausbessern.«

Der Kapitän rieb sich sein stoppeliges Kinn. »Einen Schreiberling wüßte ich schon zu gebrauchen, so einen, der sich in der Buchführung auskennt.« Er sah sich vorsichtig um. »Allerdings sind die meisten Amorosier . . .«

»Ich stamme nicht aus Mancherei«, sagte Rodvard in freudiger

Zuversicht, »sondern aus Dossola, ich bin dort ausgebildet worden und kann mit Leichtigkeit alle Rechnungsangelegenheiten . . .«

»Es wäre ohne Bezahlung«, sagte der Mann rasch. »Nur die Überfahrt.«

»Dafür werden wir's tun«, sagte Rodvard und schüttelte, um die Abmachung zu besiegeln, Kapitän Zenogs Hand.

Der untersetzte Mann drehte sich um. »Oheee, Hinze«, rief er. »Geht mit diesen beiden Herrschaften ins Hafenamt und erledigt alle Formalitäten, damit sie mit uns reisen können.«

22. Kapitel

Das Gesetz der Liebe

1

Kaum hatte der Kapitän das gerufen, war es Rodvard zumute, als befände er sich mitten im Sturz. Er sah Lalette an und erkannte in ihr die gleiche schwarze Furcht; nun war dieser Schritt getan, und sie konnten nur darauf hoffen, daß sie im Hafenamt nicht auf unüberwindbare Hindernisse stießen. Hinze war ein magerer Mann in einer Seemannsjacke; als er sie über das Kopfsteinpflaster zu einem Ziegelbau geleitete, an den Lalette sich nur allzu deutlich entsann, schaute er sich über die Schulter nach dem Kapitän um. »Ihr werdet eine einigermaßen angenehme Reise haben. Das Schiff ist flott und dicht, aber das Essen ist nicht besonders gut.«

Ein Türwächter schickte Hinze einen Flur hinab. Das Mädchen umklammerte Rodvards Arm. »Das gefällt mir gar nicht. Ich . . .«

Eine dumme Bemerkung, dachte er. »Wir können jetzt nicht einfach fortlaufen«, sagte er. »Dies ist die einzige Chance.« Hinze kam zurück und sagte, der Protokollant werde sich sogleich mit der Sache befassen, sie müßten höchstens für einen Moment warten. Die beiden sahen einander besorgt an; Lalette lehnte sich an die Wand und schloß die Augen.

Ein Mann kam aus dem Flur und rief sie herein.

Rodvard betrat zuerst den Raum, worin hinter einem Tisch ein kleiner Mann mit den Falten der Ungefälligkeit um den Mund saß. »Ihr wünscht das Hoheitsgebiet von Mancherei zu verlassen«, meinte er, »um Euch auf die barbarischen Grünen Inseln zu begeben?«

»Es ist in einer Familienangelegenheit«, sagte Rodvard. »Meine Gemahlin und ich . . .«

Der Protokollant starrte Lalettes Haar an, das in der Mädchentracht auf ihren Schultern lag, richtete den Blick kurz auf Rodvard und dann auf Lalettes Gesicht. Seine Stirn verkniff sich zu Falten. »Gemahlin?

Gemahlin? Was ist Euer Gewerbe? Habt Ihr eine Arbeitsbescheinigung?« Er verließ seinen Platz und gaffte das Mädchen noch zudringlicher als zuvor an. »Ah, ich hab's! Jetzt weiß ich's! Ihr seid jene, die ich für die Myonessae registriert habe – die Dossolan . . . und außerdem eine Hexe! Wachen! Wachen!« Seine Stimme klang plötzlich schrill; zwei oder drei Bewaffnete stürzten herein. »Eine Untersuchung«, rief der Protokollant und warf die Arme hoch, um auf die beiden zu deuten, während Hinze zurückwich. »Diese zwei festnehmen zwecks Untersuchung! Ich beschuldige die Frau, eine entlaufene Myonessan zu sein.« Das Gesicht des Kleinen war verzerrt, und in seinem Blick lagen Triumph und purste Freude. »Seid achtsam mit ihr, sie ist eine Hexe!«

Man packte Rodvard an den Oberarmen und drängte ihn zur Tür; Lalettes verzweifelte Miene sah er nur flüchtig. Draußen blieben Leute stehen und hielten Maulaffen feil, während man die beiden in einen Wagen schob, an jeder Seite einen Wächter. »Es tut mir leid . . .«, begann Rodvard.

»Die Klappe gehalten«, schnauzte einer der Wächter. »Keine Gespräche zwischen Gefangenen.« Seine Augen zeugten von einer Roheit, die an einem Hieb durchaus Vergnügen gefunden hätte. Sie erreichten ein Bauwerk mit einem befestigten Tor; der Bau glich in der Tat einer kleinen Festung. Zwei Wachen grüßten die Ankömmlinge mit ihren Spießen. Man brachte Rodvard und Lalette in eine Wachstube, wo am Fenster ein Mann lehnte, seinen Schulterstücken zufolge ein Offizier. »Diese beiden sollen zum Verhör«, sagte einer der Wächter. »Anordnung von Protokollant Barthvödi. Vorsicht mit der Frau; er sagt, sie sei eine Hexe.«

Der Offizier musterte Lalette abschätzend, setzte sich an seinen Tisch und holte ein Papier heraus. »Eure Namen und Gewerbe.«

Rodvard gab Antwort. Lalette stockte nach der Nennung ihres Namens; sie verspürte das Bedürfnis, den Mann anzuschreien, daß sie nichts sagen werde, ihm zu trotzen. Der Offizier sah sie an. »Ich warne Euch«, sagte er. »Ich bin Diakon, und all Euer Hexenwerk wird an mir scheitern.«

»Oh . . .« Mit halb erstickter Stimme antwortete sie. »Myonessae.«

»Welche Heimstatt? . . . Je schwieriger die Aussagen von Euch zu bekommen sind, um so schwerer wird's für Euch.«

»Lolau.«

Der Offizier wandte sich an eine Wache. »Eile zur Heimstatt Lolau und teile der Leiterin mit, daß sie morgen früh um die vierte Stunde zum Zweck einer Untersuchung in der Angelegenheit von Demoiselle Lalette kommen möge.« Er sprach eine zweite Wache an. »Du wartest, bis ich den Aufruf zur Lieferung von Informationen über diesen Bergelin verfaßt habe, damit du sofort den Rundgang antreten kannst.«

Rodvard dachte an Leece und fragte sich, welche Aussage sie wohl auf diesen Aufruf beisteuern mochte; Lalette dachte daran, wieder

Domina Quasso gegenübertreten zu müssen. Zwei andere Wachen kamen und sperrten die beiden in Zellen mit steinernen Wänden, die sich im Wall der Bastion befanden. Rodvard sah Lalette am anderen Ende des Korridors seinem Blickfeld entschwinden und hörte die Zellentür hinter ihr zufallen; dann schubste man ihn in seine Zelle. Darin waren ein Strohlager am Boden und ein Stuhl; Licht drang lediglich durch eine schmale Schießscharte herein. Die Zelle stank; der Gestank rührte aus einem Kübel unterhalb der Schießscharte her. Er setzte sich auf den Stuhl und versuchte nachzudenken, doch Furcht hielt seinen Verstand in solchem Aufruhr, daß er zu kaum mehr imstande war als wie eine Maus immer wieder sich im Kreis zu bewegen, indem er wiederholt den eigenen Weg zurückverfolgte, um festzustellen, wo er falsch gehandelt hatte, zu erwägen, was geworden wäre, hätte er statt dessen dies oder jenes getan, wie anders es nun um ihn stände.

Am Morgen, als Leece . . . er wäre für ein ganzes Leben an sie gebunden gewesen . . . Nein, das konnte nicht der rechte Pfad für ihn gewesen sein. Also irgendwo früher? Sobald er sich diese Frage gestellt hatte, verlor er sich in einem Strom von Erinnerungen, der nahezu jeden klaren Gedanken fortschwemmte. Seine Kehle war trocken; in der Zelle stand kein Wasser bereit. Auch besaß er anscheinend keine Nachbarn, denn ringsum war alles still, abgesehen von einem Tröpfeln, das von irgendwoher an seine Ohren drang und seinen Durst erhöhte. Würde er morgen während der Untersuchung, die gewiß ein Eingeweihter vornahm, dazu in der Lage sein, überhaupt irgend etwas zu verheimlichen. Erneut verrannte sein Verstand sich in den Kreis, der sich um sein Versagen drehte, dann widmete er sich der Begutachtung der unmittelbaren Umstände. Er stand auf und trat an die mit Eisen beschlagene Tür, aber nicht einmal die winzige Klappe darin ließ sich von der Innenseite öffnen. Allein. Nicht zum ersten Mal. Wie sehr ähnelte dies der Gefangenschaft auf dem Schiff, und wie dunkel hatten die Aussichten damals gewirkt! Es war ihm gelungen, sich herauszuwinden; aber wofür? Um eine Wahl zwischen Leece und diesem Kerker treffen zu müssen. Eine Anwandlung von Jammer befiel ihn, dann dachte er an Lalette, die keinen geringeren Kummer empfand, vielleicht sogar tieferen. Doch auch das war keine Hilfe; er begann sein Gefängnis zu untersuchen, Fingerbreit um Fingerbreit, nach irgend etwas, das seinen Verstand von dieser wirren Reihenfolge von Reumütigkeiten und Ängsten vor einer ungewissen Zukunft ablenken konnte. Zunächst bot sich ihm nichts an außer Unregelmäßigkeiten im Gemäuer, die er als Bilder und Kritzeleien auszulegen, sich zu einer Geschichte zusammenzureimen versuchte, den Balladen gleich.

Er betrieb dies noch nicht lange, da entdeckte er die Überreste einer Schrift; offenbar hatte man sie bereits zu entfernen versucht, denn es war nur noch wenig zu lesen: Horv . . . im Monat . . . nur aus Lie . . . Gott. Eine wahrhaftig kryptische Botschaft; er gab sich alle Mühe, um die Geschichte, die sich dahinter verbarg, so lebhaft wie möglich auszumalen – wie die Liebe, von der diese Amorosier unaufhörlich faselten, jemanden endlich in diese Zelle gebracht hatte. Dadurch kam er zu der Frage, ob es wirklich Liebe zu Lalette war, was ihm den Aufenthalt in diesem Loch beschert hatte; außerdem, ob er sie denn eigentlich liebte; ferner, was Liebe sei. Und auf keine dieser Fragen fand er eine zufriedenstellende Antwort, zumal er sie beständig mit Maritzel von Stojenrosek verglich und nachzuprüfen sich bemühte, ob seine Zuneigung in beiden Fällen gleichartig war; darüber beschlich ihn eine gewaltige Müdigkeit, so daß er sich auf das Stroh warf, um auszuruhen und seine Grübeleien in besserer Verfassung fortzusetzen. Daraufhin sank er in einen unruhigen Schlaf – eine Folge der schlaflos verbrachten Nacht – und träumte, die Welt werde nicht von jenem Gott beherrscht, an den zu glauben man ihn gelehrt hatte, auch nicht umstritten von den beiden Göttern, von denen die Amorosier sprachen, sondern von drei Dämonen, die in irgendeinem Raum beieinander hockten und beschlossen, während Rauch aus ihren Mäulern quoll, welche Strafen für Hexerei verhängt werden sollten.

Ein Schlüssel knirschte; er erwachte und sah die Klappe nach außen geöffnet. »Hier ist Euer Festmahl, mein Herr«, sagte eine rauhe Stimme. »Das Zuckerwerk kommt dann mit den Tänzerinnen.« Der Mann schob einen Teller und einen Zinnkrug voller Wasser herein. Auf dem Teller war Gemüse, kalt und klebrig, ohne Besteck; Rodvard empfand jedoch solchen Hunger, daß es ihm unmöglich war, zimperlich zu sein, und deshalb aß er, wobei er sich vom Wasser ein wenig aufhob, um nachher seine Finger zu säubern. Kaum war er fertig, tat die Klappe sich von neuem auf. »Das Geschirr, Ferkelskopf«, forderte die barsche Stimme. »Der Verwalter verschenkt keine Andenken an seine Gäste.«

Rodvard reichte das Geschirr hinaus und setzte sich wieder. Die Zeit verstrich; das Licht, welches im Dämmern begriffen war, als er aufwachte, war nun völlig erloschen. Er hatte so lange geschlafen, daß er nun nicht weiterzuschlafen vermochte; die Ungewißheit seines Schicksals hinderte ihn an klaren Gedanken. Draußen erscholl irgendwo ein gedämpfter Schrei; ihm folgten Schritte. Dann herrschte wieder Stille, doch nur für eine sehr kurze Frist; das Knirschen eines anderen Schlüssels ertönte, diesmal im Türschloß. Jemand riß die Tür auf; auf der Schwelle stand ein kleiner, dunkler Mann ohne Kopfbedeckung. Hinter ihm hielt eine andere Gestalt eine Fackel, die stark qualmte, in die Höhe, und deren Schein fiel auf ein blankes Schwert in der Faust des kleinen Mannes, und von der geröteten Klinge troff Blut auf den Steinboden. »Seid Ihr Bergelin?« fragte er. »Ich nenne mich Demadé Slair. Die Revolte hat begonnen. Ist der Blaue Stern in Eurem Gewahrsam?«

2

Durch Rodvards Kopf wirbelten Fragen, aber der größere Mann räumte ihm keine Gelegenheit ein, um sie zu äußern. »Rasch«, sagte er und packte ihn auf die gleiche Weise überm Ellbogen wie die Wächter, die ihn abgeführt hatten, um ihn auf den Korridor zu ziehen.

»Halt«, sagte Rodvard und widersetzte sich. »Noch ist . . .«

»Wir müssen uns eilen«, sagte Demadé Slair. »Ihr macht Euch keine Vorstellung, wie gefährlich ein solches Unternehmen ist. Wir mußten die Wächter töten.«

»Nein, ich lasse sie nicht zurück. Sie ist meine Liebe – meine Hexe!«

»Sie ist hier? Sie ist freilich noch viel wichtiger! Wo ist sie?«

»Ich glaube, dort in der dritten Zelle.«

Ohne ein weiteres Wort rannte Slair hinüber. »Die Fackel, Cordisso.« Er begann Schlüssel auszuprobieren, die an einem Ring hingen. Der große Mann trat mit der Fackel hinzu. Doch die Zelle war lediglich von einem bis zum völligen Stumpfsinn verblödeten Menschenwesen mit weißem Haar und erloschenen Augen bewohnt, das vor sich hinmurmelte. Die Nachbarzelle war leer. Slair fluchte erbittert. »Seid Ihr dessen gewiß, daß sie hier ist?«

»Man hat sie mit mir eingeliefert.« Slair öffnete noch eine Tür; diesmal war es die richtige – Lalette fuhr überrascht vom Boden auf, ihre Kleider wehten. Rodvard schob sich an dem kleinen Mann vorbei und ergriff ihre Hände. »Komm – und schnell!«

Sie schien fassungslos und stieß einen leisen fragenden Ruf aus. Rodvard schlang einen Arm um ihre Hüften und zog sie mit sich zur Tür. Sie überwanden die Treppe, über die sie gekommen waren; im Fackelschein sah Rodvard unterhalb der Treppe ein Paar Füße: ein Toter, einer der Wächter. Er lag in einer riesigen Blutlache. Trotz der gebotenen Eile nahm er sich die Zeit, ihm den Gürtel mit dem Dolch abzuschnallen, und damit für den Verlust seines Messers entschädigt, fühlte er sich, als er mit den anderen weiterhastete, wieder mehr wie ein Mann.

Am Tor der Bastion standen zwei Männer, die Gesichter von Kapuzen überschattet. Sie grüßten Demadé achtungsvoll und strebten voraus über die Straße, auf deren anderer Seite eine Kutsche wartete. Man half Lalette auf die Rückbank. Das Gefährt hatte drei Pferde eingespannt, eines davon vor den beiden anderen, wie in Mancherei üblich. Einer der Kapuzenträger knallte mit der Peitsche, und die Kutsche setzte sich holpernd in Bewegung. »Es war nur gut, daß man Euch festgenommen und heute nachmittag öffentlich zu Aussagen aufgerufen hat«, sagte Demadé Slair. »Andernfalls hätten wir Euch nicht zu finden gewußt.«

»Wer hat Euch geschickt – Dr. Remigorius?«

Trotz der Dunkelheit bemerkte Rodvard die Düsternis, die über des

Mannes Gesicht glitt. »Das Oberste Zentrum. Die Revolte hat begonnen, wie ich schon sagte, und es hat die Macht ergriffen. Aber Ihr werdet in Kürze alles erfahren.« Mehr war nicht von ihm zu erfahren; die Kutsche rumpelte über das Kopfsteinpflaster, bis sie das Kai erreichten und an einer Stelle hielten, wo ein Mann mit einer Laterne harrte. Slair sprang ab, ohne Lalette eine Hand anzubieten, und rannte über einen Laufsteg an Bord eines Schiffes.

»Eilt Euch!« Als Lalette und Rodvard das Deck betraten, gellten bereits Pfiffe, Männer hangelten sich mit affenartiger Geschwindigkeit durch die Takelage. Auf einen Wink ihres Befreiers folgten sie ihm eine Treppe hinab und in eine Kabine; dort stellte er die Laterne auf den Tisch. »Nehmt Platz und hört mir aufmerksam zu«, sagte er. »Es ist von äußerster Bedeutung für unsere Sache und alles, was damit zusammenhängt, daß man Euch nicht abfängt oder auch nur aufhält. Falls die Hafenwache an Bord kommt, oder falls uns beim Auslaufen eine Galeere zurückhält, müßt Ihr, Rodvard, unverzüglich die links von dieser Kabine gelegene Leiter hinabsteigen. Drunten findet Ihr einen Stapel von Ballen. Einer davon ist in solchem Umfang ausgehöhlt, daß er einen Menschen aufnehmen kann, und hat einen Verschluß, der sich von innen schließen läßt. Da schlüpft Ihr hinein und macht das Ding dicht.«

Ein Kitzel von Erregung packte Rodvard, der seine Besorgnis überlagerte; er war wahrhaftig wichtig genug für eine solch großartige Unternehmung! »Wenn man das Schiff entert«, sagte der Mann, »dürfte wahrscheinlich ein Eingeweihter oder wenigstens ein Diakon dabei sein, und möglicherweise kann er dem Kopf eines der Besatzungsmitglieder die Kenntnis des Verstecks entnehmen.«

Slair grinste. »Daran habe ich gedacht. Niemand kennt diesen Unterschlupf – nur ich. Ich habe ihn persönlich vorbereitet, und was meinen Kopf angeht, so weiß ich vorzubeugen.«

»Und ich?« fragte Lalette. »Was wird aus mir?«

Slair runzelte die Stirn. »Ihr seid ein Problem, Demoiselle. Wir kamen um Freund Rodvards und seines Blauen Sterns willen, in der Annahme, Ihr befändet Euch in Dossola, und deshalb sind wir auf Eure Anwesenheit nicht eingestellt.« Er legte einen Zeigefinger ans Kinn. »Ihr seid der Verbotenen Kunst mächtig. Könntet Ihr nicht . . .«

Sie hob eine Hand. »O nein, nie und nimmer.« Im Aufblitzen ihrer Augen erkannte Rodvard den Gedanken an eine Hexerei auf einem Schiff, womit sie einen gräßlichen Schrecken verband.

»Ach, natürlich«, sagte Slair. »Gegen einen Eingeweihten müßte es in neun von zehn Fällen mißlingen. Euch auch zu verbergen, ist kaum möglich. Nein, es geht darum, Euch unter aller Augen zu tarnen – will sagen, Euch zwar sehen, aber nicht erkennen zu lassen . . . Ah, ich hab's – laßt Euer Haar herab und hebt dafür Euren Saum, so daß man einen Knöchel sieht, ihr müßt wirken wie eine dieser heimatlosen Huren, die sich Seehexen nennen.«

»Und das soll einen Eingeweihten täuschen können?« fragte Lalette mit beherrschter Stimme.

Demadé Slairs Mund zuckte. »Nun, Demoiselle, diese Eingeweihten sind keine Zauberer. Sie vermögen nur Gedanken zu lesen, und die nicht alle. Alle Frauen haben tief im Innern etwas von einer Hure an sich, so stellt Euch nur vor, Ihr wärt eine, seid eine in Gedanken. Das müßte ein außergewöhnlicher Eingeweihter sein, der den Unterschied erkennen könnte.«

Lalettes Bewußtsein schlug wie rasend mit den Schwingen; wieder waren die Gitterstäbe vorhanden, welchen Weg sie auch einschlug, alle führten in den gleichen Käfig. »Gäbe es nicht eine bessere Maßnahme?« fragte sie. Rodvard erfaßte genug von ihrem Gedanken, um zu bemerken, wie sehr sie sich sorgte.

»Keine Zeit. Seht, das Schiff rührt sich.« Demadé Slair stand auf. »Daher muß ich nun hinauf.« Hinter ihm knallte die Tür zu.

»Dies ist eine zweite Befreiung und jedesmal vom einen ins andere Gefängnis«, sagte Lalette. »Ich danke dir, Rodvard.« In ihren Augen schimmerte Zorn, und er wußte, was sie bewegte; doch wäre er darauf zu sprechen gekommen, wäre aus dem Schimmer – wie er ebenfalls sah – ein Unwetter mit Blitz und Donner geworden.

»Lalette«, sagte er, »ich flehe dich an. Ich möchte nicht mit dir darum streiten, wer für all unsere Unbill verantwortlich ist, wieso wir allem Anschein nach von der einen in die andere Mißlichkeit geraten. Aber wenn wir zusammenstehen, wird diese Flucht einen besseren Ausgang als die vorherige nehmen. Immerhin habe ich dich nicht in der Heimstatt sitzenlassen.«

»Oh, ich bin dir dankbar«, sagte sie im Tonfall eines Menschen, der nicht die geringste Dankbarkeit empfindet. »Hättest du bloß . . .«

Er war klug genug, um sich auf diese Redensarten nicht einzulassen. »Weißt du irgend etwas von der Revolte?« erkundigte er sich statt dessen.

Sie begehrte erneut auf. »Ach, ich kann's nicht ertragen, in deiner Gegenwart nie einen eigenen Gedanken haben zu können. Gibst du mir den Blauen Stern zurück?«

»Nein! Er ist nun unser ganzer Schatz, unser ganzes Leben und das Schicksal vieler wichtigerer Leute, als wir es sind, hängen von ihm ab!«

»Ich bin nicht schön und geistreich wie jene Mädchen aus vornehmen Häusern, aber dennoch würde ich gerne um meiner selbst willen begehrt werden und nicht wegen irgendwelcher Gegenstände.«

Draußen rollten die ersten Wellen der See gegen das Schiff. Sie wandte sich ab; ihr war sogleich wieder speiübel. Die beiden schliefen in Schrankbetten auf zwei verschiedenen Seiten der Kabine.

23. Kapitel

Netznegon – Ruhmvolle Heimkehr

1

Die Himmel waren erfüllt von Herrlichkeit, ein neuer Tag und eine neue Zeit brachen an. Der Mann, der sich Demadé Slair nannte, stand im blauen und goldenen Morgen mittschiffs an der Reling und berichtete; eine Möwe durchzog das Blaugold mit weißen Kreisen.

»Der Hergang ist sehr verwickelt«, sagte er, »aber das Ergebnis ist, daß wir in Netznegon wahrscheinlich nie wieder Königinnen sehen werden. Am besten beginne ich mit Graf Cleudis Plan, die Adeligen in ihren Besitztümern die Steuern eintreiben zu lassen. Sie wollten diese Aufgabe nicht übernehmen.«

»So etwas schien sich während der Beratung des Hofs, an der ich teilgenommen habe, bereits anzubahnen«, sagte Rodvard.

»Man erzählt, daß es unvergeßliche Auftritte gegeben hat, als Florestan der alten Nutte endlich zu sagen wagte, daß nicht länger ein Kreuzer vorhanden war.« Slair lachte. »Sie schlug ihn mit einem Schuh auf den Kopf, so daß er tagelang mit einer Augenklappe herumlaufen mußte.«

»Sie ist unsere Königin«, sagte Lalette. Es drängte sie, zu schreien, irgend etwas zu sagen, das diesen Mann in Wut brachte.

Rodvard nahm ihre Hand und zog sie an sich, aber die entwand sie ihm. »Bitte um Vergebung, Demoiselle, im Ernst. Ich wußte nicht, daß Ihr so royalistisch . . . Dann kam es zu Brunivars Sturz. Habt Ihr davon vernommen?«

»In diesem Charalkis, wo ich vergraben war«, sagte Rodvard, »habe ich kaum Neuigkeiten erhalten, nur erfahren, daß es Unruhe gab.«

»Man hat ihn des Verrats angeklagt und aufs Schafott geschickt. Der Herzog von Aggermans hat sich besonders stark gegen ihn ins Zeug gelegt, er war sehr grimmig, obwohl niemand recht weiß, warum.«

»Ich könnte einen Grund finden.«

»Zweifellos, mit Eurem Stein. Aber begreift Ihr, welche Lage sich daraus ergab? Ohne Brunivar kein Regent in Bereitschaft, das Ableben Ihrer Majestät jeden Tag möglich. Ich glaube, Ihr selber habt ja das Zentrum davon benachrichtigt, daß Florestan es auf die Regentschaft abgesehen hatte. Höchstwahrscheinlich hätte er sie auch an sich gerissen, wäre nicht die Steuerfrage offen gewesen. Jedenfalls, das Fehlen eines Regenten bot dem Adel einen Anlaß zur Anberaumung einer Generalversammlung der Standesvertreter, und sobald allesamt versammelt waren, begannen sie sich über alles Gedanken zu machen.«

»Und der Aufstand?«

»Oh, der begann im Westen – in Veierelden, geführt von einigen Leuten des Heeres, gar niemandem von uns. Brunivars Anhänger schlossen sich an, sie riefen nach Prinz Pavinius, daß man ihn zu Unrecht der Thronfolge enthoben habe, daß er schon seit langem kein Amorosier sei, und es gelang ihnen sogar, den Alten zu überreden, so daß er aus Mayern kam und seine Fahne aufrichtete. Die Mehrzahl der Adeligen zog dorthin, mit soviel Truppen wie aufzutreiben waren, aber ich habe keine Ahnung, wie schwer die Kämpfe sind, keine Seite ist sonderlich kriegslustig. Wesentlich ist jedoch, daß die zusammengetretene Generalversammlung plötzlich um den Adel verringert war, und was das heißt, könnt Ihr leicht ermessen.«

»Nicht ganz. Was war los?«

»Nun, dadurch hatte unsere Fraktion die Mehrheit und Mathurin alles in der Hand.«

Rodvard blickte ihn verdattert an. »Mathurin? Wie . . . was . . .? Ich dachte, Dr. Remigorius . . .«

Slair lachte erneut; diesmal klang das Lachen wie ein abgehacktes Bellen. »Bergelin, für jemanden, der anderen in die Köpfe schauen kann, seid Ihr der ahnungsloseste Mensch, der mir je begegnet ist – oder Ihr seid einer der raffiniertesten.« Er widmete Rodvard einen knappen Blick des Argwohns. »Wußtet Ihr wirklich nicht, daß Mathurin das Oberhaupt des Obersten Zentrums war, der oberste Führer der Söhne der Neuen Zeit? Was Remigorius betrifft, je weniger Ihr ihn erwähnt, um so besser. Einige Bekanntschaften sind heute nicht länger besonders zuträglich für das Wohlbefinden.«

»Ich wußte es wirklich nicht«, erwiderte Rodvard langsam, innerlich darum bemüht, die in Wirrnis geratenen Häuserblocks seines Weltbildes umzusortieren. »Und ich? Gewiß, der Blaue Stern ist ein wertvolles Stück, aber weshalb schickt man gar ein Schiff um so einer Maus willen, wie ich's bin?«

»Beantwortet Eure Frage selbst, Freund Bergelin. Seht, da ist Pavinius, dort der Hofadel, hier unsere Partei mit ihrer Kontrolle über die Generalversammlung, dann gibt es noch ein paar Leute mit tritulaccanischer Tendenz und einige Amorosier – und jeder opponiert gegen jeden. Ihr seid der einzige Mensch, der aufzudecken vermag, welche die wahren Getreuen sind, wem wir unser Vertrauen schenken dürfen.«

»Aber dies ist doch sicherlich nicht der einzige Blaue Stern.«

»Der einzige, auf den wir setzen können. Wir wissen, daß der Oberhaushofmeister des Hofes einen besaß, Tuolén. Vielleicht gibt es noch einen oder zwei auf Pavinius' Seite.«

»Er besaß einen, sagt Ihr – hat er ihn nicht länger?«

Slair schaute beiseite, im Blick einen Anflug von Wildheit. »Tuolén stieß ein Mißgeschick zu. Ihr kennt Mathurin.«

»Wenn ich Euch richtig verstehe«, sagte Lalette, »ist er umgebracht worden. Doch das beeinflußt nicht den Blauen Stern.«

»Nicht, falls wir die Erbin finden. Aber noch eine andere Frage ist damit verbunden – angenommen, wir fänden sie, verstünde sie genug von der Kunst, um den Blauen Stern zu beleben? Echte Hexen sind heutzutage selten, da einerseits die Bischöfe sie verfolgen und auf die Scheiterhaufen schicken, andererseits so viele von den Amorosiern nach Mancherei angeworben werden.«

»Meine Mutter . . .«, begann Lalette.

»Oh, Eure Sippe hat Mathurin schon längst in Augenschein genommen. Eure Mutter wäre zur Unterweisung befähigt, aber täte sie's? Für uns nicht, glaube ich – das letzte, was ich von ihr gehört habe, betraf ihre Abreise mit Cleudi und dem Hof nach Zenss. Ihr beide seid unsere Hauptstütze.«

Rodvard dachte an die Hexe in Kazmerga und kam zu dem Schluß, daß die Söhne der Neuen Zeit am Umgang mit ihr wenig Freude hätten.

»Es sollte nicht schwerfallen, Tuoléns Erbin aufzutreiben«, sagte er. »Ich habe früher im Stammbaum-Bureau gearbeitet.«

»Ein Grund mehr, warum Ihr ein wichtiger Mann seid. Ich will Euch nichts verhehlen – die meisten jener Leute, die noch die alten Schriften lesen können oder sich auf Stammbäume verstehen, sind entweder zum Anhang des Hofadels geflohen oder wenig vertrauenswürdig. Wir können es uns nicht leisten, uns auf sie zu verlassen, und dabei ist höchste Eile geboten, denn beide Heere im Westen würden uns nur zu gerne aufs Haupt schlagen, und inzwischen hebt man auch in Tritulaccan frische Truppen aus.«

Ein Pfiff gellte; Männer hasteten durch die Takelage, und das Schiff rollte und stampfte. »Das ist äußerst seltsam, was Ihr da sagt«, meinte Rodvard. »Ich wüßte gerne . . .«

»Ach, laßt es nun genug sein mit der Politik. Ich muß bei dieser lieblichen Demoiselle für meine gedankenlosen Reden Verzeihung erheischen.« Er bot Lalette den Arm. »Erweist Ihr mir die Ehre?«

Rodvard wurde stehengelassen; und nicht nur diesmal, sondern auch im Laufe der nächsten drei oder vier Tage, denn Lalette erhob es zur Gewohnheit, an Slairs Seite auf Deck Spaziergänge zu machen; sie pflegte dabei heiter zu lachen, und die beiden unterhielten sich auf eine Weise über Geringfügigkeiten, die Rodvard gleichermaßen als kindisch und geistlos empfand. Abends brachte das Mädchen kaum ein Wort hervor, und wenn, dann nur in flauem Tonfall; es mied seinen Blick, so daß er nicht erkennen konnte, welchen Gedanken es nachhing. Zur Schlafenszeit schloß es sich im Schrankbett ein, bevor es sich auskleidete. Dieser Zustand war alsbald so unerträglich, daß er sich schließlich eines Nachts erhob und an die Tür ihres Schrankbettes pochte.

»Mach auf«, sagte er.

Durch die Geräusche der Takelage, ihr ständiges Rattern und Knattern, vernahm er ihre leise Antwort. »Nein, Rodvard.«

»Öffne, sage ich«, rief er. »Du mußt mich wenigstens anhören.« Ein Schweigen von sieben Atemzügen Dauer folgte; dann hörte er sie am Schloß herumtasten. »Lalette«, fragte er, »warum behandelst du mich so?«

»Habe ich dich schlechter behandelt als du mich behandelt hast?«

Er unterdrückte eine Entgegnung, die sie beide noch ärger zerstritten hätte. »Ich kann nicht behaupten, daß ich deine Äußerung zur Gänze verstehe.«

Durch das Fensterchen drang nur der geringfügige Lichtschein der Nacht, und das Mädchen weidete sich daran, daß er nicht in ihre geheimsten Gedanken vordringen konnte. »Willst du noch immer behaupten, du hättest mich nicht hintergangen? Nun weiß ich doch, daß du nie mehr als ein Sohn der Neuen Zeit warst. Tuolén ereilte ein Mißgeschick ... ebenso den Hausmeister an deinem Wohnsitz ... Und wieviel andere noch? Ich besaß einen Glauben an gewisse Dinge, ehe du mich in diese Falle gelockt hast.«

»Das ist keine Falle«, sagte er und richtete sich so heftig auf, daß er mit dem Kopf an einen Balken stieß und vor Schmerz ächzte. »Das ist keine Falle. Man kann keine neue Welt erbauen, ohne von der alten Welt einiges zu zerstören, und es müssen für jede Sache einige Unbeteiligte leiden.«

Ihre Stimme klang wieder leise, als sie antwortete. »Ich fühle mich ... benutzt.«

»Lalette«, sagte er ernst und ohne sich darüber zu ärgern, »hör mir zu. Wir Söhne der Neuen Zeit ringen in aufrichtigem Bemühen um eine bessere Welt, in der sich jedermann auf Rechtschaffenheit und Gerechtigkeit verlassen kann. Aber soviel ist mir klar, und das habe ich nicht von Dr. Remigorius gelernt – ein solches Unterfangen angehen, das heißt, gegen den Strom einer ganzen Welt zu schwimmen, und das Gelingen einer solchen Tat muß bezahlt sein. Du fühlst dich benutzt? Ich nicht minder. Aber ich ziehe die Einsicht vor, daß ich zur Besserung der Menschen benutzt werde – vielleicht von Gott.«

Am Schluß klang seine Stimme ein bißchen unsicher; doch danach schwieg Lalette für einen Moment. »Und woher weißt du, daß es zum Besseren geschieht«, meinte sie dann, »und nicht bloß zu jemandes Freude am Neuordnen der Zustände? Deine Worte unterscheiden sich nicht sehr von von den Lehren, die ich in jenem Obdach anhören mußte. Bloß hätte man dort gesagt, daß Gott sich keiner irdischen Werkzeuge bedient.«

»Glaubst du das?«

»Ach, ich weiß es nicht. Ich weiß nur, daß ich müde bin – und allein, allein ...« Ihre Stimme verklang, er hörte, wie sie sich in der Dunkelheit auf dem Bett regte, dann ein unterdrücktes Schluchzen.

»Weine nicht, Lalette.« Er beugte sich über sie und wischte ihr eine Träne aus dem Gesicht, doch als mehr davon flossen, begann er ihre

Lider zu küssen. »Ich liebe dich.« Er sagte es erstmals wieder seit jener Nacht auf den Dächern. »Lalette, Lalette . . .« Er küßte sie immer wieder, und bald auch ihre Lippen; sie schlang ihre Arme um ihn, denn er war der einzige greifbare Anker in dieser unstet gewordenen Welt, und Leidenschaft erfüllte seine Küsse. Sie dagegen war nur hingebungsvoll; für Rodvard war es eine Erleichterung und zugleich eine Marter. Er wünschte sich, sie wäre Leece.

2

Das Schiff erreichte Netznegon stromaufwärts beim Läuten der Abendglocke; die Türme der Stadttore erhoben sich gen Westen dunkel wie das lückenhafte Gebiß eines Riesen. Rodvard stand nahe am Bug und lauschte den gemessenen Singsangrufen der Matrosen an den Rudern; über allem empfand er die goldene Gemütserhöhung einer ruhmreichen Heimkehr. »Dossola . . .«, murmelte er, »Dossola, stark und schön, wie kann ich in Größe zu dir stehn . . .?« Ihm war ganz danach zumute, ein Gedicht zu verfassen, aber seine Gefühlsaufwallung war so überschwenglich, daß ihm weder Reime noch Versmaß recht gelingen wollten; und als er sich zusammenzunehmen versuchte, um seine Verse mit nüchternem Verstand zu schmieden, floh ihn plötzlich die dichterische Stimmung, und die Stadt war nur noch ein gewaltiger öder Haufen Stein.

Die Brücke, die zu den südlichen Vororten führte, entschwand aus dem Blickfeld; kleine weiße Eisklumpen schwammen wie Enten den Fluß hinab. Das Schiff näherte sich längsseits dem Kai oberhalb der Biegung. Am Ufer brannten Laternen, und eine kleine Gruppe wartete; man mußte das Schiff von den Mauern aus gesehen und Leute zum Empfang geschickt haben. Vom Heck des Schiffs rief jemand Rodvard an; es war Demadé Slair, in seiner Begleitung Lalette, gehüllt in ihren langen Mantel. So kehren wir nun heim nach Dossola, wir beide, dachte Rodvard, so arm wie wir fortgehen mußten, aber wenigstens mit mehr Hoffnung.

»Es ist ratsam, daß wir uns eilen«, sagte Slair. »Zur Zeit empfiehlt es sich nicht, sich des nachts in den Straßen blicken zu lassen.«

Undeutlich hatte Rodvard begriffen, daß seine gestrigen Worte zu Lalette nur so etwas wie eine Pfaffenpredigt gewesen waren, und er wollte, er könnte sich ihr besser verständlich machen, da sie die Mängel ohne Zweifel sah. Aber wie sollte er sich ausdrücken? Wie war sie von seinem Ideal zu überzeugen? Man schob den Laufsteg hinüber zum Kai. Dort standen gut ein halbes Dutzend Männer; einer davon trug den Überwurf eines Profosen, nicht jedoch das Schuhwerk und die übrigen Ausrüstungsstücke einer Profosenuniform. Ein Langschwert beulte den Überwurf aus. Sein Blick glitt über Rodvard und verharrte auf Lalette. Demadé Slair nannte seinen Namen und geleitete seine

Schützlinge um die Ecke eines finsteren Schuppens in eine Seitenstraße. Dort stand ein Mann mit einem Pferd; Slair sprach mit ihm, und er schwang sich in den Sattel und ritt davon. »Der Profos«, sagte Rodvard, um überhaupt irgend etwas zu sagen, »schien mir ziemlich neugierig zu sein.«

»Das war kein Profos«, erklärte Slair. »Die Generalversammlung hat diese verhaßte Bande aufgelöst. Was Ihr gesehen habt, war ein Volksposten.«

»Dies ist ein anderes Dossola«, sagte Rodvard.

»Es wird ein besseres Dossola sein«, fügte Slair hinzu.

»Wohin gehen wir?« erkundigte sich Lalette.

»Zum Nationalen Gästehaus, vormals das Palais von Baron Ulutz, der geflohen ist, um sich bei Pavinius einzureihen. Der Mann besorgt uns eine Kutsche.«

Das Gespräch stockte. Von irgendwo aus der Finsternis schallte das verworrene *Bra-bwa-wra* zahlreicher Kehlen in die Straße. Glas klirrte, neues Geschrei. »Was ist das?« Rodvard sah Slair an.

»Zweifellos Leute vom Volk. Ihr müßt wissen, manch alte Schuld wird in diesen Tagen beglichen.« Er hob die Schultern. »Und es gibt deren viele.«

Lalette regte sich unbehaglich, und Rodvard wußte auch ohne Verwendung des Blauen Sterns, daß sie diese wilde Gesetzlosigkeit gegen die neue Zeit ins Feld führen würde. »Kommt so etwas häufig vor?« wollte er wissen.

Slairs Stimme klang gleichmütig. »Oft genug. Hauptsächlich zigranische Geldverleiher müssen daran glauben.« Er schnippte mit dem Finger. Um die Ecke rollte eine Kutsche mit nur einem Pferd; ein Bote ritt ihr voraus. »Meldet Euch um die zweite Morgenstunde am Sitz des Komitees«, sagte Slair zu dem Reiter.

Dessen Kinn war schlecht rasiert. Er lehnte sich im Sattel herab. »Nun, Freund Slair, ich will tun, was ich kann«, sagte er, »aber es dürfte schwer sein, so früh schon weitere Botenritte zu machen, denn mein Klepper hier ist ganz und gar fertig, und der alte Gaul ist mein ganzer Unterhalt.«

Rodvard bemerkte nun, daß das Pferd vor Erschöpfung beinahe umfiel.

»Wenn dies Pferd krepiert, findet sich ein anderes«, sagte jedoch Demadé Slair. »Die Angelegenheiten des Volkes dulden keinen Aufschub. Seid pünklich zur Stelle.«

Der Mann stieg bedächtig ab und tätschelte den Hals des erschöpften Tiers. Er wischte mit bloßer Hand die Schaumflocken vom Maul der schweratmenden Stute. »Freund Slair«, sagte er, »ich bin der Sache des Volkes so treu ergeben wie man sich's nur von jedem wünschen kann, aber es geht mir um mehr als nur den Unterhalt. Dies ist meine Freundin.« Das müde Pferd schnupperte an seiner erhobenen Hand.

Zu aller Überraschung brach Slair in Gelächter aus. »Dann zieht hin mit Eurer Freundin! Ich entschuldige Euch, wenn Ihr später kommt.«

Die Kutsche hatte breite Sitzbänke. Lalette drückte sich in einen Winkel, so daß Rodvard, als er saß, kaum den Saum ihres Mantels berührte, und Slair saß beiden gegenüber. Hinter der Ecke, wo der Tumult im Gange war, konnte man in einiger Entfernung Gestalten und Fackelschein sehen, aber niemand im Vehikel sagte irgend etwas, weil es, dachte Rodvard, soviel zu sagen gab. Schließlich rollten sie durch das Tor des einstigen Palais von Baron Ulutz; an der Eingangssäule hatte man eine Statue gestürzt, ihre Bruchstücke lagen auf dem Pflaster verstreut. Im Gebäude brannten Lichter, doch ließ sich kein Pförtner blicken. Demadé Slair schritt voran, zunächst die breite Marmortreppe empor, dann in einen Raum mit hohen Wänden, wo er eine Kerze entzündete. In einer Ecke stand ein großes Bett; einem Stuhl hatte jemand das Polster aufgeschlitzt, und die Füllung lag in Flocken auf dem Teppich. »Ich wünsche Euch eine gute Nacht«, sagte ihr Begleiter. »Unten ist eine Küche, wo Ihr ein Frühstück bekommt. Morgen früh wird ein Bote Euch abholen, Freund Bergelin.«

Als sie allein waren, setzte Lalette sich in den unbeschädigten Stuhl, legte die Hände in den Schoß und starrte ihre Füße an. »Rodvard . . .«, sagte sie endlich.

»Ja?« Sein Herz tat einen hoffnungsfrohen Hüpfer.

»Sei vorsichtig. Du bist nicht so wichtig für sie wie du glaubst. Wärst du . . . fort, vielleicht brächten sie mich dazu, einem anderen den Blauen Stern zu geben.«

»Könnten sie dich zwingen, die Hexerei zu vollziehen?«

»Nein. Aber womöglich finden sie eine andere Hexe . . . Rodvard.« Er trat zu ihr, aber als er sie berührte, machte sie eine knappe Gebärde der Ablehnung, als mißbillige sie das Aufbringen von etwas Kindischem in einem todernsten Moment. »Ich fürchte mich, Rodvard. Laß nicht zu, daß mir so etwas widerfährt.«

Er entfernte sich. »Ach, Pest und Galle, du machst dich bloß vor Schatten bange. Ich bin Mitglied der Söhne der Neuen Zeit . . . und du beherrscht immerhin die Hexenkunst.«

»Ja. Das stimmt.« Sie entkleidete sich bis auf das letzte Unterkleid und schlang es fest um ihren Körper; sie schlief an der äußersten Bettkante. Das Wasser war sehr kalt.

24. Kapitel
Reden vor der Generalversammlung

1

Die Sitzungen fanden im alten Audienzsaal statt. Der Thron stand noch an seinem Platz, im dunklen Holz funkelten die Edelsteine, und über ihm schimmerte der mit Juwelen ausgelegte Stern Dossolas, so daß Rodvard ein beinahe körperliches Gefühl von Dossolas hoher Glorie empfand. In Rodvards Blickfeld hatte man von den Seitenwänden Stühle in die Saalmitte getragen, wo einstmals alle standen, um vom Thron die Urteilssprüche zu vernehmen, wenigstens noch zur Zeit des großen Königs Crotinianus; man brachte weitere Stühle herein, die zu den bereits aufgestellten nicht paßten. Rodvard saß auf dem früher dem Zeremonienmeister vorbehalten gewesenen Platz, zwei Stufen höher; vor ihm stand ein Schreibpult, das als Vorwand für seine Anwesenheit diente. Rechts davon, noch eine Stufe höher, war der einstige Platz des Kämmerers, den nun Mathurin einzunehmen pflegte; auch davor stand ein Pult.

Rodvard überblickte den Saal, der sich inzwischen mit Menschen füllte, von denen die meisten sich beim Eintreten nach alter Manier vorm Thron verneigten. Nur wenige trugen allerdings die Krönchenspange, und daraus gewann Rodvard nicht nur Genugtuung, sondern auch Hoffnung. Eine starke Gruppe von Legalisten war vertreten; ein paar Händler; auch einige Angehörige niedrigerer Stände, aber nicht soviel, wie er erwartet hatte. Während er noch die Anwesenden musterte, kamen die Bischöfe in ihren leuchtenden Roben, sechs oder sieben zugleich; das plötzliche Verstummen und erneute Anschwellen des Gemurmels, das ihr Erscheinen verursachte, veranlaßte sie nicht einmal zu einer Kopfbewegung. Sie belegten ihre Plätze in der vordersten Stuhlreihe. Legalistenspangen begannen sich in ihrem Umkreis zu sammeln wie im Fluß Strohhalme um einen Balken. Mathurin kam herein. Er trug seine schwarze Lakaienlivree und die Standesspange, als seien sie eine Robe und eine Krone; sein Stolz war offenkundig. Er verbeugte sich nicht vorm Thron, sondern strebte unverzüglich zum Sitz des Kämmerers, nahm Platz, stand sofort wieder auf und schlug mit der flachen Hand auf das Pult, um Aufmerksamkeit zu erheischen. Widerwillig ließ das verhaltene Stimmengewirr nach; die Versammelten begaben sich, soweit noch nicht geschehen, an ihre Plätze. Mathurin wartete mit schmalen Lippen; als nur noch zwei oder drei Stimmen flüsterten, schlug er noch einmal auf das Pult. »Die Nationalversammlung muß sich heute«, sagte er dann, »mit einer neuen Angelegenheit von alleräußerster Wichtigkeit befassen.«

Während der mit Spannung erfüllten Pause, die sich dieser Ankündigung anschloß, erhob sich ein Mann von kraftvollem Wuchs, der die

Adelsspange angesteckt hatte. »Ich bin der Marquis von Palm. Es gibt noch eine unerledigte wichtige Angelegenheit, um welcher willen diese Versammlung ursprünglich zusammengetreten ist, und auf deren Erledigung zu dringen ich nicht aufhören werde. Noch ist kein offizieller Regent . . .«

Mehr konnte er nicht vorbringen. Ein wütendes Stimmengewirr übertönte ihn, und Mathurin hieb erneut auf sein Pult. »Ich bin nur der Schriftführer dieser Versammlung, und ich werde ihr zur Diskussion vortragen, was immer man verlangt«, sagte er mit erhobener Stimme. »Aber ich habe ganz den Eindruck, Sire Marquis, daß die Versammlung alles andere als Eure Anregung zu hören wünscht. Das ist um so begreiflicher, da die Angelegenheit, von der ich spreche, so überaus bedeutsam ist, daß jede andere dagegen verblaßt. Leider muß ich bekanntgeben, daß unsere Nation, bereits bedroht von äußeren Feinden, nun auch noch einer schlimmeren Gefahr ins Auge blicken muß, deren Abwehr uns alle Anstrengungen kosten wird. Denn das ist geschehen – die Führer, denen wir unser höchstes Vertrauen geschenkt haben, sind zu Verrätern abgesunken und kospirieren mit dem Feind des Volkes gegen das Volk.«

Wieder schwoll Stimmengewirr an, durch das zornige Rufe gellten. »Hört, hört!« – »Unters Beil damit!« Man schüttelte wutentbrannt Fäuste. Rodvard bemerkte, daß die Unruhe nur aus einem Teil der Halle kam, genau hinter den Bischöfen. Von denen begann sich nun einer unruhig Luft zuzufächeln. Während Mathurin, halb zu einer Haltung des Triumphs aufgerichtet, seinen Blick über den Unruheherd schweifen ließ, verstärkte sich das Gelärme gar noch, statt sich zu mindern. Schließlich hob er eine Hand.

»Ich will Euch das Ärgste nicht in geschliffenen Worten berichten«, sagte er, »denn es ist ein grober Klotz, den man uns da schlucken lassen möchte.« Er raschelte mit einem Stapel Papier. »Nein, wartet – ich werde damit beginnen, wie wir an dies Wissen gelangt sind . . . In Drog, unterhalb des Passes, der über die Rauhen Berge nach Ruschaca führt, steht ein Gasthof. Vor ungefähr acht Tagen hielt dort eine Kutsche, worin eine Dame des Hofes reiste, ach, eine wunderschöne Dame, in Schale geworfen wie für einen Ball. Sie kam aus dem Norden, aus Zenss, wo der Hof steckt, und da die Richtung, wohin sie fuhr, letztendlich nach Tritulacca führt, erregte ihre Reiselust den Argwohn des Gastwirts. Er ist ein wahrer Patriot und dachte sich, sie schaffe vielleicht wider das diesbezügliche Dekret Werte aus dem Lande. Er beobachtete sie und stellte fest, daß sie auf eine bestimmte Kassette ganz besondere Obacht gab. Daraufhin verständigte der Wirt die Volksposten, diese bemächtigten sich der Kassette und erbrachen sie – und darin fanden sie kein Geld, sondern . . . das hier . . .« Mathurin nahm eines der Schriftstücke, das anscheinend aus Pergament bestand, und wedelte damit in der Luft; dann zeigte er es in die Runde, so daß jeder am unteren Ende das große, blaue, sternförmige Siegel erkennen konnte, welches ausschließlich durch die Reichskanzlei Verwendung fand.

In den Stuhlreihen entstand Bewegung, und man vernahm einige scharfe, ja mißbilligende Atemzüge; der Bischof mit dem Fächer stellte sein Gefächel ein; der stämmige Mann, welcher sich als der Marquis von Palm vorgestellt hatte, starrte mit offenem Mund nach vorn, die Stirn in Falten gelegt.

»Soll ich vorlesen? Nein, nicht Wort für Wort, es ist ohnehin im Tritulaccan verfaßt, und überdies enthält es nichts als diese blödsinnigen, gezierten Höflingsphrasen, die alle wahre Bedeutung zu verschleiern trachten.« Er kennt mehr Rednerkniffe, dachte Rodvard, als ich mir vorgestellt habe. Pause. »Nun, es dreht sich hierum – wir haben es mit einem Sendschreiben des Grafen Cleudi, selber in Tritulacca geboren, an Perisso, den tritulaccanischen Fürstregenten, zu tun, doch trägt es zum Beweis seiner Glaubwürdigkeit das Siegel unserer Allergnädigsten Majestät der Königin. Der Inhalt besagt, daß die Rebellion ihres Vetters Pavinius zweifellos alsbald niedergeschlagen sein werde, doch da Mayern ihn unterstütze, könne der Krieg sich hinschleppen und große Kosten verursachen. Ihre Allergnädigste Majestät stimmt dem vom Fürstregenten im Namen des wahren Glaubens und der alten Freundschaft zwischen den beiden Königshäusern unterbreiteten Vorschlag aus selbigen Erwägungen zu, mit nicht weniger als sechzehn Regimentern zum dossolanischen Heer zu stoßen, und zum Ausgleich dafür wird Tritulacca großmütig ein rechtmäßiger Anspruch auf die Stadt und Provinz Sedad Mir zugestanden. Und einige dieser Regimenter sollen auf dem Marsch zum Kriegsschauplatz einen Umweg über Netznegon machen, um gewisse Aufsässigkeiten zu unterdrücken. O diese Ratten! Mit solchen Menschen kann kein Friede sein!«

»Schande!« brüllten einige Stimmen, bevor die letzten Silben aus seinem Mund verklungen waren, und überall im Saal standen nun Leute auf den Beinen und schrien. Doch auch ein anderer Ruf ertönte: »Fälschung!«

Darauf schien Mathurin nur gewartet zu haben. »Fälschung?« schrie er, und seine Stimme drohte fast überzuschnappen. »Wer das für eine Fälschung hält, mag es sich selber ansehen!« Er schleuderte das Schreiben in den Saal, wie ein Jäger das erlegte Wild seinen Hunden vorwerfen mochte. »Werdet Ihr auch Fälschung rufen, wenn ich Euch sage, daß man die gesamte tritulaccanische Flotte in Kampfbereitschaft versetzt hat? Unsere Nation ist verraten worden!«

Nun geriet der Tumult offenbar völlig außerhalb jeglicher Kontrolle; Menschen eilten von einem Platz zum anderen und versuchten auf andere Anwesende einzureden, und in jedem Blick, den Rodvard erfaßte, erspähte er nichts als blanke Wut. Mathurin blickte über das Gewimmel hinaus und enthielt sich jeder Bemühung, um die Versammlung wieder zu bändigen. Dann erhob sich in der ersten Reihe ein hochgewachsener alter Mann mit weißem Haar und einer durch gewohnheitsmäßiges gütiges Lächeln erstarrten Miene der Mildherzigkeit; er streckte seinen weißen Amtsstab in die Höhe, und Rodvard erkannte in ihm den Erzbischof Teurapis Groadon.

Der Stab erregte Aufmerksamkeit; Stimme um Stimme stellte ihre Mitwirkung am Lärm ein, bis nur noch eine Handvoll von Personen disputierte, dann bloß noch zwei, zuletzt niemand. Der Erzbischof wartete, bis eine Ruhe eingetreten war, die nur gelegentliches Husten störte; Mathurin übte einen kurzen Druck auf Rodvards Schulter aus, um ihm zu verstehen zu geben, er solle des Bischofs Gedanken lesen, aber der Alte schaute nur flüchtig zur Estrade herüber, bevor er sich umdrehte und an die Versammlung wandte. »Sire Schriftführer, Ihr Edlen und Standesvertreter des Reiches«, sagte er, »was wir soeben vernommen haben, ist keine angenehme Kunde. Es dürften sich einige Fragen zur Echtheit dieses Schreibens erheben, es könnte auch lediglich zum Zwecke eines Täuschungsmanövers verfaßt worden sein, ein Dokument von der Hand des Häretikers Pavinius, der gleich Gott zu werden wünscht. Doch eines will ich nicht in Abrede stellen – wir müssen uns in jedem Falle so verhalten, als sei es gänzlich echt. Denn tun wir nichts, und es erweist sich, daß es echt ist, wird es zu spät sein. Und was mich angeht, so fürchte ich, daß es echt ist, denn dem geistlichen Stand ist es gegeben, die Machenschaften der Mächte des Bösen zu durchschauen. Daher stehen wir nun vor der Entscheidung, auf welche Weise wir, indem wir uns freudig Gottes Schutz anvertrauen, die Ränke des Erzfeindes zum Scheitern bringen, der von Natur aus gute Männer und Frauen zu Werkzeugen des Bösen erniedrigt. So laßt uns nun andächtig die Frage an uns selbst richten, wie das Reich die Bedrohung abzuwenden vermöchte. Während einer ähnlichen Notlage zur Zeit der Herrschaft von König Cloar und Königin Berdette I. enthob die Reichsversammlung das Herrscherpaar der Regierungsgewalt und übertrug dieselbe ihrer Tochter und deren Gemahl, der uns allen als der große König Crotinianus in ruhmreicher Erinnerung ist. Doch nun gibt es keine Erbinnen, und der einzige Erbe wäre Prinz Pavinius. Wie es also scheint, müssen wir uns entscheiden, ob wir ihn anerkennen und zur Rettung des Körpers die Seele verderben, oder ob wir den Willen der Königin geschehen lassen und die Seele erretten, indem wir den Körper Tritulacca unterwerfen. Doch glaube ich, daß Gott keine derartige Unterwerfung von uns fordert, denn unser Gott ist ein Gott der Freude. Wir sind hier zur Generalversammlung der Stände des Reiches zusammengetreten, von der ich annehme, daß sie die weltliche Macht zur Genüge repräsentiert, auch im Namen jener, die hier aus irgendwelchen Gründen ihre Interessen nicht durch ihre Anwesenheit vertreten, und die geistliche Macht ist vollständig repräsentiert. Und so schlage ich nun vor, obwohl ein solcher Schritt in Gesetz und Brauchtum keine Grundlage hat, noch zu Lebzeiten unserer Königin eine Regentschaft zu bilden. Sie sollte sich aus Mitgliedern des Adels und der übrigen Stände zusammensetzen, um jederzeit ihre Repräsentativität nachweisen zu können. Und da der wahre Feind jene Macht des Bösen ist, die unsere gute Königin in die Irre geleitet hat, erbiete ich mich in aller Demut, den Vorsitz zu übernehmen.«

Er setzte sich. Gemurmel entstand, das nahezu beifällig klang, jedoch eine gewisse Unentschlossenheit heraushören ließ; Rodvard war froh, daß der Erzbischof seine Rede beendet hatte, denn mit ein paar Worten mehr wäre es ihm womöglich gelungen, die Versammlung restlos zu überzeugen, und Rodvard hegte die Auffassung, daß eine Regentschaft mit Adeligen und Bischöfen nichts wesentlich anderes sei als die alte Herrschaft in neuem Gewand. Mathurins Finger wies auf einen Legalisten, der sich erhoben hatte und nun der Aufmerksamkeit der Versammelten harrte.

»Ich bin Notarius Escholl«, sagte dieser Mann. »Ich möchte darauf hinweisen, daß dieser Vorschlag einer Regentschaft zu Lebzeiten eines Herrschers durchaus in Gesetz und Brauchtum ein Beispiel besitzt, wiewohl das nicht allgemein bekannt ist. Über acht Quadrupel ist's her, daß König Belodon II. während der Zigranerkriege in der Schlacht um Bregatz fiel, und kaum jemand entsinnt sich noch daran, daß man drei Wochen vor seinem Tod die Feststellung getroffen hatte, daß er wahnsinnig geworden war, und die Barone bildeten einen Regentschaftsrat. Wir dürfen, wie ich glaube, einen derartigen Wahnsinn auch im Falle der Königlichen Majestät unterstellen, da die Absprache mit Perisso eindeutig wider das Gesetz des Reiches und außerdem gegen den wahren Glauben verstößt. Sein Anspruch auf Sedad Mir beruht auf einer männlichen Abstammungsfolge, denn es ist wohlbekannt, daß der letzte Graf dieser Provinz widerrechtlich seine Schwester um ihr Erbe betrog, sie jedoch ihn überlebte und ihre Rechte der dossolanischen Krone vermachte.«

Helles Morgenlicht fiel durch ein Fenster auf das Gesicht des Sprechers, und als dieser wieder seinen Platz einnahm, bemerkte Rodvard in seinen Augen den Glanz von Habgier und Machtlust – außerordentlich überraschende Eigenschaften bei jemandem, der so trockene Worte so ruhig gesprochen hatte. Rodvard berührte Mathurins Arm, um ihm einen diesbezüglichen Hinweis zuzuflüstern, aber mittlerweile stand ein halbes Dutzend weiterer Versammlungsteilnehmer auf den Beinen und meldete sich zu Wort; Mathurins Zeigefinger deutete auf einen Mann mit einer Händlerspange, der inmitten der Gruppe saß, die die Ausführungen des Marquis von Palm mit Äußerungen des Unmuts übertönt hatte. »Ich protestiere!« schnauzte der Mann. »Ich heiße Brosen Zelitza. Wir befinden uns hier in der Generalversammlung der Nation und sind daher ohnehin bereits Regenten aus eigener Machtvollkommenheit. Wozu die Regentschaft einem Komitee übertragen? Warum sollten Bischöfe neben der geistlichen auch noch die weltliche Macht erhalten? Wenn kein anderer es auszusprechen wagt, dann will ich sagen, warum – weil sie sich verkauft haben . . . verkauft an Triculacca. Sie möchten nur die Macht erringen, um die Verwirklichung von Cleudis Absicht ermöglichen zu können, und ihre ganzen Gegenreden sind nur elender Schwindel und leerer Schein . . .« Die Stimme besaß eine bemerkenswerte Lebhaftigkeit, eine Kraft, die bis ins Mark des Zuhörers zu dringen schien, aber während Rodvard das Gesicht beobachtete, entstand vor seinem geistigen Auge nichts als ein Bild von einem Etwas mit Zähnen, kein Verstand, keine Gedanken. » . . . unter der Herrschaft dieser Pfaffen und ihrer Söldlinge werden die alten Bräuche und Sitten Dossolas unterdrückt, wird den Frauen die Ausübung der Hexenkunst verboten. Deshalb ist Dossola nur eine halbe Nation, kaum besser als das wilde Kjermanasch, die Frauen liegen in Ketten, zur Gegenwehr außerstande . . .« Die Stimme brachte Ruhelosigkeit in die Versammlung, im Saal entstand Erregung, merkliche Bewegung, das Scharren eines Stuhls, den jemand zurückschob. » . . . korrupte Pfaffen, Zuhälter von Schurken und Gaunern . . .« – Rodvard musterte die Reihe von Bischöfen, und obschon alle die Köpfe abgewandt hatten, so daß er keine Blicke aufzufangen vermochte, bezeugte doch die Gesamtheit ihrer Haltung das unaufhaltsame Anwachsen ihrer Entrüstung – » . . . den Gott zu erklären unfähig, dem zu dienen sie vorgeben . . .«

»Halt!« Der Erzbischof stand wieder aufrecht; er hob seinen Amtsstab.

»Aha, das Schwert schmerzt, was? Verschwörer! Hinterlistiger . . .«

»Schweig!« Die Stimme, welche es gewöhnt war, weitläufige Kathedralen zu durchdringen, ähnelte einem Donnerschlag.

Mathurin sprang auf. »Ehrenwürdigster Herr Bischof«, sagte er, »dies ist die Generalversammlung des Volkes, wo einer nach dem anderen spricht. Wenn Ihr ihn angehört habt, werden wir Euch anhören.«

Der Erzbischof fuhr herum, und diesmal sah Rodvard in seinen Augen – mühelos erkennbar – das Aufblitzen von Wut; aber das war nicht die einzige Gemütsregung, doch blieb der Rest verschleiert. »Niemals werde ich eine Gotteslästerung anhören«, sagte er. »Als höchster Würdenträger der noch reichstreuen Regierungsfraktion erkläre ich diese Versammlung hiermit für aufgelöst. Alle mögen mir folgen, die Gott und Dossola lieben.« Inmitten eines erneuten Aufruhrs, in dem Hohn- und Beifallsrufe sich vermengten, hob er seinen Stab und ging auf die Tür zu, gefolgt von den übrigen Bischöfen. Gut die Hälfte der Legalisten schloß sich an. Die Adeligen standen auf, zögerten jedoch an ihren Plätzen und schauten zum Marquis von Palm hinüber; dann, als er auf seinem Platz verblieb, setzte ein Teil sich wieder. Ein paar Händler gingen ebenfalls hinaus; ihr lautstarker Kern jedoch, der immer zuerst zu lärmen anfing, blieb wie festgenagelt sitzen.

Als der Zug draußen war, sagte Mathurin nur noch einen Satz. »Für den heutigen Tag ist die Sitzung geschlossen.« Er wandte sich Rodvard zu; und Rodvard sah im stummen Lächeln der Augen, daß alles genau planmäßig verlaufen war und Zelitza ein guter Mann. Rodvard verließ den Audienzsaal allein, mehr als nur ein bißchen stolz darauf, endlich an großen Ereignissen mitwirken zu können; er fragte sich, was wohl seine alten Kollegen im Stammbaum-Bureau sagen mochten, die so auf ihn herabgeblickt und ihn gehänselt hatten, wenn sie erfuhren, daß er nun in der Nationalen Generalversammlung an einem Pult saß. Seine Börse war schwer von Silberguineen, er trug anständige neue Kleider; dies war der schönste Tag in diesem Winter. Er verspürte das Bedürfnis, irgend jemandem seine Freude mitzuteilen; im Dahinschreiten hob er sein Haupt, und dabei trat er – was seinem Bedürfnis entgegenkam – unbeabsichtigt jemandem an die Ferse. Der Betroffene drehte sich um; er war so jung wie Rodvard und trug die Kommisspange. Seine Hände waren unter den Rock geschoben. »Ich bitte um Verzeihung«, sagte Rodvard.

»Keine Ursache«, entgegnete der junge Mann.

»Ich war in Gedanken versunken. Wißt Ihr schon, daß die Generalversammlung Königin Berdette ablösen wird?«

»Nein.« Schweigen. »Nun, der tritulaccanische Graf wird eben mit einer anderen ins Bett kriechen müssen. Vielleicht kommt jetzt dieser Prinz Pavian dran.«

»Die Bischöfe haben die Versammlung verlassen.«

»Aha.« Wieder eine Stockung; zwei Schritt weit nebeneinander zur Ecke. Der junge Mann sah ihn an (in den Augen nichts als Unbehagen, da er nicht die leiseste Vorstellung hatte, was er sagen sollte). »Habt Ihr schon das neue Stück im Leverdaos-Theater gesehen? Es heißt ›Das falsche Spiel der schönen Gräfin‹, und Minora spielt die Hauptrolle.«

25. Kapitel

Gespräch im Nationalen Gästehaus

1

Lalette lag zusammengekrümmt auf dem Bett, halb von Kissen unter ihrer Achselhöhle gestützt. Demadé Slair hatte sein Schwert abgegürtet und sich gesetzt; es lehnte an seinem Stuhl. Mathurin saß auf dem Stuhl am Tisch, und der Kerzenschein erzeugte eine eindrucksvolle Silhouette seines scharfen Profils. Rodvard saß unruhig auf dem beschädigten Stuhl, dessen mangelhafte Polsterung ihm das Sitzen reichlich unbequem machte. »Und das war alles?« fragte der Schriftführer der Generalversammlung und biß sich auf die Unterlippe. »Nichts weiter von Palm, nichts von den anderen Bischöfen? Verdammte Scheiße, Bergelin, Ihr seid weniger tauglich als ich gedacht habe.«

»Außerdem war da dieser Legalist, der gesprochen hat«, sagte Rodvard. »Von ihm glaube ich, daß er ein Mann ist, vor dem man sich hüten muß. Seine Gedanken waren so von Grausamkeit und Machtgier erfüllt, daß er dazu bereit wäre, alles niederzustampfen.«

»Ihr meint den Notar Escholl?« vergewisserte sich Bergelin. »Das ist auf jeden Fall von Nutzen. Wir brauchen mehr solche Leute, sei's als Freund oder Feind. Die Lage muß aufgerührt, an die Öffentlichkeit gebracht werden, es interessieren sich noch immer viel zu wenig Menschen dafür, wer den Sieg davontragen soll.« Er stand auf und schritt hin und her, langsam, den Kopf ein wenig vorgeschoben, die Hände auf dem Rücken. »Hört mir zu, Bergelin, ich will vollständig aufrichtig zu Euch sein. Heute nachmittag, nach der Sitzung der Generalversammlung, fand eine Beratung des Obersten Zentrums statt . . .«

»Sind die Namen – außer Eurem – noch immer ein Geheimnis?« fragte Rodvard.

Mathurin schnob. »Sie sind's so gut wie nicht länger, denn wie die Dinge stehen, wird der Personenkreis des Obersten Zentrums mit dem Regentschaftsrat identisch sein. Ihr habt sicherlich erraten, daß Brosen Zelitza aus Arjen zum Obersten Zentrum gehört, er ist der beste Redner in ganz Dossola. Dann General Stegaller – an sich obliegt ihm das Rekrutierungsamt, aber in Wahrheit wirbt er Männer für die künftige Volksarmee an. Überraschen mag Euch, daß auch Eure alte Freundin dabei ist, Mme. Kaja – eine wundervolle Frau, wenn es um die Gewährleistung von Details geht, und wir benötigen jemanden ihres Geschlechts, unseres Verhältnisses zur Hexenkunst wegen, aber ich wünschte mir, wir hätten außer ihr eine andere Frauensperson, sie ist so fromm.« Lalette gab einen Laut von sich; Rodvard sah ihr ins Gesicht und bemerkte, daß sie dicht vor einem ihrer Zornesausbrüche stand.

»Will mir denn niemand sagen, was aus Dr. Remigorius geworden ist?« fragte Rodvard, in der Hoffnung, ihre Wut damit abgeblockt zu haben.

Mathurins Schritte verstummten. »Ich verzeihe Euch diese Frage und werde sie Euch beantworten, aber wenn Ihr Euer Leben liebt, dann erwähnt ihn niemals wieder. Er war eine Ratte, ein Spion, ein Werkzeug – er ist zu seinem Brotherrn entwichen, Prinz Pavinius . . . aber er wird seine schmachvolle Tat nicht lange überleben, also kein Wort mehr über ihn.«

Dies sind also die engsten Kreaturen um meinen Gemahl, dachte Lalette, meinen Mann – falls er's ist und nicht bloß mich und meinen Blauen Stern mißbraucht.

»Wir haben beschlossen . . .«, begann Mathurin von neuem; doch ehe er den Satz beenden konnte, lief aus der Deckung des Bettes eine Maus hervor und sauste wie auf winzigen Rädern blitzschnell über den Teppich.

Slairs Arm ruckte, und das Schwert in seiner Scheide hackte nach unten wie ein Schnabel – Waffe und Tier prallten aneinander, die Maus zuckte einmal und war tot. Demadé Slair hob den kleinen Kadaver auf und betrachtete ihn.

»Armes Vieh«, sagte er. »Ich bitte um Vergebung. Nun werden im Mauseloch deine Kinder hungern müssen, da sie die Nahrung nicht bekommen werden, die zu suchen du aufgebrochen bist.«

Es erstaunte Rodvard, im Augenwinkel des Schwertschwingers eine Träne glitzern zu sehen.

»Ach nein«, sagte Mathurin. »Wollt Ihr wohl gar Ungeziefer bejammern, Slair? Sobald die neuen Dekrete verabschiedet sind, wird Eure Klinge genug Arbeit bekommen.«

Rodvard blickte auf. »Was für Dekrete?«

Mathurin wandte sich ab, den Rücken wohlweislich dem Kerzenschein zugekehrt, wie Rodvard bemerkte, so daß sein Gesicht im Dunkeln schwebte. »Es wird ein neues Gericht zusammengestellt, das sich ausschließlich mit Sonderfällen befassen soll. Darauf wollte ich eben zu sprechen kommen, ehe ich unterbrochen wurde. Fälle von Verrat an der Nation und am Volk. Dort sollt Ihr scheinbar als Schreiber sitzen – das ist wichtiger als die Sitzungen der Generalversammlung.« Er wandte sich an Lalette. »Auch für Euch haben wir eine Aufgabe . . . Ihr seid nun eine unserer wichtigsten Kräfte.«

»In welcher Beziehung?« erkundigte sich Lalette mißmutig.

»Gegen die Bischöfe. Sie verbreiten Gift. Sie verkörpern die größte Gefahr, mit der wir's gegenwärtig aufzunehmen haben. Pavinius? Ihm widme ich kein müdes Arschrunzeln – er ist eine komische Figur, mit seinen Mayern und westwärtigen Ziegenhirten. Tritulacca? Schlaff und dumm, es hätte den Krieg ohne die Erhebung in Mancherei, mayernische Unterstützung und den Verrat der kjermanaschischen Häuptlinge niemals gewonnen. Der Hof? Er hat sich an Tritulacca verkauft und damit der eigenen Handlungsfreiheit beraubt. Aber die Bischöfe haben im Volk noch immer nicht ihr Ansehen verloren, die Menschen sind noch gebannt von ihrem finsteren Mummenschanz. Gewiß, wir haben sie heute morgen aus der Nationalen Generalversammlung vertrieben. Aber vielleicht stellen sie sich nun gerade deshalb im Namen dessen, was sie den wahren Glauben heißen, auf die Seite Tritulaccas.«

»Aber was habe ich denn mit den Bischöfen zu schaffen?« fragte das Mädchen.

»Kind, Närrin, Ihr sollt die Hexenkunst anwenden! Nicht zum Töten. Sie würden bloß andere Männer schicken. Aber lähmt ihre Hirne, treibt sie in den Irrsinn, dreht ihre Hirne durch die Mangel! Vor allem greift Euch schnellstens den Erzbischof Groadon. Sein Verlust wäre die größte Schlappe für den Gegner.«

Lalette setzte sich auf. »Sire Mathurin, Ihr begreift die Hexenkunst nicht im geringsten. Heilige Öle schützen Groadon, so daß nichts, was ich vermag, ihn behelligen kann.«

»Ihr seid's, die nichts versteht. Ich versichere Euch dessen, daß nichts Groadon Eurer Einwirkung zu entziehen imstande ist, wenn wir ihn in einem Moment der Wut erwischen, wie es heute war, oder im Zustand einer anderen heftigen Leidenschaft, denn dann sind weder Öle noch anderer Krimskrams dazu geeignet. Und verlaßt Euch darauf, daß wir Euch eine brauchbare Gelegenheit liefern werden.«

Lalettes Mund zuckte. Sie wollte schreien: Für keinen Lohn und keine Strafe, die Ihr verheißen könnt! Ein Moment verstrich, bevor sie sprach. »Bin ich . . . die einzige Hexe in Dossola?«

Von Mathurin kam ein Zähneknirschen. »Nein. Ich will ehrlich sein. Wir suchen unter Einsatz aller Möglichkeiten. Drei andere haben wir bisher gefunden – abgesehen von solchen Frauenzimmern, die von sich behaupteten, die Hexenkunst zu beherrschen, aber nichts anderes hexen konnten als Frösche und Kaulquappen aus dem Ärmel. Eine ist eine alte Vettel, der nahezu völlig der Verstand abhanden gekommen ist, man kann ihr ganz und gar nichts begreiflich machen. Eine ist ein junges Mädchen – zur Genüge Hexe, aber völlig ununterrichtet, und obendrein ist sie uns ausgerissen. Eine haben wir . . . nicht gefunden, sie ist in unsere Gefangenschaft geraten – sie stand im Sold von Kanzler Florestan.« Er führte einen Finger über seine Kehle. »Keine davon war Erbin eines Blauen Sterns.«

»Ich weiß nicht recht, ob ich die Hexenkunst in jeder Weise anwenden kann«, sagte Lalette. »Ich habe so wenig . . . Erfahrung.«

Mathurin warf ihr einen scharfen Blick zu. »Horcht«, sagte er, »ich verstehe Euer Zögern, aber gerade Ihr solltet mehr als andere auf unserer Seite stehen – als Frau und als Hexe. Die Hexenkunst ist fast ausgestorben, ausgetrieben von Priestern und Bischöfen. Wahrscheinlich gibt es viele Mädchen mit den rechten Erbanlagen, die nichts davon wissen, denen man nie etwas darüber beigebracht hat. Doch es ist und bleibt die Sache von Frauen. Wir haben den Blauen Stern des Oberhaushofmeisters Tuolén, um nur ein Beispiel zu nennen. Aber wo ist das Mädchen, das ihn zum Leben erwecken kann? Wir kennen nicht einmal den Namen.« Plötzlich wirbelte er herum und wies mit einer jener herrischen Gesten auf Rodvard. »Bergelin, jetzt erinnere ich mich – das war die andere Sache! Ihr habt im Stammbaum-Bureau gearbeitet, Ihr kennt alle seine Geheimnisse. Vergeßt bis auf weiteres die Generalversammlung, die haben wir in der Hand. Bis das neue Gericht zusammengetreten ist, besteht Eure Aufgabe daraus, nach Tuoléns Erbin zu forschen. Ich stelle Euch eine Vollmacht aus.«

»Das könnte schwieriger sein als Ihr glaubt«, sagte Rodvard.

»Ich habe nicht behauptet, es sei leicht«, entgegnete Mathurin. »Ich habe gesagt, daß Ihr Euch ans Werk begeben sollt. Kommt, Slair.«

2

Als die beiden Männer draußen waren, drehte er sich um und sah Lalette an. Sie war erschlafft, hatte ihr Gesicht in ein Kissen gedrückt. »Rodvard ...«, sagte sie, wie schon einmal, ohne sich zu rühren.

Er ging durch den Raum zu ihr und legte einen Arm um sie. »Was ist dir?«

»Meine Mutter. Sie ist beim Hof, und die Hexenkunst beherrscht sie vollkommen. Wenn dieser Mann sie in seine Gewalt bekommt, wird er sie umbringen.«

Das Schicksal vieler tausend Menschen, die Gewähr für eine bessere Zukunft, in der nicht unwissende Bauern die Hexenkunst mißbrauchten, sondern kluge Frauen guten Willens sie ausübten – in die Waagschale geworfen gegen eine Lüge. Aber wie sie ihr auftischen? »Hat sie sich«, meinte er, »um dich auch soviel Sorgen gemacht?«

Lalette zuckte unter seinem Arm zusammen. »Hätte sie's, wie könnte ich's überhaupt wissen? Ihr habt mich wie eine Gefangene gehalten, du und dein Dr. Remigorius, der Briefe unterschlägt, und deine Mme. Kaja, die mich verkaufen wollte, und nun dein Freund Mathurin, der meiner Mutter die Gurgel durchschneiden würde. Bevor ich dich kennengelernt habe, wußte ich gar nicht, was für Schmutz es auf der Welt gibt.«

Rodvard spürte das Blut durch seine Schläfen hämmern; gerne hätte er ihr heftig erwidert, sie am Ohr geschüttelt. Er gab sie frei, stand auf und begann durch das Zimmer zu wandern. Nein, nein, Rodvard, sagte er sich, eine so tiefgehende Zerstrittenheit läßt sich nicht beilegen. Blicke in die Zukunft, Rodvard, mach dich auf eine Welt ohne dies Weib gefaßt. Vielleicht wartet irgendwo eine andere, die mehr Sinn für eine tiefe innere Treue besitzt, die entschieden mehr wiegt als einzelne Handlungen ... eine, die ihn nicht von ihrer Seite stieß und mit bitteren Worten schalt, sobald ... Er dachte an Maritzl von Stojenrosek – und dann wieder an das große Ziel. Nein. Es war bloße Selbstsucht, die eigenen Erwägungen, das eigene Problem in den Vordergrund zu stellen – genau das versuchte er Lalette doch begreiflich zu machen. Nicht verzagen, Rodvard.

Ein leises Geräusch veranlaßte ihn dazu, sich umzuwenden. Sie hatte sich zwischen den Kissen zurechtgerückt und ihm das Gesicht zugewandt. »O Rodvard«, sagte sie, »hilf mir. Ich kann's nicht tun ... der Bischof.«

Sie sprachen kein Wort mehr darüber, doch in der Nacht ruhten sie einander in den Armen.

26. Kapitel

Das Sondergericht

1

Pünktlich um die Stunde, als Rodvard und Lalette mit der Frau, welche die Küche versah, und einem Wollhändler von den Grünen Inseln beim Frühstück saßen, traf ein Bote mit Mathurins Vollmacht ein, die ihn ermächtigte, alle Dokumente und Karteien des Stammbaum-Bureaus einzusehen, auch jene, die auf kirchliche Anordnung unter Verschluß standen.

Lalette erhielt auch eine Nachricht; der Erzbischof habe sich zum Gebet zurückgezogen, sie werde weiteren Bescheid erhalten. An diesem Morgen neigten die beiden wieder zur Annäherung; sie gingen eine Zeitlang im Garten spazieren, wo das abgestorbene Laub unter ihren Füßen raschelte, und als er sich verabschiedete, gab sie ihm einen herzhaften Kuß.

Auf dem Weg zum Stammbaum-Bureau dachte Rodvard an Asper Poltén und den Rest, was sie für Mienen schneiden würden, wenn er mit einer Vollmacht erschien, die es ihm erlaubte, selbst die geheimsten Dokumente zu begutachten; jedoch blieb ihm dieser kleine Triumph versagt. Poltén war nirgendwo zu sehen, und am Schalter befand sich nur ein alter, vertrockneter, schmuddliger Mann. Rodvart entsann sich, ihn schon ein paarmal mit einem Dokument dicht unter der Nase gesehen zu haben. Auf eben diese Weise musterte er nun Rodvards Vollmacht, schnupperte dann, als röche sie schlecht, und schlurfte voraus zur stets verschlossenen Stahlkammer, die er unter dem lauten Knirschen eines Schlüssels öffnete. In den Gängen schienen weniger Menschen als sonst unterwegs zu sein. Der Anblick der Geheimakten genügte zur Einsicht, daß die Suche sich langwierig gestalten würde; die meisten waren uralt, geschrieben in krakeliger Schrift, und befaßten sich mit den illegitimen Angelegenheiten längst vergessener Personen und Überführungen des Hexentums in Prozessen, die nicht länger irgendeine Bedeutung hatten. Von der Abstammungslinie Tuoléns entdeckte er im Laufe des ganzen Vormittags keine Spur, und die älteren Aufzeichnungen über Familien kjermanaschischer Herkunft waren so lückenhaft, daß man mit langen und schwierigen Nachforschungen rechnen mußte. Am Mittag suchte Rodvard eine Taverne auf und verweilte säumig bei seinem Becher, um den Reden der Menschen zu lauschen, doch auch dabei erlitt er eine Enttäuschung; er spürte nichts von der großen Aufregung über die Vorgänge in der Nationalversammlung, die er erwartet hatte. Die einzigen Leute, von denen er Äußerungen vernahm, die mit der Lage im Zusammenhang standen, waren drei oder vier Händler, die an einem Tisch in ziemlich düsterer Stimmung den Anstieg des Wollpreises durch die Schwierigkeiten im Westen und das Sinken des Südweinpreises, der noch immer übers Meer kam, aber nicht in die in Unruhe befindlichen Provinzen geliefert werden konnte, diskutierten. Niemand verlor ein Wort über die Bischöfe. Den Hof erwähnte man nur einmal, als man den Namen Florestan nannte und schimpfte.

Den Nachmittag begann Rodvard, indem er sich die Unterlagen der drei nördlichsten Provinzen Bregatz, Vivensteg und Oltrug vornahm; aber die Kramerei war so trübselig, sein Verstand so sehr mit anderen Dingen beschäftigt, daß er die Papiere nach nicht langer Zeit wieder fortsteckte. Es schien ihm, als er dem Verwalter die Anweisung erteile, das Archiv wieder zu verschließen, daß in der Welt nichts so teuer und lieb und begehrenswert sei wie Lalette, daß all sein Kummer verflöge, könnte er nur mit ihr zu einer Verständigung gelangen. Während er zum Palais Ulutz zurückkehrte, dachte er, daß alle Verwicklungen sich entwirren müßten, könnten sie bloß nach dem Sturm der letzten Nacht in der klaren Winterluft beieinander sitzen.

Doch sie war nicht im Quartier, als er eintraf; er fand sie im Garten auf einer Bank, in ihren Mantel gehüllt, wo sie mit Demadé Slair sprach und dabei lachte. Der Schwertkämpfer sprang auf, als er sich zu ihnen gesellte. »Heil Euch, unerschrockener Bändiger der Aktenwanze«, sagte er im Tonfall einer Neckerei unter Freunden, aber irgend etwas in seiner Stimme hielt Rodvard dazu an, ihm scharf in die Augen zu schauen. Klar wie ein gesprochenes Wort nahm er den Gedanken wahr: Und dieser hochbeinige Tintenkleckser, der in seinem ganzen Leben noch keine Waffe angepackt hat, liegt des Nachts bei ihr, während ich allein bin.

»Ich habe heute einen Anfang gemacht«, sagte Rodvard mit leicht brüchiger Stimme. »Gibt's irgendwelche Neuigkeiten?«

»Nicht aus der Generalversammlung«, antwortete Slair. »Gegenwärtig führen wir lange Diskussionen um den Aufbau der Volksarmee, da ein erster Zwischenbericht von General Stegaller vorliegt. Außerdem seid Ihr heute dem Gericht zugeteilt worden.«

»Dem Gericht?« Rodvard stutzte.

»Dem Sondergericht.« Die Augen verrieten nichts. »Ihr seid der Schriftführer, so wie Mathurin in der Generalversammlung. Falls Ihr gegen irgend jemanden einen alten Groll hegt, setzt seinen Namen auf die Liste der Vorzuladenden.« Er lachte; Lalette lachte ebenfalls, und als er ihren Blick auffing, sah er darin Bedauern, weil er nicht so unterhaltsam war wie Slair; eine Aufwallung von Abneigung gegen den Mann, der ihn aus dem Gefängnis zu Charalkis befreit hatte, krampfte seine Adern zusammen.

»Ich glaube, ich habe in der Bibliothek ein Buch von Momoroso gesehen, das ich noch nicht kenne«, sagte er. »Wir sehen uns zum Abendessen, Lalette.«

2

»Das Gericht zieht sich zur Beratung zurück«, sagte Notarius Escholl. Er erhob sich und ließ seinen seltsam glanzlosen Blick, der nie auf irgend etwas zu verharren schien, durch den Raum gleiten. »Ich bespreche mit Euch die Indizien, Bergelin.« Der Legalist zu seiner Rechten, ein Zigraner, runzelte die Stirn; links saß zurückgelehnt Rodvard, das Kinn in die Hand, den Ellbogen auf den Tisch gestützt. Der Angeklagte, ein Mann mit Krönchenspange, eisengrauem Haar und schweren Halsfalten, schaute fassungslos drein. Rodvard legte seine Papiere zusammen und folgte dem Gerichtspräsidenten in das kleine Hinterzimmer. »Was habt Ihr festgestellt?« fragte dort der Legalist.

»Ich glaube, er spricht die Wahrheit«, erklärte Rodvard, »wenn er sagt, daß er weder der Partei der Königin noch Pavinius irgendwelche Unterstützung erwiesen hat. Als Ihr ihn danach gefragt habt, war da allerdings irgend etwas wie Furcht – vielleicht um seinen Bruder. Es war undeutlich.«

»Aha.« Der Legalist legte seine Finger aneinander und betrachtete sie. »Bergelin«, sagte er einen Moment später, »Ihr solltet Euch darauf besinnen, daß dies ein Sondergericht ist. Wir sind dazu ermächtigt, nicht allein Fälle direkten Verrats zu behandeln, sondern auch solche, die das übliche Gesetz als verbrecherisch einstuft. Verbrecherische Taten aller Art untergraben die Lebenskraft der Nation. Ihr neigt zu einem zu engen Standpunkt. Laßt uns wieder hinein gehen.«

Als sie den Verhandlungsraum betraten, schob einer der Posten den Gefangenen wieder nach vorn. Der Gerichtspräsident musterte ihn mit unheilvoller Miene. »Kettersel«, sagte er, »eine kurze Untersuchung der vorliegenden Aufzeichnungen hat keine Beweise dafür erbracht, daß Ihr den beiden genannten Personen, welche die Herrschaft über das dossolanische Reich beanspruchen, Unterstützung geleistet hättet. Vorausgesetzt, die Beisitzer dieses Gerichts erheben keine Einwände, seid Ihr dieser Anschuldigung enthoben.« Er sah den einen, dann den anderen Kollegen an; der Zigraner nickte leicht widerwillig, wogegen der dritte Legalist nur geistesabwesend aufschaute. »Doch indem wir Euch einer solchen Hilfeleistung unschuldig erklären, verwerfen wir eine Schuld, deren Euch gar niemand bezichtigt hat. Solltet Ihr nämlich sagen, Ihr hättet nicht des Nachts auf dem König-Crotinianus-Platz harmlose Leute erwürgt, müßten wir Euch auch das bestätigen, und so könnten wir's mit einer ganzen Reihe denkbarer Verbrechen halten, wäre es nicht eine Zeitverschwendung, Euch die Unschuld an nicht begangenen Verbrechen zu bestätigen. Denn angeklagt seid Ihr des Verrats an der Nation, welcher aber seinem Wesen zufolge nicht aus einer vereinzelten Tat bestehen muß, sondern in einer Einstellung gegeben sein kann, die sich erst durch zusammenhängende Beurteilung einer Anzahl von Handlungen nachweisen läßt, die bei oberflächlicher Betrachtung für sich ganz arglos wirken. Ich nehme an, daß meine ehrenwerten Kollegen mir beipflichten?« Wieder warf er den beiden seinen Blick zu; und wieder fand er Zustimmung. »Kettersel, antwortet mir«, sagte er. »Ihr habt einen Bruder bei Hofe?«

Der Mann räusperte sich. »Darauf habe ich schon geantwortet. Er ist Kappellan bei den Adlern von Ihrer Majestät Ulanen.« Hinter den Augen des Mannes wuchs erneut der Schatten von Besorgnis, nun dunkler als vorher, und eigentlich eine Überraschung bei einer solchen Person, der man eher zutraute, daß sie sich um Goldscudi sorgte oder um die Treue der Mätresse.

»Der Ulanen der Nation«, berichtigte Escholl. »Kettersel, seid sowohl Ihr wie auch Euer Bruder verheiratet?«

»Nur er, der Baron.«

»Hat er Töchter?«

»Nein. Nur einen Sohn.«

»Sollte Euer Bruder im Kampf fallen, wohin fiele das Erbe?«

Jetzt war die Furcht ganz in den Vordergrund gerückt und scharf umrissen: es war die Furcht, ohne einen Kreuzer auszugehen.

»Da bin ich mir nicht sicher«, sagte Kettersel langsam, und er log. »Ich müßte mich im Stammbaum-Bureau erkundigen. Ich glaube, es würde einem Vetter zufallen. Den Titel und das Gut bekäme natürlich der Sohn.«

»Wie alt ist dieser Sohn?«

»Zweiundzwanzig.«

»Ich verstehe.« Der Gerichtspräsident bewegte die Lippen, und Rodvard bemerkte, daß der Mann vor ihnen aus Anstrengung schwitzte, da er unbedingt einen bestimmten Gedanken unterdrücken wollte, der Rodvard als sündhaft mitternächtliche Schwärze erreichte. »Ist Euer Neffe verheiratet?«

»Mit einer Blenau.«

Rodvard seufzte. Der Gerichtspräsident schien es nicht zu hören. »Kettersel, Ihr versucht etwas zu verbergen«, sagte er. »Ein solches Verhalten ist zwecklos. Welche Probleme gibt es zwischen Euch und Eurem Neffen?«

Die Selbstbeherrschung des Mannes schwand urplötzlich. Er warf Rodvard einen Blick reinsten Gifts zu. »Der verdammte junge Laffe möchte seinen eigenen Vater gerne umkommen lassen«, platzte er heraus, »damit er den Titel für seine miese Hure von Eheweib haben kann. Es gab überhaupt keinen Grund, warum er einen Posten bei den Adlern hätte antreten sollen, er ist ein alter Mann, und nun leistet er den Dienst, den eigentlich dieser junge Lump bei den Ulanen tun müßte, und muß an all den Kämpfen teilnehmen!«

Im Verhandlungssaal erklang leises Gemurmel. »Warum hat er den Posten übernommen?« fragte der Gerichtspräsident.

Der Vorstoß war unergibig; des Mannes Augen blieben völlig klar. »Um seinen Sohn zu schonen, vermute ich. Mein Neffe ist eher ernannt worden.«

Rodvard hustete.

»Wo halten Euer Neffe und seine Gemahlin sich gegenwärtig auf?« lautete Escholls nächste Frage.

Der Mann schwieg für einen Moment, und in diesem Moment wurde die Wahrheit an die Oberfläche seines Bewußtseins gespült; Rodvard mußte lange hinschauen, um zu begreifen, worum es sich handelte. »Zuletzt habe ich aus Landensenza von ihnen gehört.«

Rodvard stand auf und trat neben den Präsidenten, einen Finger auf einem Papier, um den Schein zu wahren. »In Wirklichkeit sorgt er sich nicht um seinen Bruder«, flüsterte er, »sondern trachtet danach, die Gemahlin seines Neffen zu seiner Geliebten zu machen. Ich vermute, sie hat ihn bereits abgewiesen, aber offenbar meint er, sie ließe sich noch umstimmen, falls der Neffe im Kampf fällt und nicht sein Bruder.«

Escholl tippte mit einem Finger auf Rodvards Papier. »Doch, doch, das ist richtig so.« Er wandte sich an den Häftling. »Kettersel, Eure Sorge um Euren Bruder macht Euch alle Ehre. Es ist offenkundig, daß Ihr mit ihm korrespondiert habt, aber ich glaube, meine Herren Kollegen dürften mir zustimmen, wenn ich Euch vom eigentlichen Tatbestand des Verrats freispreche und Eure Freilassung anordne.« Die beiden anderen Legalisten neigten zugleich wortlos ihre Häupter und glichen dabei jenen Spielzeugen mit Wackelköpfen, womit beim Winterfest die Kinder spielten. »Man rufe den nächsten Fall auf.«

27. Kapitel

Winter – Klärungen

1

Als Rodvard den Sitzungssaal verließ, trat Demadé Slair an seine Seite. Der Mann war – wenn auch auf eine etwas distanzierte Weise – immer freundschaftlich; wie konnte er ihn abschütteln, statt ihn mit ins Quartier zu Lalette zu nehmen und wieder eine dieser Konversationen zu dritt erdulden zu müssen, bei denen Rodvard stets zumute war, als redeten die beiden eine andere Sprache, bis er jedesmal an die Luft ging oder sich in ein Buch vertiefte? »Escholl ist einer unserer Besten«, sagte Slair und kickte eine Obstschale aus dem Weg, »aber ein Urteil hat er gefällt, das ich nicht verstehe.«

»Welches? Das über den Händler, den wir jetzt enteignen, weil er dem mayernischen Lager Wolle liefern wollte?«

»Ach was, nein. Der hatte Geld, das der Nation fehlt, und das war ein hinreichendes Verbrechen. Ich meine den Bruder jenes Barons, den Edlen Kettersel.«

»Dieses Urteil verstehe ich auch nicht besser«, sagte Rodvard. »Der Mann hat den dreckigsten Charakter, mit dem ich jemals Bekanntschaft gemacht habe, aber unser Notarius ließ ihn frei und spendete ihm obendrein noch Lob.«

»Oho!« rief Slair. »Jetzt sehe ich klarer. Was war los mit ihm?«

»Nun, er hat es auf die Gemahlin seines Neffen abgesehen – ob mehr auf sie selbst oder auf ihr Geld, das konnte ich nicht feststellen, aber haben will er beides.« Er vermochte sich einer Ergänzung nicht zu enthalten. »Es ist eine wahre Schandtat, ein Paar bei der erstbesten Gelegenheit zu zertrennen, denn damit zerstört man für ein flüchtiges Vergnügen beider Aussicht auf Glück.«

»Nicht immer«, sagte Slair und mied seinen Blick. »Aber ich wollte Euch nicht unterbrechen. Was steckt noch dahinter?«

»Seine einzige Furcht ist, daß der Baron vor seinem Sohn stirbt, so daß das Recht auf Wiederverheiratung des Mädchens einer anderen Familie zufiele. Ich habe dem Notarius nichts gesagt, weil es nicht ganz eindeutig erkennbar war, aber ich glaube, daß er auf Mord sinnt. Aber dennoch hätte Escholl ihn nicht freizulassen brauchen.«

Slair lachte. »Bergelin«, sagte er, »verliert niemals Eure Unschuld, denn sie zu behalten, könnte Euch eines Tages das Leben retten, denn niemand wird Euch jemals glauben, daß Ihr scharfsinnig genug seid, um gefährlich sein zu können. Escholl ist einer unserer Besten, habe ich gesagt – und verlaßt Euch darauf, er hat eingehender nachgedacht als Ihr, obwohl er über keinen Hexenstein verfügt. Denn eben weil Kettersel auf Mord und Raub sinnt, hat er ihn ziehen lassen. Aus genau dem entgegengesetzten Grund wird das Sondergericht Palm aburteilen, sobald dafür ein Anlaß besteht. Mathurin hat's so arrangiert.«

»Da ich so unschuldig bin, begreife ich das nicht ganz.«

»Und doch wollt Ihr in hoher Politik mitmischen! So horcht: Sind nicht alle Adeligen durch ihre Konstitution, durch ihre bloße Existenz Feinde der Neuen Zeit? Bleiben ihre persönlichen Vorzüge nicht bei weitem hinter diesem allgemeinen Mangel zurück? Die wahren Halunken unter ihnen werden sich früher oder später selbst das Grab schaufeln und uns diese Mühe ersparen, sie bringen mit der Zeit ihre Sache selber in Verruf. Aber Leute wie dieser Palm oder wie Baron Brunivar einer gewesen ist, die sind gefährlich – sie verführen das Volk dazu, ihren Stand zu dulden, weil es die Persönlichkeit nicht hassen kann, und deshalb muß man solche Leute vom Podest stürzen . . . Außerdem brauchen wir etwas, um das Volk aufzurühren, es zum selbständigen Kampf um die Freiheit anzuregen.«

»Dieses Mittel scheint mir sehr hart zu sein«, sagte Rodvard, darum bemüht, die Verrenkungen seines Verstandes zu entwirren.

»Das Leben ist hart, und am härtesten für jene, die den Kampf meiden«, sagte Demadé Slair; Rodvard antwortete nicht, und die beiden Männer setzten ihren Weg schweigend fort. Würde diese neue Ordnung einmal Menschen mit besseren Herzen und höherem Sinn hervorbringen? Er wußte nicht, wie anders man diese Härten rechtfertigen könne. Seine Gedanken widmeten sich dem Abwägen von Mensch/ Ordnung und Ordnung/Mensch, und er entschied, daß jene Ordnung gerechter sei, die im allgemeinen bessere Menschen erziehe und nicht bloß ein paar Allerbeste. Nein, auch das war nicht völlig richtig, denn es vermengte Politik mit Etik, und diese waren wieder zwei verschiedene Systeme: das eine machte Menschen ohne Rücksicht auf ihr Glück gut, das andere machte sie glücklich, aber nicht gut . . . Oder – was war denn das Gute? Was war der Maßstab? Nach der Ordnung, die in Mancherei herrschte . . .

»Wollt Ihr weiter zu den Kais?« schreckte plötzlich Slairs Stimme ihn auf, und Rodvard bemerkte, daß er schon drei Schritte jenseits des Eingangs zum Palais Ulutz stand.

»Ich bin heute abend übermüdet«, sagte Rodvard. »Womöglich bin ich so unschuldig, daß diese Aufgabe, die Köpfe anderer Menschen zu durchleuchten, mich ein wenig mitnimmt.« Er streckte eine Hand aus, um Slair zu verabschieden.

»Oh, ich begleite Euch«, sagte der Schwertkämpfer. »Ich habe ein schlechtes Gewissen, wenn ich nicht in Eurer Nähe bin«, fügte er hinzu, als er den Unmut in Rodvards Miene sah. Sein Gesicht nahm einen betrübten Ausdruck an, als er wieder mit Rodvard Schritt faßte, dessen Füße müde übers Pflaster unterm Tor schlurften. »Auch dies, falls es Euch beruhigt, ist eine Anweisung Mathurins. Habt Ihr nicht die beiden Männer gesehen, die uns vom Gericht an in stets gleichem Abstand gefolgt sind? Heute nacht wird jemand auch draußen wachen. Ein Volksposten.«

Ein Schauder von Gefahr. »Aber ich habe . . .«

»Nichts getan als die Pflicht, welche die Nation von Euch verlangt, richtig. Und eben deshalb ist's vonnöten, Euch zu hüten wie ein Ei, nach dem die Wiesel trachten. Glaubt Ihr denn, die Tatsache, daß Ihr einen Blauen Stern besitzt, sei ein Geheimnis? Es laufen nicht wenige Leute herum, die vor Gericht lieber einen Meuchelmord als ihre persönlichen Gedanken verheimlichten. Euch und mir könnte ein Kampf bevorstehen.« Bei dieser Aussicht erheiterte sich aus Vorfreude seine Miene.

2

Sie schlenderten langsam durch den kahlen Garten, durch Pfade, die so eng waren, daß ihre Schultern sich bisweilen berührten. Bei diesen Berührungen konnte Lalette das leise Klirren der Kette hören, die Slairs Schwert an seiner Hüfte hielt; sie spürte seine Erregung und fand selbst Gefallen daran. Über den Schieferdächern der Stadt sank rötlich die Sonne durch längliche Wolkenfetzen; alles lag in einem Frieden, welcher der Friede eines Weltendes war. Er wandte ihr den Kopf zu. »Demoiselle«, meinte er, »seid Ihr an einer Neuigkeit interessiert?«

»Oh, scht«, machte sie. »Ihr verderbt meine Stimmung. Einen Moment lang habe ich mich unsterblich gefühlt.«

»Ich erflehe Eure Verzeihung. Doch ich habe in der Tat eine Neuigkeit für Euch, und sie dürfte Euch eine Freude bereiten.«

»Setzt Euch hier zu mir und sprecht.« Sie nahm auf einer marmornen Bank unterhalb eines kahlen Spalierpfirsischbaums Platz, der an einer Mauer aufragte.

»Ihr braucht die Hexenkunst nicht gegen den Erzbischof Groadon anzuwenden. Seid Ihr darüber nicht erfreut?«

»Mehr als Ihr ahnt. Warum?«

»Er ist entflohen – den Posten entschlüpft, die vor seinem Palais standen, und fort, ob zur Hölle, zum Hof oder nach Tritulacca, das weiß niemand.«

»Ich bin wirklich froh.« Für einen Moment blickte sie vor sich hin. »Ach, wären die Dinge nur besser eingerichtet.«

»Ihr freut Euch nicht in solchem Maße wie Ihr's könntet.«

»O doch, aber Rodvard . . .«

»Was hat er getan? Ich . . .«

»Oh, es ist nicht seine Schuld. Seid Ihr verschwiegen?« Sie legte eine kalte Hand auf seine warme Faust. »Er hat herausgefunden, wer Tuoléns Erbin ist, doch er weiß nicht, ob er's Mathurin sagen soll oder nicht.«

»So? Wer ist's denn?«

»Ein Kind, erst dreizehn Jahre alt, wohnhaft in Dyolana, droben in der Provinz Oltrug. Aber ich weiß nicht, wie lange Rodvard selbst noch schweigen wird. Er fühlt sich von seiner Pflicht gedrängt.«

»Und warum schweigt er überhaupt? Was hindert ihn an seiner Pflicht?«

»Ich müßte dem Mädchen die Schemata und alles das beibringen. Ich möchte es nicht tun.« Sie schauderte leicht zusammen. »Und eine Hexe sein . . .«

Die Schatten hatten die Sonne verschluckt. Ein Schweigen senkte sich auf den Garten herab, eine solche Stille, daß Lalette den eigenen Herzschlag und dazu denjenigen Demadé Slairs zu hören vermeinte. Die Bäume standen emporgereckt; nichts regte sich zwischen den Resten der Blumenbeete. In dieser zauberhaften Ruhe schien sie ohne jegliche Antriebskraft dahinzuschweben. Er beugte sich zu ihr, legte einen Arm um ihren Rücken; seine andere Hand streichelte ihre beiden Hände. »Demoiselle . . . Lalette . . .«, sagte er mit so leiser Stimme, daß sie die Stille kaum anzutasten schien, »ich liebe Euch. Geht mit mir fort.« Sie schüttelte langsam ihr gesenktes Haupt; hinter ihren fast geschlossenen Lidern sammelten sich Tränen. Der Arm auf ihrem Rücken rutschte allmählich an ihrem Oberarm herab, die Hand tastete sich um ihren Körper, um dann sanft eine Brust zu umfassen; wie gegen ihren Willen legte sie den Kopf zurück, um seinen Kuß zu empfangen. Die Tränen rannen über ihre Wangen und benetzten die seinen; er straffte sich und sprach mit gedämpfter, eindringlicher Stimme rasch auf sie ein.

»Kommt mit mir, ich werde Euch allem Unglück entreißen, und niemand wird uns finden, ich bin ein Krieger, ich kann überall meinen Dienst leisten. Für mich spielt es keine Rolle, wir können alle diese Wirrnisse vergessen und uns unsere eigene Welt aufbauen, ich habe genug Geld. Wir können zu den Grünen Inseln gehen, und Ihr braucht nie wieder die Hexenkunst auszuüben. O Lalette, ich würde Euch sogar zum Hof und zu Eurer Mutter begleiten, wollt Ihr das?«

»Und Rodvard?« Ihre Lippen bewegten sich so gut wie gar nicht.

Er küßte sie nochmals. »Bergelin? Ihm schuldet Ihr nichts. Was hat er bisher für Euch getan? Er wird Mathurin Tuoléns Erbin nennen, und dann wird's hier nicht länger Platz für Euch geben – außer bei mir. Ich werde immer einen Platz für Euch haben, Lalette, heute und in tausend Jahren. Oder fürchtet Ihr ihn? Ich bin der bessere Mann.«

Nun öffneten ihre Augen sich weit und erblickten den ersten Stern tief am Himmel, der sich mit Dunkelheit überzog, und sachte löste sie seine Hand von ihrer Brust. »Nein«, sagte sie mit klarerer Stimme als zuvor. »Nein, Demadé, ich kann's nicht. Vielleicht aus eben jenem Grund, doch jedenfalls kann ich's nicht. Wir sollten nun lieber hineingehen.«

3

»Freund Ber-ge-lin! Freund Ber-ge-lin!« Die Stimme von unten brachte das Gemüt, welches sich in den süßen Rhythmen und malerischen Märchenwelten Momorosos verloren hatte, zurück ins Bewußtsein des Unglücks. Rodvard sprang empor und riß die Tür auf.

»Was wollt Ihr denn?«

»Besuch für Euch.« Drunten in der Vorhalle fiel eine andere Tür ins Schloß. Der Schreihals mußte jener kleine alte Knabe sein, der soviel Fragen stellte und stets fast auf den Zehenspitzen einherschlich, als wolle er durch ein Schlüsselloch gucken. Vom Treppenabsatz konnte Rodvard zwischen den ersten abendlichen Schatten eine Gestalt in langem Mantel erkennen, die irgendwie vertraut wirkte; doch das Gesicht war von einer Kapuze verdunkelt.

»Bittet ihn herauf«, rief er. Die Gestalt erstieg die Treppe mit einer Hand am Geländer, nach Art alter Leute. Als sie nahezu die letzten Stufen erreicht hatte, schien in seinem Verstand etwas zu knacken; es überraschte ihn nicht, als die Kapuze fiel, vor sich Mme. Kaja zu sehen. Er stand reglos, das Gesicht kalt wie Eis. Ihre Kleider rauschten, als sie durch das Zimmer stürzte, beide Hände ausgestreckt.

»Mein lie-ber Junge«, rief sie.

Die Vorhänge waren vor die Fenster gezogen, und es war zu dunkel, um nachzuprüfen zu können, wie ehrlich sie es meinte. »Ich bin mehr als nur geehrt, daß jemand von der Regentschaft . . .« Er ließ den Satz unvollendet.

»Oh, Ihr seid einer der Wichtigsten«, sagte sie und trippelte zum nächsten Sessel. »Ich hoffe, Ihr habt mir verziehen. Es war wirklich unvermeidlich. Jemand hatte den Profosen mein Wirken für die Neue Zeit geflüstert, und nachher war's sooo eine große Hilfe . . . Ist es nicht zuuu traurig, daß die Bischöfe nicht zur Zusammenarbeit bereit sind? Und dabei stehen so viele Priester auf unserer Seite.« Sie hatte sich so gesetzt, daß sich ihr Gesicht im Schatten befand.

»Madame«, fragte er grob, »warum seid Ihr gekommen?«

In dem Raum, worin es zusehends dunkelte, herrschte für einen Moment Schweigen. »Um Euch zu helfen«, sagte dann die Stimme, die vielleicht nicht länger zu singen vermochte, aber nicht ihren silbernen Klang eingebüßt hatte.

»Ich werde Licht machen.«

Sie zuckte zusammen. »Nicht. Es ist besser . . . Ich weiß, Ihr denkt an Euren Blauen Stern. Könnt Ihr Euch vorstellen, daß ich mich vor seinem Gebrauch fürchte? Nein.«

Wortlos setzte er sich und bemerkte beiläufig, daß die zweifelhafte Geziertheit aus ihrer Stimme gewichen war; er dachte: Also diese Frau hat man in das Oberste Zentrum einbezogen?

Sie schien nochmals alle Kräfte zu sammeln. »Rodvard Bergelin«, meinte sie, »wißt Ihr, warum ich Mitglied des Obersten Zentrums bin?«

»Ich . . . ich glaube, ja.«

»Ich will es Euch sagen. Es kann sein, daß es unter meinen Vorfahren jemanden aus einer Hexenfamilie gab. Es mag sein, weil ich eine getreue Dienerin Gottes bin. Ich weiß es nicht. Aber ich besitze die Fähigkeit, gewisse Geheimnisse des Herzens aufzuspüren.« Ihre zahlreichen Armreifen und Ketten klirrten und klimperten, als sie eine Hand auf ihren Busen drückte. »Anders jedoch als Ihr mit dem Blauen Stern.«

Sie schwieg wieder.

»Beim Aufspüren von Dr. Remigorius' Herzensgeheimnissen«, sagte er, dazu außerstande, den Drang zur Bosheit zu unterdrücken, »hattet Ihr soviel Erfolg wie ich.«

»Rodvard, Ihr seid sooo ungerecht.« Einen Augenblick lang verfiel sie wieder in ihre alte Manier, doch dann schien sie sie abzuschütteln. »Ich weiß. Eure . . . Hexe wird mir niemals verzeihen. Nicht, daß ich mit den Profosen gekommen bin, nein, daß ich an jenem Morgen eintrat, als Ihr auf dem Bett lagt und Euch gerade anschickte, sie zu . . . naja. Doch es bekümmert mich nicht. Sie bringt eine böse Kunst mit in unsere Neue Zeit.«

»Ist das Eure Auffassung?«

»Rodvard, hört mir zu. Diese Hexe, der Ihr zugeneigt seid, sie wird eines Tages Euer Verderben sein. Ich habe sie nur selten gesehen, aber eins weiß ich gewiß – es liegt in Eurer Natur, rasch Anlaß zu Mißverständnissen zu geben, und in ihrer Natur, sie übel aufzunehmen. Früher oder später wird's dahin kommen, daß sie irgend etwas nicht verdaut und Euch eine Hexerei zufügt, die Euch trifft wie ein Blitzschlag.«

Das saß, wie er sich eingestehen mußte; mit einer gewissen Verkrampfung in der Herzgegend entsann er sich Lalettes gelegentlicher Zornesausbrüche. »Nun gut«, sagte er. »Und wozu ratet Ihr mir?«

»Sagt ihr Ade. Ihr könnt beide noch Partner finden, die besser zu Euch passen.«

Rodvard erhob sich und durchquerte langsam den Raum. Seine Gedanken an die entzückende Leece und an die liebliche Maritzl von Stojenrosek glichen einem Wetterleuchten. Mme. Kaja blieb reglos. »Nein«, sagte er. »Zum Guten oder zum Schlechten, ich werde sie für nichts in der Welt aufgeben.«

Mme. Kaja erhob sich ebenfalls. »Verzeiht einer alten Frau«, sagte sie, zog den Mantel enger und schlüpfte zur Tür hinaus.

28. Kapitel

Erneuerte Glut

1

»Man rufe den nächsten Fall auf«, sagte der Notarius Escholl.

Der Volksposten öffnete die Tür zum Warteraum. »Herein mit ihr«, rief er; unterdessen kam aus dem Hintergrund des Sitzungssaals, gefolgt von zwei anderen Volksposten, ein Landmann mit scharfen Gesichtszügen nach vorn. Der Landmann trug eine Händlerspange und besaß einen so unsteten Blick, daß Rodvard ihn wie gebannt anstarren mußte, und so war er, als er den Kopf drehte, um die Angeklagte anzusehen, vollständig unvorbereitet. Es war Maritzl von Stojenrosek.

Sie war bleich um die roten Lippen, in ihren Bewegungen noch anmutig, aber insgesamt sehr verändert. Wieso? fragte sich Rodvard und fand keine Antwort; er sah kein greifbares Zeugnis außer einer gewissen Erschlaffung ihrer Haut rund um den Mund; und trotz allem war ihre vertraute Persönlichkeit noch in solchem Maße vorhanden, daß ihr Erscheinen ihm den Atem raubte, und er schluckte. Der Ankläger – ein Mann mit unregelmäßigem Gesicht – trat vor. »Ich erhebe Anklage des Verrats an der Nation gegen die Demoiselle Maritzl von Stojenrosek, Mätresse des Grafen Cleudi, des ausländischen Verräters. Ich rufe den Gastwirt aus Drog in den Zeugenstand.«

Mätresse des Grafen Cleudi? Aus Drog? Der Mann mit den scharfen Gesichtszügen folgte der Aufforderung. Maritzl wandte den Kopf, um ihn zu mustern, und als sie sich abkehrte, fiel ihr Blick auf Rodvard.

Sie fuhr zusammen, und ehe sie den Blick hastig senkte, schoß ihm daraus ein Pfeil aus purem und höchst verwunderlichem Haß entgegen. »Beginnt mit Eurer Aussage«, sagte der Gerichtspräsident.

»Ich führe ein anständiges Haus«, sagte der Mann und drehte seine Mütze zwischen den Händen, »und ich muß sehr auf seinen Ruf achten, da . . .«

Der Ankläger patschte ihn auf den Arm. »Zuvor erklärt Euch.«

Neigen des Hauptes. »Gewiß, Freund, danke. Ich bin der Wirt des Gasthofs Stern von Dossola in Drog, der an der Straße zum Nadelfelsenpaß in den Rauhen Bergen liegt, und mein Gasthaus ist dort das größte, es hat außer dem großen Schlafsaal drei zusätzliche Räume unterm Dach.« Maritzls Blick ruhte nun erneut auf ihm, aber ohne Haß, nur von Überdruß an der Welt erfüllt, einem Überdruß, der jetzt auch ihn, Rodvard, bewußt einschloß. »Niemals mußten Profosen in mein Haus kommen, es sei denn, auf meinen Wunsch. Nun, als dann diese Frau meine Gaststube betrat, da wußte ich sofort, daß etwas nicht stimmte. Spät in der Nacht war's, sie kam in einer Kutsche mit drei Pferden und einem Kutscher, und ich dachte mir, das ist aber seltsam . . .«

Der Ankläger unterbrach ihn wiederum. »Erläutert, wodurch Ihr den Eindruck gewonnen habt, daß etwas nicht stimme.«

»Man schaue sie sich nur an – sie zählt offensichtlich zum Hof, man sieht's ja an ihrer Verlebtheit.« Sein Zeigefinger wies auf das Mädchen; letzteres aber musterte Rodvard mit einem langen, nachdenklichen Blick, in dem er den Entschluß sich festigen sah, es mit irgendeiner verzweifelten Bitte zu versuchen. »Als ich sie erblickte, dachte ich mir, wie's jedermann getan hätte, dies ist nicht der Ort für eine Person des Hofes, und der Hof weilt in Zenss. Und ich dachte mir deshalb auch gleich, daß es gut wäre, sie im Auge zu behalten, vielleicht lohnt es sich . . . und beim Abendessen – sie aß getrennt vom Kutscher, oben im kleinen Speiseraum –, beim Essen bediente ich sie persönlich, und dabei fiel mir auf, daß sie eine kleine Kassette in ihrem Gewahrsam hatte, von der sie nicht einmal beim Essen die Hand nahm.« (Ihr Gesicht neigte nun bereits zu einem flehentlichen Ausdruck, doch ihr Verstand arbeitete an einem Plan; er konnte ihn Stein um Stein sich zusammenfügen sehen, ihn jedoch nicht klar erkennen, denn ständig störten kleine Blitze aus Haß die Wahrnehmung.) »Also sagte ich zu ihr, wenn die Kassette so kostbar sei, sollte ich sie wohl besser in den Haustresor tun, es lungerten überall soviel Soldaten herum. Darauf erwiderte diese feine Dame . . .« – er grinste listig, um auf die Scherzhaftigkeit der Bezeichnung hinzuweisen – »sie wolle lieber das Leben als die Kassette verlieren, und da dachte ich mir, das Ding ist so klein, es muß noch etwas anderes enthalten als Juwelen. Eine geheimnisvolle Sache, sagte ich mir, und wenn jemand sie enträtseln kann, dann ist's mein Freund Khlab, er war Profos in Sedad Vix, wo der Hof immer herumhockte, bis es nicht länger ging. Während diese vornehme Dame also beim Mahl saß, suchte ich meinen Freund Khlab auf und führte ihn an der Tür vorbei und kaum hatte er sie gesehen . . .«

»Einen Moment«, sagte der Ankläger, dann wandte er sich an das Gericht. »Ich rufe den vormaligen Profosen Khlab, jetzt Volksposten, in den Zeugenstand.« Er winkte einen Mann nach vorn, der den Platz des Gastwirts einnahm.

»Jawohl, Euer . . . Freund. Im Vorübergehen sah ich sie durch die Tür an und erkannte sie augenblicklich als Maritzl von Stojenrosek, denn ich war ihr schon begegnet. Sie ist die Person, welche Graf Cleudi nach dem Frühlingsfest als seine Mätresse nach Sedad Vix holte. Das sagte ich Freund Brezel, und er sagte, wenn sie in so enger Verbindung zu Graf Cleudi stehe, könne sie unmöglich in Drog ein rechtmäßiges Ding vorhaben. Daher gingen wir hinein und erzwangen mit dem Schwert die Herausgabe der Kassette. Es war ein bißchen Geschmeide darin, aber unter dem Innentuch fanden wir jenen Brief.«

»Hier ist dieser Brief«, sagte der Ankäger und reichte dem Gericht das Pergament herauf, das inzwischen stellenweise eingerissen war; aber das blaue Sternensiegel ließ sich nicht übersehen. »Dieses Dokument hat bereits eine traurige Berühmtheit erlangt, denn es ist das bekannte Schreiben, in dem Cleudi für territoriale Zugeständnisse tritulaccanische Unterstüzung erhandelt hat. Ein Fall von Hochverrat.«

»Hmm-hm«, machte Notarius Escholl und betrachtete das Dokument, als habe er es noch nie gesehen. Der zigranische Legalist verrenkte sich fast den Hals.

Ihr Plan war nun fertig. Sie trat einen Schritt vor und flüsterte mit eindringlicher Stimme. »Rodvard, helft mir.«

Sie hatte die Bitte ausgesprochen, und als wisse sie um den Nutzen des Blauen Sterns, legte sie in ihren Blick ein Versprechen; und hinter dem Versprechen verbarg sich der Plan. Doch irgendwie schien ihre Verheißung auf ihn einen Zwang auszuüben. Rodvard wandte sich zur Seite; Escholl händigte das Dokument gerade dem dritten Legalisten aus. »Verzeiht, Herr Präsident.«

Ein Stirnrunzeln. »Nun, was ist?«

Rodvard trat zu Escholls Platz. »Sie denkt an irgendeinen Plan, aber ich kann nicht feststellen, worauf er abzielt«, flüsterte er. »Ich glaube, ich könnte es ermitteln, wenn ich sie unter vier Augen befrage. Ich kenne sie von früher.«

»Ich verstehe.« Escholl wandte sich an das Gericht. »Dies ist vielleicht der scheußlichste Fall von Verrat in der ganzen Geschichte Dossolas. Es ist erwiesen, daß das Dokument keine Fälschung ist, denn der Beweis ist der kürzlich erfolgte Einmarsch tritulaccanischer Regimenter über die Südgrenze und ihre kampflose Einnahme der Festung Falsteg. Offenkundig besaß die Angeklagte uneingeschränkte Kenntnis vom Inhalt des Schreibens, und daher ist sie der Teilnahme an einer schändlichen Verschwörung gegen die Nation schuldig. Aber dies Gericht hat die Aufgabe, einem jeglichen Verrat auf den Grund zu gehen, nicht bloß persönliche Schuld zuzuerkennen. Die weitere Verhandlung des Falles wird zum Zweck einer eingehenderen Untersuchung verschoben. Man rufe den nächsten Fall auf.«

2

Rodvard sprang auf, als der Wächter sie hereinführte, und beeilte sich, ihr von der Wand einen der bequemeren Stühle zu holen. Der Volksposten widmete ihm einen argwöhnischen Seitenblick und hegte einen überaus böswilligen Gedanken, so daß Rodvards Zunge stockte. »Sie will mir ... etwas unter vier Augen sagen.« Der Volksposten lachte, warf einen zufriedenen Blick hinüber zum vergitterten Fenster und knallte die Tür ins Schloß.

»Rodvard«, sagte Maritzl, »ich möchte nicht aufs Schafott.«

»Was könnte ich tun?« meinte er.

Sie rang die Hände, Finger verknoteten sich um Finger. »Mir hinaushelfen. Ihr seid der Schriftführer. Könnt Ihr nicht einen Befehl oder so etwas unterschreiben, damit man mich freiläßt und fortbringt?«

Das gehörte dazu, aber es war nicht der ganze Plan; doch in ihrer zauberhaften Gegenwart schienen ihre Worte mehr zu wiegen als alles, was sie dahinter verhehlte. »Das ... das wäre schwierig«, antwortete er. »Der Befehl müßte gegengezeichnet sein, und ...«

»Und Ihr seid ein Schreiber!« Eine Spur von Verachtung in ihrer Stimme.

»Ihr meint ... ich sollte die Unterschrift fälschen?«

»Warum nicht? Dies ist ohnehin ein hoffnungsloses Regime. Ich bin nicht sonderlich gebildet, aber das sehe sogar ich. Wieviel Regimenter von Soldaten befehligt Ihr? Genug, um gegen den Adel und ganz Tritulacca zu kämpfen?«

Nun war es an Rodvard, Unbehagen zu empfinden, denn diese Fragen hatte er sich schon selbst gestellt. »Das Volk wird den Kampf entscheiden«, sagte er.

»Hat es schon damit angefangen? Wo sind seine Waffen? Wieviel Befehlshaber besitzt Ihr, die eine Schlachtordnung aufzustellen vermögen? Pavinius wird sich nicht mit Tritulacca zerfleischen, sondern ein Bündnis eingehen.« (Jetzt verströmten ihre Augen aufrichtige schwarze Wut.) »Hier in dieser kleinen Traumwelt könnt Ihr nichts anderes tun als bloß die Anlässe für die Rache schaffen, die man später nehmen wird.« Sie war ihm nahe genug, und so streckte sie eine Hand aus und berührte ihn. »Helft mir bei der Flucht. Ich möchte nicht aufs Schafott, und ich wünsche auch nicht, daß Ihr es in absehbarer Zeit besteigen müßt.«

»Und Ihr glaubt, Ihr könntet mich ...«

Aus ihren Augen blitzte ein Entschluß. Bevor er weiterreden konnte, war sie aufgestanden, schlang die Arme um seine Schultern und rieb ihre Wange an seinem Gesicht. »Ach, Rodvard, ich werde es Euch vergelten ...«

Trotz ihrer Umarmung erhob er sich; ihr Kopf sank rückwärts, die langen Wimpern überschatteten verschleierte Augen. Ein Fehler, dachte er, und plötzlich sickerte Eiseskälte seine Wirbelsäule hinab. Es kann nicht wahr sein, denn noch vor ein paar Minuten hast du mich gehaßt. Ich glaube, jetzt begreife ich deinen Plan. Er faßte sie roh bei den Schultern und schob sie von sich. »Ihr seid Cleudis Mätresse.«

Ihre Weichheit verwandelte sich in Metall, ihre Lider zuckten nach oben, als sie sich losriß. »Ja, ich bin Cleidis Mätresse«, rief sie. »Und wessen Schuld ist's? Ich war einmal ein anständiges Mädchen, ich hätte Euch alles gegeben und wäre dabei anständig geblieben, was ich auch für Euch getan hätte. Ihr wolltet mich nicht.« Sie sank zurück auf den Stuhl und weinte hinter vorgehaltenen Händen. »Ihr seid zu sehr wie er«, sagte sie.

Aufgewühlt von der Vorstellung, daß ihr schmaler Hals dem Henker gehören sollte, legte er eine Hand auf ihre Schulter. »Ich werde tun, was ich kann«, sagte er; und damit übernahm er die Aufgabe, den Notarius Escholl davon zu überzeugen, daß hier ein Verrat vorlag, jedoch ein Verrat aus Liebe, den man verzeihen könne, und er wußte nicht, ob es möglich war, dem Mann eine solche Überzeugung zu vermitteln.

3

Rodvard kam spät heim und hatte kein Abendessen eingenommen, abgesehen von etwas Brot und Käse, die er in einer Gaststätte in Gesellschaft zweier Volksposten verzehrte, nachdem Demadé Slair sich schon vor geraumer Zeit verabschiedet hatte. Lalette ordnete vorm Spiegel ihr Haar, an jeder Seite eine Kerze, und drehte sich nicht um. Beim Anblick ihrer anmutig erhobenen Arme wallte in ihm ein Gefühl der Zärtlichkeit auf. »Lalette«, sagte er und sang das Wort beinahe.

»Guten Abend.« Sie wandte sich noch immer nicht um, und ihre Stimme klang nüchtern.

Mit langen Schritten durchquerte er das Zimmer und drehte sie herum. »Was ist geschehen?«

Sie vollführte eine ungnädige Geste. »Nicht. Du bringst mein Haar durcheinander. Nichts ist geschehen.«

»Lalette, etwas ist nicht in Ordnung. Sag's mir.«

Sie sah ihn nicht an. »Nichts.« Er stand und wartete, innerlich von heißer Spannung gepeinigt. »Nur eine Kleinigkeit«, sagte sie schließlich. »Du brauchst dich nicht darum zu sorgen. Nur weiß ich jetzt, mit wem du mich betrogen hast.«

Ihm war heiß und kalt zugleich. »Wer behauptet, ich hätte dich betrogen?«

»Kommt Ihr nun mit mir?« zitierte sie jenes Wort. »Rodvard, du magst dazu imstande sein, einige meiner Gedanken zu lesen, aber vergiß nicht, warum. Ist sie auch eine Hexe? Sie muß eine sein, andernfalls wäre mein Blauer Stern erloschen, den ich dir geliehen habe. Oder hat sie dir einen anderen gegeben, bevor du sie mit Graf Cleudi geteilt hast?« Sie wollte ihn kränken, so wie sie gekränkt worden war, ihm Reue einflößen und zugleich das Gefühl, daß keine Reue wiederbringen könne, was sie verloren hatten.

»Sie mit Graf Cleudi geteilt?« Er verspürte beinahe ehrliche Entrüstung. »Lalette, von wem redest du?«

»Ich bin froh darüber, daß du ihr das Leben gerettet hast«, sagte sie, und noch immer vermied sie es, ihn anzublicken. »Es ist ein Jammer, daß mein Haar und meine Haut dunkel sind. Sobald all diese Wirrnisse ausgestanden sind, kannst du mit ihr auf dem Gut eine schöne Zeit verbringen. Es liegt in Zada, nicht wahr?«

Er brauchte seiner Entrüstung nicht länger nachzuhelfen; alles, woran er zu denken vermochte, war seine entschlossene Zurückweisung der einstmals so begehrten Maritzl von Stojenrosek. »Lalette«, sagte er, »ich schwöre dir, daß ich mit Maritzl von Stojenrosek niemals engeren Umgang gepflegt habe, wenn sie's ist, die du meinst. Ich schwöre, daß es nie sein wird, daß ich es gar nicht will.«

Sein Tonfall von Ehrlichkeit ließ sie zweifeln, aber ihre Verbitterung blieb, sie hatte lediglich irgendwie die Sicherheit der Richtung verloren, und sie war noch nicht dazu bereit, ihn aus dem Verdacht zu entlassen. »Wenn du sie wirklich lieben solltest, dann geh zu ihr. Ich möchte keinesfalls eine deiner . . . beiläufigen Bekanntschaften sein.«

Verzweiflung packte ihn, da er so sehr wünschte, ihr alles verständlich machen zu können, ohne gleichzeitig vom Kammermädchen Damaris und der Hexe zu Kazmerga erzählen zu müssen. »Nun«, rief er, »ich war stets der Meinung, es gehöre zu den Pflichten eines Paars, das miteinander zu leben gedenkt, sich gegenseitig vor beiläufigen Bekanntschaften zu beschützen, doch anscheinend bin ich einem Irrtum erlegen. Bist du denn jedem hergelaufenen Zuträger zu glauben bereit, der uns aus eigensüchtigem Streben trennen möchte?«

Sie senkte den Kopf, ein wenig milder gestimmt, denn ihr war nun klar, daß er von Demadé Slairs Verlangen wußte, wenn nicht gar von ihrer Versuchung. »Es gibt einige Dinge, die du mir selber hättest sagen sollen, statt abzuwarten, bis ich sie zufällig erfahre. Warum hast du mich hintergangen, indem du Mathurin von jenem Mädchen in Dyolana verraten hast, Tuoléns Erbin?«

Er ergriff heftig ihre Schultern. »Lalette, ich habe ihm kein Wort davon verraten«, sagte er. »Du unterstellst, ich sei ein Lügner und Betrüger, aber hältst du mich auch noch für einen Narren? Wenn Mathurin von ihr weiß, dann aus einer anderen Quelle. Du bist die einzige, der ich jemals etwas darüber anvertraut habe.«

Plötzlich erkannte sie mit Schrecken, wer diese Quelle war – sie entsann sich jenes Abends im Garten, als sie selber Demadé Slair davon erzählt hatte, dem Mann, der Mathurins Stimme war und sein Schwert. Sie wandte sich um und warf in einer krampfartigen Bewegung die Arme um ihn. »O Rodvard«, sagte sie, »ich fürchte mich. Er läßt das Mädchen herbringen und will persönlich aus ihm eine Hexe machen . . . aus diesem Kind.«

Dann begann sie zu weinen. In der Nacht, als sie beieinander den Trost und die Leidenschaft suchten und fanden, berührte sie seinen Arm. »Es ist wahr«, sagte sie. »Ich bin eine Hexe und deine Gefährtin . . . die Große Hochzeit.«

29. Kapitel

Nein und Ja

1

»Ihr habt mir schon einmal sehr geholfen«, sagte Lalette.

Die Witwe Domijaiek musterte sie ruhig aus den Reihen der Charaktere, die niemals leben würden. »Und doch bedürft Ihr wieder der Hilfe.«

»Die Myonessae . . . ich konnte nicht . . .«

»Ihr konntet nicht die Begierden dieser falschen, materiellen Welt für den Gott der Liebe aufgeben. Aber es ist nicht notwendig, daß man allem zustimmt, das unter dem Gesetz des Propheten geschieht, und wenn die Heimleiterin und die Diakone Euch zu einem Schritt zu zwingen versuchten, zu dem Ihr gar keine Bereitschaft hegtet, sind auch sie dem Einfluß des Bösen erlegen. Es sind uns nur jene Schritte abverlangt, die zu tun wir die Bereitschaft haben.«

»Ja«, sagte Lalette.

»Ich weiß nicht, ob ich Euch zu helfen vermag. Wir wollen die Umstände betrachten. Ist es noch immer Mangel an Geld?«

»Ich denke nicht an Geld. Rodvard erhält welches für seine Tätigkeit bei Gericht, wo er Schriftführer ist. Unsere Bedürfnisse sind gering.«

Die Witwe lächelte beifällig. »Das ist ein Element der Besserung. Aber er bekommt das Geld, weil er das Hexenwerk des Blauen Sterns benutzt, oder nicht?«

»Doch.«

»Dann ist es ein Element, das der Besserung entgegenwirkt, und überdies sehr gefährlich.«

Lalette schaute zu Boden. »Ich weiß. Anscheinend ist alles gefährlich. Ich fürchte mich so vor Mathurin. Er hat Rodvard mit Wächtern umgeben, aber auf mich machen sie eher den Eindruck von Kerkermeistern.«

»Eines dürft Ihr nie und nimmer tun – Furcht Euer Herz betreten lassen. Denn Furcht kann nur Furchtbares erzeugen. Besinnt Euch darauf, daß diese falsche Welt der Materie nichts ist als die Widerspiegelung unserer Gedanken. Habt Ihr Nachricht von Eurer Mutter?«

»Ja. Ein Mann brachte mir ein Briefchen. Sie möchte, daß ich mich absetze und zu ihr zum Hof komme.«

»Wünscht Ihr das zu tun?«

»Ich sähe sie gerne wieder . . .« Lalette hob den Blick und sah, daß Domina Domijaiek sie aufmerksam beobachtete, jedoch in völliger Ruhe; das Mädchen wand sich unter dieser stummen Musterung. »Sie steht unter dem Schutz Graf Claudis. Und Demadé habe ich schon erwähnt. Er ist sehr freundlich und lustig, und ich glaube, daß er mich liebt, aber . . .«

»Nur zu.«

»Er hat das kleine Mädchen an Mathurin verraten, die Erbin.«

»Er versuchte nur, für Euch das Beste zu tun – auf seine Weise. Möchtet Ihr fortgehen? Oder würdet Ihr lieber bei Rodvard bleiben?«

»Ich glaube«, sagte Lalette mit leiser Stimme, »ich möchte lieber bei ihm bleiben. Ist das falsch?«

»Nicht, wenn es aus Liebe und mit gutem Willen geschieht, statt aus der Hoffnung, daraus einen Gewinn zu ziehen. Habt Ihr ihn gebeten, mit Euch die Stadt zu verlassen?«

»Nein. Dies . . . Regime bedeutet ihm soviel.«

Die Witwe löste sich aus ihrer Reglosigkeit. »Ihr werdet Hilfe bekommen, Kind. Kommt wieder, sobald er einen Plan schmiedet.«

Sie erhob sich, aber ehe sie Abschiedsworte austauschen konnten, flog die Tür auf, und der Junge namens Laduis platzte herein. »Mutter!« schrie er. »Ich war auf dem Markt, und . . .«

»Laduis, wir haben Besuch.«

Er wirkte verlegen und vollführte vor Lalette eine Verbeugung wie ein kleiner Höfling. »Ach, ich erinnere mich an Euch«, sagte er. »Ihr seid die Prinzessin Sunimaa, bloß seid Ihr nicht länger kalt wie Eis. Ich freue mich, Euch wiederzusehen.« Er wandte sich ab. »Mutter, auf dem Markt sind alle ganz aufgeregt. Es heißt, daß in den Rauhen Bergen eine Schlacht stattgefunden hat, und Prinz Pavinius hat die tritulaccanischen Truppen geschlagen und drei Generale gefangengenommen, und der Rest läuft jetzt einfach weg.«

2

Sie hatte sich ruhig zum Schlaf niedergelegt; Rodvard mußte sie mit der Berührung hinterm rechten Ohr wecken, die augenblickliches Wachsein hervorrief. Dennoch wollte sie ihn im ersten Moment an sich ziehen. »Wir müssen uns beeilen«, flüsterte er.

Vor dem Fenster war nichts als kalter wintriger Sternenschein, und der war schwach genug, doch hatte Rodvard auf Schnee oder Regen gehofft; Lalette nahm ihr Bündel mit den äußersten Notwendigkeiten, und er schlich voraus über den Balkon, der sich über eine Länge von drei Fenstern erstreckte und dann ans Gartenspalier grenzte, und nach jedem Schritt verharrte er für einen Moment, bevor er den nächsten tat. Dann brachten Lalettes Kleider sie fast zu Fall; sie sank, als er am Boden stand, mit einem unterdrückten Keuchen in seine Arme. Den Weg über die Gartenmauer hatten sie zuvor genau ausgearbeitet; er führte sie über die Regentonne auf das Schuppendach und vom Schuppendach auf die Mauer. Die Fackel in der Eisenhalterung, welche die Seitenstraße gewöhnlich erleuchtete, brannte nicht länger. Sobald auch Lalette die Mauer überwunden hatte, huschten sie an den Platanen entlang, überquerten die Straße, bogen um eine Ecke und ein in die verabredete Gasse; sie zitterten.

Etwas klirrte. »Seid Ihr die Reisenden?« fragte der Mann.

»Domina Domijaieks Reisende«, lautete Rodvards abgesprochene Entgegnung.

»Hier sind Euer Pferd und Euer Papier«, sagte der Mann. Rodvard stieg zuerst auf; der Mann, dessen Gesicht unkenntlich blieb, half Lalette hinter ihm aufzusitzen und wünschte ihnen in nicht unfreundlichem Ton Ade. Im Gewirr der Straßen, die ins Nordwestviertel führten, kannte Rodvard sich nicht sonderlich gut aus, aber es war recht einfach, die Richtung beizuhalten, und es gab nur ein Stadttor, das auf die Landstraße der Bogenschützen mündete. Das Pferd trabte dahin, und Lalette fühlte sich so schläfrig, daß es für sie fast eine Qual war, sich festhalten zu müssen. In keiner Straße begegnete ihnen jemand, und noch brannte hinter kaum einem Fenster Licht. Einmal nahmen sie eine falsche Abzweigung und gerieten in eine Sackgasse, doch der Irrtum kostete sie nicht viel Zeit, und dann kamen sie endlich ans Tor; sie ritten in den Schatten des Torbogens ein, und zwei Wächter – einer mit Spieß, einer mit Laterne – vertraten ihnen den Weg. »Eine vortreffliche Stunde habt Ihr Euch ausgesucht«, brummte der erstere, »um die Stadt zu verlassen.«

»Wenn man gehen muß, ist jede Stunde gut«, erwiderte Rodvard und holte das Papier zum Vorschein. Dies war der Augenblick der Entscheidung.

Der Wächter starrte es für ein Weilchen an, hob seinen Blick zu den beiden empor, senkte ihn zurück aufs Papier. »Ihr könnt passieren, Freunde«, sagte er. Als er sich mit seinem Spießgesellen wieder der Wächternische zuwandte, fing Rodvard ein paar Wörter auf. » . . . sich nicht eben freuen, das Paar zu sehen.« Er fragte sich, was auf dem Papier geschrieben stehen mochte.

Als sie das jenseitige Ende der Brücke erreichten, wo die uralten steinernen Leoparden standen, trieb er das Reittier zu schnellerer Gangart an, doch diese erwies sich als zu schnell für Lalette, und sie bat ihn, davon abzusehen. Für lange Zeit ritten sie dahin, ohne ringsum irgend etwas erkennen zu können, wie durch das Trugbild eines Zauberers, bis sich schließlich die grauen Umrisse von Bäumen und Häusern herauszuschälen begannen, und dann nahmen sie allmählich ihre vertrauten Farben an. Die Straße bog nach links ab, und dahinter lag der Fluß, auf dem Eis trieb. »Rodvard . . .«, sagte Lalette.

Er drehte sich nicht um. »Was ist?«

»Kannst du mir verzeihen?«

»Was verzeihen?«

»Daß ich dich . . . von allem fortschleppe. Deiner Neuen Zeit, deiner Arbeit.«

»Da gibt's nichts zu verzeihen. Es mußte sein.« Sie schwiegen von neuem, und während ihres Schweigens erhob sich hinter Wolkenstreifen die Sonne. Lalette war so müde und zerschlagen, daß sie sich immer stärker veranlaßt fühlte, Rodvard darauf aufmerksam zu machen, doch kurz bevor ihre Standhaftigkeit endgültig nachließ, gelangten sie an die berühmte Bootsbrücke bei Gogau, an deren anderer Seite ein Gasthaus stand.

»Laß uns dort rasten«, sagte Rodvard, »und eine Stärkung einnehmen.«

Er half ihr vom Pferd und geleitete sie ohne ein weiteres Wort hinein und an einen Platz; der pausbäckige Wirt begrüßte die beiden.

»Nein . . .«, sagte Rodvard, nachdem der Wirt sich fortbegeben hatte, »ich weiß selbst nicht recht, was ich wollte oder was ich jetzt will . . . aber ich bin davon überzeugt, daß es nicht meine Pflicht ist, unbedingt alles nach Mathurins Auffassungen zu tun und alles dafür einzusetzen . . .«

Er starrte an ihr vorbei in die Stube. Lalette war froh, daß er nicht sie ansah, um ihre Gedanken zu lesen, als sie ihre Frage stellte. »Glaubst du, daß er die Regentschaft halten kann?«

»Ich weiß es nicht, aber ich glaube, auf lange Sicht, nein. Nachdem Prinz Pavinius Tritulacca so machtvoll geschlagen hat . . .« Er legte eine Hand auf die Stelle seine Rocks, worunter kalt der Stein ruhte. »Ich bin nicht dies Ding, es beherrscht mich nicht, so wenig wie du durch deine Gabe der Hexerei.«

Sie erschauderte leicht. »Ich habe diese Gabe niemals gewollt.«

Nun spiegelte seine Miene Kummer wider. Er stand auf und wanderte durch die Wirtsstube, dann verharrte er unter der Tür; einen Moment später trat sie zu ihm. Die Sonne hatte die Wolken verflüchtigt und alles mit winterlich weißlichem Gold überzogen; unter ihnen eilte der Fluß dahin und trieb kleine Eisstückchen gegen die schwarzen Boote. »Irgendwann bin ich aus dem Rhythmus gekommen«, sagte er. »Ich vermute, man kann im Leben nicht mehr tun als mit dem kleineren das größere Übel bekämpfen und seinen Mitmenschen soviel verzeihen wie's geht . . . Ich bin's, der dich um Vergebung bittet.«

Sie schlang einen Arm um seine Taille. »Das brauchst du nicht tun. Ich glaube, ich liebe dich.« Für einen gleichsam verzauberten Moment standen sie reglos. Dann hob Rodvard eine Hand in seinen Nacken, und mit einer raschen Bewegung holte er den Blauen Stern heraus, zog ihn über den Kopf; er hielt ihn in der Hand, blickte hinab auf den Strom und dann Lalette an. »Ja«, sagte sie. Es klatschte nur leise, als der Stein ins Wasser fiel.

Epilog

Angesichts der Geschwindigkeit, mit der die niedrigen Wolken am Himmel dahin trieben, war an jenem Tag offensichtlich kein gutes Wetter für die Entenjagd. Hodge goß sich Kaffe nach. »Ich wüßte gerne«, sagte er, »was danach aus ihnen geworden ist.«

»Spielt das eine Rolle?« meinte Penfield. »Wenn man ein emotionales Problem gelöst hat, werden alle anderen Probleme unwirklich.«

»Du betrachtest Armut also nicht als wirkliches Problem?« fragte McCall.

»Sie ist nur eines im sozialen und relativen Sinn. Man sehe sich die Einheimischen im Bergland jedes beliebigen lateinamerikanischen Staates an. Sie leben von Reis, Bohnen und fünfzehn Cents am Tag und fühlen sich dennoch ziemlich wohl.«

»Ich pflichte dir insofern bei«, sagte Hodge, »als die Armut in diesem speziellen Fall sicherlich eine untergeordnete Rolle spielt. Doch ich habe den Eindruck, du gehst zu weit, wenn du die emotionalen Probleme dieses Paars für gelöst hältst. Solche Probleme lassen sich nicht wie in der Arithmetik mit einer Summierung lösen, nicht mit einer klaren Antwort in diesen oder jenen Ziffern. Alle Arten von Unter- und Nebenproblemen sind damit verbunden, denen man keine endgültigen Worte zumessen kann. Zum Beispiel – wird die Erinnerung an jenes Mädchen namens Leece eines Tages zusammen mit einer von Lalettes Jähzornausbrüchen eine explosive Mischung ergeben? Und verheimlichen die beiden nicht allerhand voreinander?«

Penfields langes Gesicht war nachdenklich. »Im Hintergrund einer jeden Verbindung schlummern unausgesprochen Geheimnisse«, sagte er. »Sogar so finstere Geheimnisse wie Mord durch Hexerei, und solche, die so unerklärlich zu sein scheinen wie das Erlöschen und Wiederaufleben des Blauen Sterns. Diese Dinge sind für mich das gleiche wie die Uneinigkeiten zwischen den Parteien eines dennoch politisch stabilen Staates. Nachdem man eine gemeinsame Grundlage gefunden hat, lassen sich alle Schwierigkeiten lösen oder durch Kompromisse beheben. Und dann . . . diese Menschen verfügen offenbar über eine gewisse Fähigkeit . . . ja, zur Einstimmung aufeinander. Viel ausgeprägter als bei uns. Was mich wundert . . .« – er zog an seiner Zigarette – »ist eine bestimmte Versessenheit auf Sex.«

McCall lachte. »Da wir es mit einem Produkt von uns allen dreien zu tun hatten, darf man wohl annehmen, daß dieser Beitrag aus dem Kopf von Hodge kam. Personen in deinem und meinem Alter . . .«

»Von wem es kam, weiß ich nicht«, sagte Hodge, »aber ich glaube, ich kann es erklären. Es hängt mit der Religiösität zusammen, die oftmals ein Auswuchs der Geschlechtlichkeit ist – oder ein Ersatz dafür.«

»Was mich wirklich interessiert«, sagte McCall, »sind die Entwicklungen in politischer Hinsicht.«

»Nun, kurzfristig sind sie ziemlich offensichtlich«, meinte Penfield, »und langfristige Entwicklungen sind immer unvorhersehbar.«

»Ich frage mich«, sagte Hodge, wie am Abend zuvor Penfield, »ob es sie wirklich gibt.«

Penfield stand auf, trat ans Fenster und blickte hinaus nach den geschwinden Wolken.

»Ich frage mich«, sagte er, »ob es *uns* gibt.«